조태일 전집

조
태
일
전
집

시론·산문

02

이동순 엮음

창비

일러두기

1. 시인이 발표한 시론과 산문을 글의 성격에 따라 3부로 나누고 발표 순서
   에 따라 배열했다.
2. 명백한 오자는 바로잡고 띄어쓰기는 현행 표기법에 따랐으며, 한자는
   가급적 한글로 풀어썼다.

3부

제 2 부

이 거룩한 잡담

문단 풍토가 이래서야

"인간아, 고이 간직된 지조가 있으면 손들고 나와보랏!"

이 말씀은 불란서의 저 유명한 우리의 남자 '나폴레옹'군이, 파죽지세로 구라파를 깔아뭉개면서 어느날 마상(馬上)에서 늠름하시게 외치신 말씀이 아니라, 내가 꿈을 꿀 때 겨우 카시미롱 이불 속에서나 외치는 꿈결 속의 말인데, 집안 식구들이 귓속에 소중히 간직했다가 아침 식탁머리에서 내게 들려주곤 하기 때문에 이 말은 나에게 있어서 생소한 말이 아니고 퍽 친근한 말이다.

이 말은 곧 "문학인이여, 고이 간직된 정신(지조)이 있으면 손들고 나와보랏" 하는 말과 동류의 말로서, 유치하기도 해서 시대에 뒤떨어진 말로 들릴지 모르지만 퍽 바른 말이다. 나는 이 바른 말을 주막에서나 세종로에서나 육교에서나 지하도에서나 마음속으로 항상 지껄인다. 어떤 때는 입을 크게 벌리고서 노골적으로 말해버린다. 이 쉽고 강력하고 정직하기까지 한 말로 간질간질한 모든 속물적 요소들이 쓰러질 때까지 지껄여주는 것이 문학인이 스스로 해야 할 임무인지도 모른다. "문학인이여, 한번 단 한번만이라도 썩지 말아랏" 하는 말과 연결되는 말로서, 문단 주변을 생각하다보면 저절로 나오게 마련이다.

무릇 예술가는 자기 현실적 삶이 아무리 비참하더라도 그 어려

10

움을 극복하고, 일부분의 예술가들이 많이 매혹당하고 있는 자화자찬과 당국의 찬양 같은 따위의 방해물까지도 극복하고, 자기에게 부여된 최상의 영광인 천품을 쉬지 않고 개발하는 데 전심전력을 다해야 되는 것이다. 그래서 예술가는 늘 고독한 것이 아니냐? 이 고독을 이기는 것은 정신이고 끝까지 살아 발버둥치는 것도 정신인데, 이 정신이 아주 쉽고도 편리하게, 그리고 적당히 썩어지고 있는 실정이다.

뭐 하나 제대로 돼 있지 않은 작품을 가지고서 발표만 하려고 갖은 간질간질한 짓들을 다 하고 있다. 우리나라에서 추천제도의 유일한 효과는 추천자들의 수많은 아류를 낳았고, 추천자의 개인적인 문학의 명성이나 문단세력을 구축 내지 유지하는 데 기여했고, 추천제도를 주재하는 잡지사나 그 잡지를 주관하는 주간의 문단세력을 구축 확장 내지는 유지하는 데 기여한 것이 유일한 효과라면 효과라고 말할 수 있지 않은가 하는 나의 견해는 전혀 타당성이 없는 것은 아니다. 신춘문예만 보더라도 그 심사위원이 누구누구면 작품도 어떠어떠하다는 것쯤은 도마 위에 올려놓지 않더라도 대번에 짐작이 간다.

왜 신인은 추천자나 심사위원을 닮아야만 하는가. 신인이라면 흉내를 내지 않고 남이 흉내를 낼 수 없는 개성적인 작품을 늘 들고 나와야 하지 않겠는가. 신인은, 좀 어색한 표현이지만 고독하게 나와야 하고 억세고 당당한 피투성이의 얼굴에다가 가시면류관쯤 쓰고 나와야 하지 않겠는가. 물론 어렵게 나오고 고독하게 나와야지만 좋은 작품을 쓸 수 있다는 말이 아니라, 솜면류관이나 비닐면류관은 좀 어색하다는 말이다.

모두 그렇다는 것이 아니라 대부분 그렇다는 말이다. 그리고 문학상 제도에 대해서도 한 말을 건네고 싶다. 주어서 기쁘고 받아서 흐뭇한 것이 상인데, 그 상이란 것은 그 사람의 재능이나 업적을 인정하여 그것을 육성 장려하기 위한 목적으로 주는 것이 아닌가 한다. 그런데 요즘의 상은 끼리끼리 나눠먹는 듯한 냄새가 짙게 풍긴다. 당초 의도와는 달리 창조력보다는 어른들을 잘 섬기는 비교적 온건한 작가에게 정실로 주어진 예가 허다하고, 실질적으로 그런 소문이 항상 뒤따른다.

작가기금인가 무엇인가도, 어렵게 구걸한 기금을 좀 신중하게 어렵게 쓰지 않고 적당히 술값으로 나눠주는 듯한 인상은 못된 나만 느끼는 것일까. 이 더러운 생각들을 이기고 올라서기 위해서도 정신만은 펄펄 살아줬으면 한다.

문학사 또는 신문사, 종합잡지사의 캐비닛을 열어보라. 먼지와 쓸쓸하게 동침하고 있는 원고는 산더미처럼 많을 것이다. 사실 잡지사의 주간이나 편집자는 높은 비평적 안목으로써 개성 있고 똑바른 잡지를 꾸며내야 하는데도 요즘까지도 편리하게 기고(?)된 원고를 가지고 지면을 메꾸어 펴내고 있으니 어떤 면으로 보면 주간이나 편집자는 한가지 수고쯤 덜어버린 셈이 된다.

또한 심심찮게 대두되고 있는 고료 인상 운동만 보더라도, 이것은 어딘지 좀 어색한 면이 있다. 고료를 적게 줘도 작품들이 물밀듯하고, 고료를 순전히 주지 않아도 원고가 물밀 듯 쇄도한다고 즐거운 비명을 투덜거리는 잡지도 엄연히 있는 현실인데, 문학인들의 치부를 다 알고 있는 어떤 놈이 돈 안 벌기 위해서 고료를 척척 올려주겠는가.

따라서 고료를 주지 않고 적당히 이런 약점을 노려 문단그룹이나 형성하면서 유지해보겠다는 문학지가 안 망한 적이 없다. 그리고 그런 데에 발표된 작품치고 제법 쓸 만한 작품도 못 보았다. 이런 부류들은 홍등가의 창녀들이나 별 다름없다. 나도 마찬가지로 이런 환경에 자꾸만 빠져가고 있으니 큰일은 큰일이고, 정조대를 채우긴 채워야 하는데 정신을 채우는 정조대가 있는지 모르겠다.

보이지 않는 도둑놈처럼이나 많은 문학인에 비해, 매달 발표되는 작품 중에서 "바로 이것이다"라고 무릎을 칠 정도의 좋은 작품이 빈약한 이유는 주간이나 편집자의 비평안목의 결여, 월평을 담당하는 분들의 방향 없는 붓놀림(정실비평)이 주는 영향도 있긴 있겠지만, 도둑놈처럼이나 많은 문학인들의 정신적인 타락에 있지 않은가 싶다.

그래 조금 경솔한 말이지만 대한민국의 문학예술의 창창한 앞날을 위해서 한 10년쯤 모든 저널리즘이 문학을 취급하지 않았으면 한다. 그 일이 어려우면 우선 신인 발굴의 방법으로 돼 있는 추천제도, 신춘문예제도, 신인문학상제도를 없애봄직도 하지 않겠는가.

『월간문학』 1969년 4월호

내 시 제목들에 대하여

　읽고 기뻐해줄 반가운 독자도 두어 사람밖에 없겠지만, 금년엔 시집 같은 것을 한번쯤 내볼 요량으로 스크랩북을 요리조리 넘기면서 시편들을 챙기다가 나는 나도 모를 웃음을 빙그레 웃고 말았다. 그랬더니 내게 시집온 지 겨우 2개월밖에 안된 아내가 얼굴을 손질(화장)하다가, 평소에 잘 웃지 않는 나의 빙그레 웃음이 참 의외란 듯이 열심히 움직이던 열 손가락을 잠시 멈추고 나를 물끄러미 바라보면서 보일 듯 말 듯한 웃음을 짓는다.

　"보리밥!"

하고 내 시의 제목을 큰 소리 내어 읽으니, 아까와는 좀 다른 얼굴 표정을 하더니 "당신도 참, 지금도 내가 보리밥이에요?" 하고 반문하면서 한참을 내 얼굴에서 시선을 안 뗀다.

　그도 그럴 것이, 그녀는 몸매가 좀 통통하고 얼굴은 많이 까무잡잡하고 그리고 모든 움직이는 모양은 젖소 같아서 꾸밈이 없되, 무슨 한 같은 것을 지니고 있는 듯한 마음씨여서, 당당히 연애를 하던 시절부터 그녀를 늘 '보리밥'이라고 칭찬(?)하여 애칭으로 불러왔는데, 시집와서까지 그 애칭을 부르니 그녀의 마음이 좀 안 좋은 모양이다.

　계속해서 나는 나의 시 제목인 "쌀" 하고 읽었더니 그 언짢아하던 얼굴이 많이 수그러들었다. 그녀가 생각하기에도 '보리밥'보다는 더 날씬하고 윤기 흐르고 맵시있는 쌀 쪽이 더 호감이 갔던 모양이다.

나는 계속해서 「처녀귀신전상서」「물동이 환상」「눈깔사탕」「나의 처녀막」「개구리와 파수병」「야전국 딸기밭 이야기」「야만의 치맛자락에 매달려」「모처녀전상서」「강간」「뙤약볕이 참여하는 밥상 앞에서」「독버섯」「식칼론」「꽃밭 세종로」「간추린 풍경」「필요한 피」「대창」「된장」「송장」「요강」「참외」「털난 미꾸라지」「털」…… 하고, 내가 여태까지 써서 여기저기 발표했던 시 제목들을 국민학교 아동들이 구구법 외우는 그런 식으로 고개를 앞뒤로 움직이면서 능청스럽게 외워댔다.

그러고는 느닷없이

"으하하핫……"

너털웃음을 온 방 안이 날아가버리라는 듯 웃어젖혔다. 쬐끔은 두 눈가에 상기된 빛을 띠면서 말이다. 그리고 또 "으하하핫핫……" 하고 웃으니, 그녀는 나의 웃음 그 "핫핫"께쯤에서 "호호호" 하고 따라 웃었다. 아까 처음에 "보리밥" 하고 내 시 제목을 소리칠 때는 또 자기에게 그리 듣기 안 좋은 애칭을 부르나보다 하고 오해 비슷한 것을 하다가, 실은 그런 것이 아니고 시 제목의 하나임을 알고 말이다.

5년 전쯤의 일이다. 「나의 처녀막」이란 시를 모지(某紙)에 발표했었다. 한 일주일쯤 됐을까, 어느 아가씨로부터 편지가 날아왔다. 내용인즉, 시 제목으로 보아서 귀하도 나 같은 여성인 것 같은데 어찌 그런 망측하고 상스런 시를 써서 모든 여성으로 하여금 얼굴을 찌푸리게 하느냐, 여성의 한 사람으로서 심히 부끄럽게 생각하며 귀하를 단호히 저주한다. 따라서 앞으로는 그런 시를 절대로 쓰지 말 것을 당부한다…… 어쩌고저쩌고 한 그 이름도 모를 여성으로부터 날아온 편지를 다 읽고 나는 뒤로 벌렁 넘어져 천장만 말꼼말꼼 쳐다보면서 빙그레 웃었다. 큰일이다. 앞으로 계속해서 그 제목으로 연작시를 쓰려 계획했던 것이 한 여성으로 하여금 나를 잠시 당황케 만들었으니 말이다.

나는 그 여성이 추측한 대로 여성이 아니고 남성이다. 왜 그 시 제목만 보고 나를 여성으로 추측했을까. 더구나 나의 이름은 당당한 남성적인 이름 태일(泰一)이가 아닌가. 그건 분명한 오해다. 다만 오해를 하려면 남성에게 무슨 처녀막이 있겠는가를 오해하라. 이런저런 생각들을 하다가 초지일관 그 제목으로 연작시를 쓰기로 다시 한번 내게 다짐하고 그뒤로 계속해서 연작시로 6번까지 써서 여기저기 발표했다.

물론 처음엔 「나의 총각막(總角膜)」이라는 시를 쓰려 했던 것인데 이 '총각막'이란 단어는 완전한 조어이어서 그걸 피하고 그런 제목을 가지고 6번까지 썼던 것이다. 순결하고 또 정결하고 신비하고 또 거룩하기까지 한 상징어로는 아무래도 그것 말고는 내 머리로 하여금 더 생각할 수가 없었던 것이다.

나는 저 남도의 지리산 골짜기에서 내 유년시절을 보냈다. 지금은 서울의 창경원에서나 겨우 볼 수 있는 여우·늑대·이리·멧돼지가 울타리 밑까지(짐승을 막기 위해 있음), 심지어는 방문 앞까지 기어드는 그런 산간벽지에서 자랐다.

내 나이 겨우 4~5세 때에 나는 일제의 혹독한 맛도 톡톡히 보았다. 밥 대신 소나무껍질로 만든 송키밥을 먹고 자랐다. 공출 안하려고 놋쇠요강을 어머님께서 땅에 묻는 광경도 보았다. 그리고 윗

16

목에 놓여 있는, 한쪽이 금이 간 사기요강의 처량함도 보았다. 일제가 떠맡긴 유류 보충용 송진을 캐러 험준한 산을 오르내리면서 피께나 흘렸다. 여순반란사건도 겪었다. 옆집 뒷집 순이·옥분이·철이·갑돌이의 어머니 아버지 들이 무참히 대창에 찔려 몰살당하는 처참한 광경도 똑똑히 보았다. 저 뒷동네가 불바다가 되는 것도 보았다. 하루아침에 머슴이 주인의 배를 대창으로 찔러 죽이고 산으로 올라가는 모습도 보았다. 그뒤 6·25를 겪고 지금까지 허다한 이 사회의 변혁과 거기에 따른 모든 모순도 겪으면서 억척스럽게 살아가고 있다.

지금 생각해보니 내 시 제목들이 보여주는 것은 그런 환경으로 하여금 얻어진 체험들의 소산이 아닌가 여겨진다. 사랑도 맺혀 있고 한도 맺혀 있고 미움도 맺혀 뒤범벅이 된 내 시들을 읽을 때마다 나는 걷잡을 수 없는 흥분을 못 감당하고 만다. 때로는 야성적이고 때로는 원초적이고 때로는 여성적인 세계로 바뀌면서 죽어 사는 사람들의 모습으로 사는 것이 아니고, 펄펄 살아 있는 사람의 모습으로 살면서 앞으로 더 독한 시들을 써가리라.

『여성동아』 1970년 5월호

천상병 시인에게

며칠 뵙지 못한 것 같습니다. 가을바람이 세검정 산마루를 지나 갑니다. 저 무심한 바람에게 몇자 난필을 띄워 보냅니다.

전에는 안 그랬었는데 요즘에 와서 천상병(千祥炳)씨는 나에게 곧잘 시 이야기를 자주 끄집어낸다. 씨가 요즘 쓰고 있는, 또 생각하고 있는 시들에 대해서도 자주 심각하게 또박또박 이야기를 들려준다. 시에 대해서는 성실한 태도여서 고마운 분이라고 생각된다. 그런저런 말들을 늘어놓다가는 갑자기 '다시 순수로'라는 평필을 듣고 싶다고 말한다. 솔직히 말해서 시를 '순수·참여'로 구분해서 말하게 된 것이 언제부터이고 어떤 계기에서 그렇게 된지는 모르나, 그렇게 말하는 축들을 못마땅하게 여기고 있는 터라 별로 탐탁지 않게 듣곤 했다. '순수·참여'라는 그 애매하고 묘하고 할 일 없이 지껄여대는 말들을 귀가 아프게 들어왔고, 될 수만 있다면 그런 불필요한 말들을 듣지 않으려고 피해온 이유는, 그런 말들이 나의 시작에 방해가 됐으면 됐지 도움이라곤 전혀 주지 않기 때문이다.

그러나 씨를 근래에 자주 접촉하면서 나대로 씨에게서 느낀 바가 있기 때문에 '다시 순수로'라는 그 말의 의미를 진지하게 알고 싶은 충동을 느낀다. 내가 알고 있는 씨만은 자기를 숨기지 않고 남의 시론 따위에 구애됨이 없이 자기대로의 시에 대한 의견을 나에게 들려줄 것만 같아서이다.

잠깐만 여담을 해둘 필요가 있다. 내가 씨의 모습을 처음 본 것은 아마 7, 8년 전의 일이 아니었을까 한다. 여름 통행금지 시간이 임박해질 무렵의 홍릉행 마이크로버스 안에서였다고 여겨지는데, 그때만 해도 나는 세상의 모든 술이란 술을 혼자서 다 마신다 해도 주량이 안 찰 것만 같았던 이른바 두주불사의 그런 시절이어서 나는 꽤 많이 취해 있었다. 그런데 어떤 새카만 사람이 올라왔다. 다짜고짜로 맨 뒤의 비좁기 그지없었던 내 옆으로 비실비실 곧 자빠질 듯 말 듯 다가와서는, 그 뼈만 풍성한 궁둥이를 자꾸 비벼대며 비집고 끼어들더니, 그 지독한 술냄새를 풀풀 풍기면서 누구에게랄 것도 없이 그 어지간히 숙달된 솜씨있는 욕설을 퍼부어대는 것이 아닌가. "개새끼들, 쌍놈의 새끼들" 하는 욕설들이 꼭 나를 향해 던지는 것만 같았고 그 몸놀림이 나를 무던히 괴롭혔으므로 한 주먹 해버릴까 어쩔까 생각도 해보았으나 상대방의 몸짓은 너무 왜소하고 그렇게 하기엔 얼굴이 너무도 새카맣게 보여서 꾹 참고 견디고 말았다.

그후 한 열흘쯤 지나서였을까. 명동의 '은성'이란 술집에서 예의 그 욕설을 퍼부으면서 술잔을 비우고 있던 씨를 우연히 보게 됐다. 나와 동석이던 박봉우(朴鳳宇)씨에게 자초지종을 말하고, 도대체 저분이 누구냐고 물었더니, 시도 쓰고 평론도 제법 쓰는 천상병씨라고 일러주어서, 그때야 비로소 씨의 이름을 기억하게 됐다.

그리고 또 7, 8년이 흘러 작년 4월에 고 신동엽(申東曄) 시인의 시비 제막식 관계로 부여엘 가게 됐는데, 그때서야 처음으로 인사를 건네고 비록 짤막짤막한 대화일망정 건성으로나마 나누게 됐다. 솔직히 말해서 씨의 행동거지가 조금은 신기하게 보였고 재미도 있었고, 특히 그 특허감인 힘없는 웃음소리가 내겐 상당히 귀한 것으로 들렸다. 세상의 모든 부드러운 소리를 혼자서만 다 동원해서 뽑아내는 듯한 그 갈갈갈…… 달달달…… 잘잘잘이 부드럽게 섞여 그 중간 즈음에 해당됨직한 웃음소리는 퍽 친밀감을 주기도 했다.

'순수·참여' 어쩌고 말하면서도 김지하(金芝河)씨의 담시 「오적(五賊)」은 좋은 시라고 나와 비슷한 견해를 밝히는가 하면, 이성부(李盛夫)씨더러는 김수영(金洙暎)의 에피고넨이라고 전혀 엉뚱한 이야기를 하기도 하고, 이번에 나온 『창작과비평』지에 실린 김준태(金準泰)씨의 시를 읽고서는 좋은 시를 읽어 기분이 아주 좋다며 대낮부터 나를 대폿집으로 끌기도 했다. 참 고마운 분이다.

내가 아는 바로는 씨가 요즘 갑자기 시 이야기를 자주 하는 것은 아마 김준태씨의 작품을 읽고 나서가 아닌가 여겨지는데, 이런 일들은 아주 중요하고 유익한 일들이라고 생각된다. 요즘 좋은 시를 읽고 싶어하던 중에 김준태씨의 시를 읽고 나서 나 자신은 상쾌해지기도 했는데, 씨의 『창작과비평』지에 실린 다섯 편의 시를 읽고 그 상쾌함은 더해졌다. 요즘 씨에게서 시에 대한 이야기를 듣고 있는 터라 여러가지로 의의가 있는 계기가 아닐 수 없다. 물론 그 다섯 편의 시가 매우 훌륭하다고는 말하지 못한다 하더라도 그만한 수준을 지킬 줄 아는 씨에게 우선 박수를 던진다.

나 하늘로 돌아가리라
새벽빛 와 닿으면 스러지는

이슬 더불어 손에 손을 잡고,

나 하늘로 돌아가리라
노을빛 함께 단 둘이서
기슭에서 놀다가 구름 손짓하며는,

나 하늘로 돌아가리라
아름다운 이 세상 소풍 끝내는 날
가서, 아름다웠더라고 말하리라…

——「귀천」 전문

　다섯 편 모두 군더더기 없이 꼭 필요한 말만을 골라서 만들어낸
깨끗한 시들이어서 즐겁다. 아주 쉽고 정확한 표현을 했고, 괜히
호들갑을 떤 데가 없어 호감이 가는 시다. 어떤 절박한 상태에까지
다다라 있는 듯한 느낌을 가질 수 있는 시다. 요즘 씨가 '3개월 후
면 귀천을 하게 될 것 같다'라는 말을 나에게 들려준 적이 있다. 하
여튼 그런 말을 하면서 씨는 '다시 순수로'라는 평필을 듣고 싶다
고 덧붙이곤 했다.
　이 정도의 좋은 시를 매만질 수 있는 역량이라면, 이 정도의 절
박한 상황에 처해 있는 정도라면 씨의 '다시 순수로'라는 진의를
기대해볼 만도 하지 않겠는가. 그러면서도 의심이 가는 것은 이 정
도의 시를 지키기 위해서 이 정도의 시를 유지하기 위해서 '순수
론'을 편다는 것은 좀 사치스럽고 쑥스러운 일이 아닐까 생각된다.
내가 알기로는 이 정도의 시를 위해서 '순수론'을 펴리라 여기지
않는다. 씨대로의 현 한국시단에 하고 싶은 생각들이 있을 것이다.

요즘 '순수, 순수' 하는 사람들치고 좋은 시를 쓰는 것을 별반 보지 못했다. 무슨 장난감 비슷한 것들을 늘어놓고서는 심각한 표정을 지으면서 어쩌고저쩌고 하는 모습을 참 우습게 보아온 나로서는 씨에게 씨 자신이 생각하는 순수의 정체를 듣고 싶어하는 나의 소박한 생각이 전혀 헛된 일이라고만 볼 수 없지 않은가. 다만 '다시 순수로'라고 했을 때 '다시'라는 단어가 풍기는 어감이 아무래도 못마땅하다. 오늘날의 한국시가 마치 순수를 부르짖지 않으면 큰일이라도 터질 어떤 급박한 상황이라도 되었다는 뜻인지, 씨가 순수시를 썼다가 요즘은 어떤 불순한 시를 쓰는데 그것이 잘못되어서 다시 순수시로 돌아가보겠다는 뜻인지 알 수가 없다.

솔직히 내 의견을 털어놓는다면 세계의 모든 위대한 시인들이 써놓았던 시론들이나 시에 대한 정의를 나는 옳다고 생각한다. 그만큼 나는 시에 관하여 외곬으로 생각하는 짓들을 못마땅하게 여기고 있는 사람이기에 '순수·참여'로 구분해놓고 시를 이야기하는 것은 어이가 없는 노릇이라고 여기고 있다. 씨가 그토록 좋아하는 김준태씨의 시편들은 그렇다면 '순수·참여'의 어느 쪽인가. 우리가 지금 당장 해야 할 일은 나쁜 시를 꾸짖는 일이고, 좋은 시를 시로서 평가해주는 일이지 '다시 순수로'라는 말만을 하고 있을 때가 아니지 않은가. 좋은 시는 순수, 참여의 어느 쪽으로 치우치는 것이 아니라 좋은 시일 뿐이다. 그러므로 나는 '다시 순수로'의 참뜻이 '다시 좋은 시로'에의 책임있는 말이기를 바란다.

천상병 선생님, 부디 '3개월 후의 귀천'을 30년 후로 미루십시오.

『월간문학』 1970년 10월호

잡담, 그리고 또 잡담
차라리 어린이가 쓴 시를

나는 이 글이 잡담으로 그치기를 바란다.

시는 많은데 좋은 시는 없다는 잡담들을 일반독자들에게서뿐만 아니라 문학을 본업으로 삼는 부류들, 특히 그중에서도 시를 쓰는 부류의 입을 통해서 자주자주 들을 적마다 부끄러워진다. 문학인을 포함한 대중들에게 아첨을 해서가 아니라 진짜로 부끄러워진다. 한편의 문학작품일망정 그것은 작자 자신만이 평가하는 것이 아니고 문학인을 포함해서 모든 독자들이 공동으로 심판하는 것이기 때문이다.

내 이런 말을 하면, 태일이 자식 또 아첨하면서 시를 뭐 대중의 시녀로 타락시키려는 아주 저급한 두뇌놀이를 한다고 푸념하는 부류들이 있으리라. 그런 말 역시 잡담으로 돌릴 수밖에 없으며 이 글 역시 나를 포함해서 하는 잡담임을 솔직히 말해둔다.

50년대 말부터 급증하기 시작한 시인의 수는 오늘날에 이르러서는 급기야 700명 선까지 육박하고 있으며 그들이 써낸 시들은 매월 200여편을 상회하고 있는 형편이다. 이러한 시인·시의 급증현상이 자연스러운 것이었다면 좀 좋으련만 그렇지 못한 것이 탈이 아닌가 생각한다. 해방 이후 이 잡지 저 잡지에서 왕성하게 벌인 추천제도와 그리고 각 신문사의 경쟁적인 신춘문예 현상제도를 통해 추천인이나 심사위원들은 자기 아류 형성에 급급했거나, 아주 인정이 많았거나, 전혀 몽매했거나 하는 대량생산의 외적인 이유, 거기에다가 기회의 턱을 건 신인들의 준엄하지 못한 내적인 이유들이 가세하여 오늘과 같은 시인 급증현상이 흐르고 있는 것이 아닐까. 시인들이 많고 시들이 많아서 욕될 건 없지만 문제는 그들이 매월 발표하는 200여편의 시들이 우리들에게 아무런 자극과 그것으로 인한 공감은커녕, 아무 짝에도 쓸데없는 언어공해만 제공했다면 우선 시인이고 시고 뭐 소용이 있겠는가.

얼마전까지만 해도 나는 이러한 시들을 읽었지만 요즈음은 이런 골치아픈 시(극히 개인적인 취향 때문)들을 안 읽기로 마음을 고쳐먹고, 극히 제한된 시인의 것이나 모 일간지에 자주 실리는 어린이 시들을 읽는 형편에 있다.

숨가쁘게 그 현대시를 쓴답시고 몰두도 해보고 막연하게 들떠도 보았지만 요즘은 그걸 작파하고 차라리 어린애들이 쓰는 시를 읽는 이유는, 현대시는 어렵다, 현대시는 시가 아니다라는 잡담에 나도 주눅이 들어버렸으며, 그런 잡담들을 들을 적마다 민망해지고 부끄러워졌기 때문인지도 모른다.

거짓 없이 말하고 거짓 없이 꾸미는 어린애들의 순박하면서도 동시대에 면면히 뛰는 맥박 같은 리듬을 대할 때마다, 반성할 것은 딱 잘라서 반성하고 밀고 나갈 것은 딱 잘라서 밀고 나갈 필요성도 느낀다. 곰곰이 생각에 생각을 덮쳐 생각해보아도 우리들은 너무도 급속히 그리고 맹목적으로 놓칠 건 다 놓치고 엉뚱한 허공을 향해 질주하지 않았나 여겨진다. 시는 많은데 좋은 시는 정말 없다는 충고들을, 문학의 시녀화 방지를 빙자해서 스스로의 자화자찬 격인 엘리뜨적 망상으로 무식한 놈의 잠꼬대라고만 넘겨버릴 수 있겠으며, 현대가 난해하니깐 현대시도 난해하다는 어디서 들음직한 말로써 어물어물해버릴 수 있겠는가. 그렇다면 현대가 난해하면 난해한 대로만 살아갈 일이지, 현대시라는 가면을 둘러쓰고 현대보다도 더 난해한 장난들을 하면서 공동의 언어와 공동의 사물을 자기의 전유물인 양 물고 늘어져 괜한 사물, 괜한 언어들에게 생채기만 내고 있는가? 똑바로 뜨지 못한 눈으로 똑바로 이 언어와 사물의 질서를 파악하지 못하는 태도는, 발전하는 예술가의 태도가 아니라 대중의 눈길에도 제대로 못 미치는 퇴보하는 태도이다.

이 땅에 흐르고 있는 질서라는 것은 저 땅에 흐르고 있는 질서와 다르며, 이 땅의 질서가 이쪽의 땅에 빚는 현상과 저쪽의 질서가 저쪽에 빚는 현상과는 엄격히 다르다. 따라서 한국적인 상황을 한국적 오관(五官)으로 파악하지 않으려는 어거지 때문에 근본적으로 시가 난해해지고 있는 것이 아니겠는가! 그러므로 또 잡담이지만 걸핏하면 남의 시론을 시대도 다르고 상황도 전혀 같지 않은 한국에다가 두들겨맞추려는, 걸핏하면 어느 시론은 이렇게 씌어 있는데 그걸 모르고 야단들이냐 하는 대국주의적인 태도는 옳지 못하다. 자기가 한국인인 이상 아무려면 영국인보다도 프랑스인보다도 미국인보다도 스페인인보다도 그들 풍토에 대해서 더 아는 것이 뭐 있으며, 아무려면 그 나라 인종보다도 그 시대 그 상황에 대해서 더 체험한 것이 뭐 있겠는가.

하여튼 기왕에 시 쓰는 일에 발을 붙였다면 우리들의 시대, 우리들의 상황에 배를 깔고서 땀나도록 반성해보자. 나는 서구식 방법으로 민족언어를 깔보지 않았는가, 내가 뱉어놓은 리듬은 우리 민족리듬을 깔아뭉개지 않았는가, 그리하여 민족정서나 민족운율을 형성하는 데 방해가 되지 않았는가를 철저하게 반성하는 용기를 가져봄이 어떤가.

　시인은 많은데 좋은 시는 없고, 시는 많은데 그럴듯한 상징이나 생명에의 끈질긴 집착은 없고, 시는 많은데 우리들의 정서나 리듬은 없고, 시는 많은데 공감은 없는가를 생각하면 잡담이지만 민망해지고 부끄러워진다. 우리 함께 장난삼아서라도 부끄러워하자, 무서워하자.

『월간문학』 1972년 6월호

응어리진 시혼(詩魂)

양성우(梁性佑) 시인은 통 말수가 적은 편인데다가 여성처럼 부끄럼을 잘타는 내향 성격이다. 그런데 그의 시혼은 늘 치열하게 불타고 있다. 도대체 알 수가 없는 노릇이다. 분명 그의 내부엔 응어리진 어떤 정한(情恨)이 웅크리고 있는 모양이다.

그는 고교시절에 학생 시단을 심심찮게 휩쓴 적도 있었다. 그뒤 영영 잠적해버린 줄 알았더니 근 10여년 만에 공식적인 시활동을 하게 된다. 내가 『시인』지를 주재하고 있을 때 한 보따리의 시고(詩稿)를 보내왔다. 처음엔 망설이다가 그의 시들을 「신인 특집」으로 게재했었다. 그리고 『시인』지는 망해버린다.

어느 겨울날 밤, 눈이 펑펑 쏟아지는 세검정 주변의 옛 성터에 앉아 나는 많은 시간을 보내면서 많은 열변을 토한 적이 있다. 그런데 그는 전혀 말대꾸를 하지 않았다. 그런 그가 싱거운 사람이라고 생각했었는데 지금 생각해보니 내가 속단해버린 모양이다. 그의 시들을 읽어보면, 그가 얼마나 치열한 정신력을 가지고 있는가를 알 수 있다. 성격은 온순하되 시는 능히 동물적인 기백을 지녔다. 시집을 내겠다고 하기에 처음엔 난색을 표했으나 나중에 나도 동의를 한 이유는, 그러한 욕심과 기백을 같이 나누고자 함이었다.

부디 쉬지 않고, 식지 않고, 투철한 시작업으로 우리 시에 보탬

이 되기를 친우로서 부탁한다.

『국토』후기

목숨 부지하며 살아가기가 참말로 부끄러워 괴로움에 온 마음과 온몸을 조인 채 허우적거리며 살아온 5년 남짓한 소용돌이 속에서 썼던 연작시 「국토」 48편을 1·2부로, 시집 『아침 선박(船舶)』(1965)과 『식칼론』(1970)에서 39편을 골라 3·4부로, 모두 87편을 묶어 세번째 시집이 되는 『국토』를 펴냈다. 그러므로 이 시집 『국토』는 1960년대 초반에서 1970년대 중반에 이르는 십수년 동안에 썼던 시들을 거의 한데 묶은 셈이 된다.

그리고 원래는 『국토』를 발표하기 시작할 때부터 일정기간 동안에는 제목 붙이기조차 게을리해서 연작 번호만을 붙여 발표했던 것인데, 이번 시집을 준비하면서 연작 번호 위에 적당한 제목을 붙여줬을 뿐만 아니라 매편의 시를 약간씩 혹은 시에 따라서는 대폭 수정했음을 밝혀둔다.

시집을 내는 일은 즐거워야 하고 약간 들뜨는 심정이 들어도 무방할 터인데, 즐거움보다는 괴로움이, 들뜨는 심정보다는 착잡하고 허전한 마음이 강세다. 이는 마치 어떤 대단한 일을 끝낸 뒤에 오는 심정일 터인데, 대단한 일은커녕 늘 지혜롭지 못하고 힘 모자라서 역사와 민중의 변두리쯤에서 가까스로 살아오면서도, 부지

불식간에 이 역사와 민중을 앞질러가고 있다는 자만과 망상까지
를 가지면서 버티어온 터임을 누구보다도 잘 아는 마당에 심히 부
끄러울 뿐이다. 따라서 나는 이 시집을 계기로 뉘우치고 깨달으면
서 나에게 채찍을 가할 것이다. 줄기차게 시를 써야 할 것이고, 때
에 따라서는 절필(絶筆)도 각오해야 한다면서.

『국토』 후기(1975년 5월)

김현승의 『마지막 지상에서』

　다형(茶兄) 김현승(金顯承) 시인의 시집으로는 『김현승 시초(詩抄)』(1957) 『옹호자(擁護者)의 노래』(1963) 『견고한 고독』(1968) 『절대고독』(1970) 『김현승 시전집』(1974) 등이 있는바, 이 『마지막 지상에서』는 다형의 여섯번째의 시집이 되는 셈이다.

　따라서 다형의 개인시집으로는 마지막인 이 『마지막 지상에서』는 상기 5권의 시집 어디에도 실려 있지 않은 시들을 거의 빠짐없이 수집해서, 1부는 1970년의 『절대고독』 이후 타계하실 때까지의 시들로, 제2부는 문단 데뷔 이후 1970년 사이의 것으로, 제3부는 이른바 기념시·행사시 성격의 것으로 묶었다.

　다형 김현승 시인은 잘 알려진 대로 40여년간의 긴 세월을 시작에 전념했다. 이 기간은 다형이 이 지상에서 머물고 간 60 평생의 3분의 2에 해당된다. 그야말로 다형의 생애에 있어서 시를 빼버린다면 그의 일생은 빈 껍질과 같은 것들이었을 것이고 무의미한 삶의 연속이었을 것이다.

　그의 초기 시풍은 자연에다가 기지(機智)와 풍자를 가미한 이른바 모더니즘의 경향을 띠었는데 차츰 인간의 내면적인 곳으로 눈을 돌려 기독교정신을 바탕으로 하는 고독의 세계로 몰입했었다. 물론 이 고독의 세계는 감상이나 허무의식으로 위축된 고독이 아니라 강한 인간의 윤리적 차원에서의 생명에 집중되는 고독의 세계이다. 다만 아쉬운 점은 후기의 시에 이르러 이 고독의 내면에서 적나라한 인간의 현장으로 눈을 돌리려는 기미가 보였으나, 그것을 보여주지 못하고 타계하셨다는 점이다.

그러나 그가 40여년간 보여줬던 많은 명시들은 이러한 우리의 아쉬움을 아름다운 예술적 감동으로 채워주고도 남음이 있다.

김현승 『마지막 지상에서』 편집후기(1975년 11월)

박봉우의 『황지의 풀잎』

　이 시집은 3부로 편집되었다. 제1부와 제2부는 1962년부터 최근에 이르기까지 15년 남짓 사이에 발표한 것들을 모을 수 있는 데까지 거의 빠짐없이 모아서 발표연대와 역순으로 꾸몄으며, 제3부는 그의 첫시집 『휴전선』(1957)과 『겨울에도 피는 꽃나무』(1959), 『사월의 화요일』(1962) 등 3권의 시집에서 저자의 시적 체질이 비교적 잘 드러나 있는 것들로 골라서 역시 발표의 반대 순으로 꾸몄다. 이로써 우리들은 박봉우 시인의 시들을 힘 안 들이고 한눈으로 바라볼 수 있는 계기를 얻었음과 동시에 이 시집을 통하여 전쟁과 폐허의 50년대를, 독재와 혁명과 좌절의 60년대를, 긴장의 풍요와 정신적인 빈곤의 70년대 전반을 한 시인이 어떻게 몸부림하며 부딪쳐왔는가를 역력히 엿볼 수 있게 되었다.

　전쟁이 휩쓸고 간 폐허 속에서 대부분의 시인들이 기진맥진한 채 꽃과 여인과 술과 혹은 병든 자아의 한구석을 노래하며 자위하고 있을 때, 박봉우 시인은 "산과 산이 마주 향하고 믿음이 없는 얼굴과 얼굴이 마주 향한 항시 어두움 속에서 꼭 한번은 천둥 같은 화산이 일어날 것을 알면서 요런 자세로 꽃이 되어야 쓰는가"(「휴전선」)라고 우리의 뼈아픈 분단의 현실과 민족의 갈등을 온몸의 사랑으로 놓치지 않고 노래함으로써 민족시인으로서의 자리를 튼튼히

하였으며, 지칠 줄 모르는 열정과 앞을 내다보는 자유분방한 시정
신으로 전쟁과 함께 도사리고 있는 시의 폐허 속에서 시의 희망까
지를 일깨워주었다. 그는 50년대에 출발하여 오늘에 이르는 사이
의 많은 시인들 중에서도 가장 개성이 강한 시인임에 틀림없다. 그
는 4·19혁명을,

> 쓰러지는 푸른 시체 위에서
> 해와 별들이 울었던 날.
>
> 詩人도 미치고,
> 민중도 미치고,
> 푸른 전차도 미치고,
> 학생도 미치고,
>
> 참으로 오랜만에,
> 우리의 얼굴과 눈물을 찾았던 날.
>
> ─「소묘 33」 부분

이라고 노래한다. 이렇듯 4·19혁명의 다한(多恨)하던 시절, 길고
광활한 얼굴에 잡초처럼 무성한 수염이며, 어느 한 곳을 뚫어져라
응시하며 이글이글 불태우는 눈동자며, 어떠한 악도 도저히 접근
할 수 없는 다정한 미소를 머금은 채 거리를 누비며 '거리의 시인'
으로서 4·19혁명을 노래하고 노래하다가 병옥(病獄)에 갇히기도
한다. 그러나 정신병원에 갇힌 자신을 오히려 조국과 민족의 모습
으로 노래하기도 하며, 병들어 있는 사회와 병들어 있는 인간들이

34

민족시인을 가두었다고 몸부림치며 밖에다 대고 "병이라면 잠이 오지 않는 것이 병인가"라고 외치기도 한다.

이처럼 누구보다도 현실에 민감한 시적 체질로 민족현실의 서러움을 열기 있게 노래하다가 4·19혁명 정신이 차츰 변질되어가는 기미가 뚜렷이 나타나기 시작하자 "모든 안개여/조선의 4월과 함께/어서 가라"(「소묘 4」)라고 단호히 부르짖기도 한다. 뿐만 아니라 그는 그러한 좌절감을 "로타리의 몇평 되는 잔디밭에서 차라리/소월시집으로 얼굴을/소녀처럼 가리고 싶다/모든 것을 가리고 싶다"(「지평에 던져진 꽃」)라고 노래할 수 있는 차분한 마음을 가지고도 있으며, 또한 "한 방안이/점점 좁아지는구나/내가 밀려서 잠을 깨다보면/요놈들은/키도 크고/넓어졌구나"(「아버지 경제」)에서 볼 수 있듯이 평범한 일상의 아버지로서의 자식들에 대한 티없는 사랑 같은 것들도 엿볼 수 있다.

이처럼 우리의 현실에 지나치게 민감하면서도 흐트러지지 않는 건전한 목소리를 들려주던 그는 "긴 겨울 이야기는/끝나지 않았다/모두 발버둥치는 벌판에/풀잎은 돋아나고/오직 자유만을 그리워했다/꽃을 꺾으며/꽃송이를 꺾으며 덤벼드는/난군(亂軍) 앞에/이빨을 악물며 견디었다/나는 떠나련다/서울을 떠나련다"(「서울 하야식」)면서 말없이 한 많은 서울을 떠나버렸다. 그의 '서울 하야(下野)'는 무엇을 뜻하는 것일까. 결코 '시의 하야'는 아닐 것이다. 긴 겨울의 이야기가 끝나지 않는 한 그의 시는 늘 우리 곁에 함께 있어줄 것이라고 믿기 때문이며, 그의 건강 회복은 건전한 민족시의 회복이요, 건전한 민주사회의 회복임을 알기 때문이다.

박봉우 『황지의 풀잎』 편집후기(1976년 7월)

김준태의 『참깨를 털면서』

　벌써 10여년 전의 일이다. 군대에서 제대를 하고 나서 나는 마음에 차고 맞는 직장이란 데를 찾지 못해 취직을 포기하고, 차라리 내 욕심껏 하고 싶은 일이나 한바탕 벌여놓고 보자는 생각으로 월간 시지(詩誌)인 『시인』을 창간하여 1년 넘게 용쓰며 주재해온 일이 있었다.

　그때 그 시잡지 일을 해나가면서 어려운 일도 많이 겪고 신나는 일도 더러 겪었는데, 그 신나는 일 중의 하나가 바로 이 시집의 저자인 김준태의 「서울역」「머슴」「시작(詩作)을 그렇게 하면 되나」「신김수영(新金洙暎)」「아메리카」 등 다섯 편의 시와, 또 한 사람의 「비」「황톳길」「녹두꽃」「가벼움」「들녘」 등 다섯 편의 시를 동시에 『시인』에 싣게 된 일이다. 영광스럽고도 분에 넘치고 신나는 일이 아닐 수 없었다. 그뒤로 이 두 사람 말고도 몇몇 분이 더 가세하여 시뿐만 아니라 시론 따위도 열심히 써주어서 한동안은 국내 최고 수준의 시지로 뻗어나가는 듯했으나 달갑지 않은 여러가지 형태의 간섭과 눌림에 스스로 결단하여 손을 떼고 말았다. 안타깝고 슬픈 일이었다.

　이야기를 바꾸어, 그때 김준태의 시를 싣기로 작정하고, 이런 따위의 시를 쓸 수 있는 분이라면 아마 나보다도 훨씬 인생의 연륜도

높고 깊은 분일 거라고 생각하면서 "선생님의 훌륭한 시를 싣기로 했으니 약력을 좀 보내주십사" 하는 내용의 기별을 보냈는데 뒤따라 보내온 약력을 훑어보니까, 이것 봐라! 나이 겨우 스물을 먹고 있었고 시골 대학교의 초년생이 아닌가? 또 한번 당황할 수밖에 없었던 기억이 생생하다.

그뒤부터도 그는 좋은 시들을 감히 중앙의 유수한 발표지면을 통해 맹렬히 발표함으로써 긍정적인 찬사를 썩 많이 받아왔는데, 특히 재미있어 지금도 가끔 떠올리곤 하는 일이 한가지 있다. 그는 그 무렵 「감꽃」 등의 시를 『창작과비평』지에 발표했었는데 그 시를 읽고 달려온 천상병 시인이 좋은 시를 읽어 기쁘다며 대낮부터 나를 청진동 막걸리집으로 끌고 가 백원어치의 막걸리를, 그것도 천시인이 이 세상에 태어나서 남에게 처음이자 마지막으로 사는 술이라며 권해서 몇모금으로 더위를 식힌 일 말이다. 흐뭇했던 지난날의 추억 한토막이다.

아무튼 김준태와 나는 그런저런 인연으로 지금까지 10여년 가까이 싫증날 것 없는 사이로 지내오고 있다. 그 이름 중의 '태(泰)'자가 말해주듯 체구는 나와 버금가되, 나는 서울생활에 쫓기고 시달려 이미 잃어가고 있는 고향을 그는 혼자 늘 넉넉하게 부둥켜안고 있으며, 그가 만나서 하는 말이나 시 속에서 하는 말들은 나처럼 투박하고 눌변이되 내 말보다 정은 훨씬 더 흠뻑 젖어 있고, 편지도 하나의 훌륭한 글일진대 그는 나에게 무려 150여통이 넘는 분량을 써 안겼고 나는 극히 사무적인 내용까지 합쳐 고작 서너편의 편지를 보냈을 뿐이다. 까닭은 그가 해병으로 월남전에 끼여서 괴로워하고 외로워하는 나머지 내게 원없는 편지를 써 던졌겠는데, 괜히 그런 데에 끼여서 괴로워하고 외로워하는 짓이 아니냐는 내 고집스런 판단으로 답장을 전혀 안 보냈던 그때 그 습관이 지금까지 내 몸에 배어서 서너 편의 편지밖에 안 보낸지 모를 일이다. 미안할 따름이다. 그런데 이제 이 시집 속의 시들을 읽어보니 그 많은 편지의 내용들이 이 시들의 시상(詩想)이 되어 있음을, 그리고 어떤 시는 나에게 보낸 편지를 그대로 고스란히 옮겨놓은 것도 있음을 알았다. 이처럼 그의 편지는 단순한 사신(私信)이라기보다는 한 자 한 자가 시로 채워져 있는 시 원고들도 있음을 밝혀둔다.

잡담 떠나서, 나는 그의 시를 두고 "동물적인 기백의 순발력을 지니고서 전혀 새로운 목소리와 새로운 형식으로 우리들 가슴속에 참신하게 와닿는 김준태는, 건방지리만큼 거센 목소리로 외쳐대는가 하면 천리 물속 같은 고요한 서정으로 걷잡을 수 없을 정도의 새로운 충격을 준다. 과거의 우리 시사(詩史)에서도 드물게밖에 만나지 못하는 그런 야성적인 활달한 목소리는 일단은 우리의 관심을 끈다"(「민중언어의 발견」, 『창작과비평』 1972년 봄호)라고 말한 바 있다. 이 시집에 수록되어 있는 80편 가까운 시를 읽어보면 알 수 있듯이 그의 시 속에 일관되게 흐르고 있는 시의 특징은 위의 지적에서 거리가 별반 멀지 않다.

다만 그는 시력(詩歷)이 두터워지면 질수록 말을 많이 하고 따라서 시가 길어지고 있음을 지적해두고 싶다. 시인과 현실과의 최선의 거리는 '밀착'이라 말할 수 있고 밀착은 매우 바람직한 시인의 태도인데, 그 밀착으로 얻어낸 풍부하고 진지한 시적 체험들을 미처 걸러내지 못한 나머지 시의 핵심이 흐트러져 시에 말이 많아지고 자연히 시가 길어지는 것이 아닌가 유념하기 바란다. 짧을수록 시의 핵심은 분명해지고 긴장 또한 높아지는 법이다. 시가 길어지면서 공연히 시의 긴장을 포기할 수 없는 일이다.

그러나 그는 "굶주린 백성들의 배꼽을 파고 들어가/구름을 날리며 말채찍을 휘두르던 저것이/천년 후 오늘도 내일도 자랑이라드냐/(…)/저것은 아름다움도 자랑도 극치도 아닌/저것은 몸서리치는 우리의 부끄러움"(「신라고분 출토에 곡함」)이라고 판단할 수 있는 지극히 건전한 역사감각과 문화적 태도, "내가 밤마다 만나는 북한여자는/내 살덩이를 삼팔선인 양 물어뜯으며 흐느낀다/(…)/남으로 내려온 그녀의 늙은 몸으로나마 채운다/그녀의 쭈그러진 살에서나마 북한 땅을 더듬는다"(「북한여자」)나 「반달」에서 보여주는, 우리가 결코 방관하거나 포기할 수 없는 갈증에 가까운 민족통일에의 강렬한 집념과 의지로 범벅이 된 현실의식을 안고 "오늘은 어둠 속에서 누구나 부른다/가까이 가보면 젊은이들은 그림자도 없고/늙은이와 아이를 낳지 못하는 여자들/밥을 이고 나온 꼬부랑할멈뿐"인 「들밥」이나 「안마」 「호남선」 「참깨를 털면서」에서 보여주듯이 주체들이 비어 있는 거의 무력하다시피 된 농촌에서 살고 있어, 더욱 현장에 충실하여 긴장된 시를 쓰리라고 우리는 믿는다.

예컨대 "네놈이 떠나버린 밭 귀퉁이에/홀로 남아서 시를 쓴다/글안족이 뭉개고 일본의 어스름이 짓누르고/간밤의 도적놈이 살금살금 기어가던 흙에/배를 깔고서/쌀밥보다 미끈한 시를 쓴다/네놈이 보듯이 이런 시를 쓴다"(「시작을 그렇게 하면 되나」)고 선언하고 나섰던 그를 지금도 생생하게 기억하고 있기 때문이다.

바라건대 한 번만이 아니고 두 번만이 아니고 쉴새없이 우리들을 시로써 당황하게 만들어달라. 더구나 "몸뚱이 하나로 톱과 대패와 망치 몇개로" "꿀꺽꿀꺽 살아가는"(「이한우」) 이의 농촌 처녀를 아내로 맞았으니, 더이상 바랄 일이 무엇이며 더이상 주춤하고 망설일 일이 무엇인가.

김준태 『참깨를 털면서』 발문(1977년 7월)

이산 김광섭 시인과 나

이산(怡山) 선생과 나는 사제지간이다.

대학교 시절에 나는 선생으로부터 문학 전반에 걸쳐 강의를 받았다. 선생은 그 해박한 앎과 풍부한 행동에 비해 말씀이 비교적 적으신 분이다. 강의시간에도 강의에만 열중하시지 딴 말씀은 전혀 안하시기 때문에, 다른 학생들로부터 소위 그 인기있는 교수로는 인정을 못 받으신 분이다.

나는 대학시절에 터무니없이 술을 즐겼기 때문에 강의시간에도 거의 날마다 얼굴이 버얼겋게 취해 있었는데 선생은 그렇게 철딱서니 없는 나를 한번도 꾸짖지를 않았다. 오히려 전혀 무관심하다는 표정이었다. 그런데 시험을 치르면 항상 100점에 가까운 A학점을 주셨다. 나는 매일 강의시간마다 취한 채로 청강을 했기 때문에 밉게 보아서 실력을 실력대로 인정하지 않고 "태일이 너 한번 반성해보아라"고 C학점이나 낙제점수인 D학점을 주실 줄 알고 은근히 겁이 나곤 했는데 결과는 항상 A학점이어서 나는 마음속으로 "그러면 그렇지, 역시 선생님은 사람을 보실 줄 아셔" 어쩌고 하면서 자만심에 잠시 젖기도 했지만 역시 철딱서니 없는 짓이었다.

선생께서는 그때 경영난으로 허덕이고 있는 『자유문학』지의 발행인으로서 많은 고민을 겪고 계셨는데, 문단에 나오고 싶어하는 재학생이며 졸업생들의 뒷바라지(?) 때문에, 혹은 현역문인들의 발표 욕심(?) 때문에 심신이 많이 괴로우실 거라고 판단하고 나는 문단에 나오기로는 조건이 매우 좋은 『자유문학』을 일부러 피하고 신춘문예로 등단했으며, 등단하고 나서도 한번도 내 시를 선생께 보여드리지 않았다. 폐를 끼쳐드릴까 싶어서였다.

이런 나의 태도를 가상하게 여기셨는지는 몰라도 대학교에는 문화상 제도가 있어서 거기에 문학작품을 응모하여 '양(良)'급만 받으면 1년치 등록금을 몽땅 면제받는 특전이 있었는데 나에게는 실로 분에 넘치게도 졸업할 때까지 학비를 면제받는 '우(優)'급을 주시지 않는가. 나는 마음으로는 고맙기도 했지만 다른 학생들에게 혜택을 주기 위해 수상을 양보(나는 다른 장학금을 받고 있었음)했는데, K대학 개교 이래 지금까지 문학작품으로 '우'급을 받은 문인은 없고(세계적인 수준이라야 '우'급), 내 문학 실력을 내가 잘 아는데 선생은 이런 엉뚱한 면도 가지고 계신 것이 아닌가 하고 지금도 궁금하기만 하다.

선생은 고집도 대단한 분이신데, 이런 점에 있어서도 나는 이산 선생님을 닮지 않았는가 생각된다. 내가 『시인』지를 꾸미고 있을 때, 좋은 원고가 없어서 성북동의 선생님 병상을 찾아뵙고 시 몇편을 부탁드렸는데 단호히 거절을 하시는 것이 아닌가? 거절 이유는 그 『시인』지의 인쇄를 맡아주던 나의 K대학 선배가 『자유문학』지를 경영난에 빠뜨리게 한 사람 중의 한 분이라는 것이다. 아무튼 제자가 제자된 뒤 처음으로 부탁드린 청이었는데 거절하시니 서운하기도 했지만 그 병상을 물러서고 말았다.

선생님은 이제 이 지상에 그리고 나의 곁에 계시질 않지만 내 마음속에는 항상 가득 자리하고 계신다. "인생은 짧고 무상하지만 아무 일도 못할 정도로 짧은 것은 아니다"고 나를 꾸짖는 것만 같다.

1979년 발표 지면 미상

전직 시인이란 괴로움

시를 쓰지 못하고 있는 사람을 애써 시인이라고 불러주는 주변의 푸짐한 인심이 고맙기도 하다.

물은 흘러야 하고 바람은 불어야 하고 나무는 푸르게 흔들려야 하고 새는 노래를 불러야 하고 동물은 네 다리로 힘껏 달려야 하고 학생은 진리를 탐구해야 하고 교수는 부단히 연구해야 하고 어린이는 잡념없이 무럭무럭 자라야 하고 시인은 시를 써야 비로소 시인인 것을 뻔히 알면서도, 수년 동안 단 한편의 시도 쓰지 못한 채 아까운 세월을 축내고 있어 심히 부끄러울 뿐이다.

나는 '전직 시인'이란 희미한 직함을 가지고 이 보배로운 내 땅에서 그럭저럭 살다가 희미하게 사라질 것인가. 아니면 나를 태어나게 하고 살게 하는 이 땅과 이 상황을 온몸으로 부둥켜안고 화끈하게 부딪쳐 사랑하면서 거듭거듭 태어날 것인가. 이런저런 생각을 하면서 나름대로 열심히 살아가는 남들 틈에 끼여 수년간 용케도 잘 견뎌온 것 같다.

"목숨 부지하며 살아가기가 참말로 부끄러워 괴로움이 온 마음과 온몸을 조인 채 허우적거리며 살아온 5년 남짓한 소용돌이 속에서 (…) 나는 이 시집을 계기로 뉘우치고 깨달으면서 나에게 채찍을 가할 것이다. 줄기차게 시를 써야 할 것이고, 때에 따라서는

44

절필도 각오해야 한다면서."

　위의 글은 7년 전, 그러니까 1975년에 세번째 시집인 『국토』를
펴내면서 책 뒤에다가 다짐한 후기의 일부분이다. 뭐 대단한 뜻이
담겨 있어 여기 인용한 것이 아니고, 이 다짐은 그때 그 상황에 대
한 내 나름대로의 진지한 반응이었고 각오였을 뿐만 아니라, 방점
부분이 오늘의 내 처지를 잘 나타내주고 있는 것 같아서이다.

　그런데도 나는 "절필도 각오해야 한다"는 어쭙은 여운을 내세
워 시 못 쓰는 내 자신의 위선과 게으름을 그럴싸하게 위로하면서
남들이 즐겨 강조하고 갈망하는 '대망의 80년대' 초두에까지 묻어
오고 말았다. 도대체 시 못 쓰는 까닭이 어디에 있단 말인가. 남에
게 있는가, 사회에 있는가, 나라에 있는가. 아니다. 천번 만번 되물
어도 시 못 쓰는 까닭은 내 자신에게 있지 않는가. 내 나라의 언어
가 있고, 내 나라의 민중이 있고, 내 나라의 상황이 있는 한, 시 못
쓰는 까닭이 그 누구에게 있는 것이 아니라 바로 내 자신에게 있는
것이다. 그럼에도 그동안 "왜 시를 안 쓰느냐"는 그 많은 질문에
"암탉이 바야흐로 달걀을 품고 있는 중이다" "요즘 좋은 시 쓰는
시인이 엄청 많아져서 나는 이제 더이상 필요없는 고물 시인이다"
"침묵은 금이다. 금은 은보다 훨씬 귀중하다"는 등등의 그럴싸한
말로 받아넘기며 오늘까지 지탱해왔음이 사실이다. 거듭 부끄러
울 뿐이다.

　우리 민족 최대의 사상가이고 학자이며 탁월한 시인이었던 다
산(茶山) 선생이 18년이란 긴긴 유배생활 틈틈이 떨어져 살고 있는
아들들에게 보낸 편지에 다음과 같은 내용이 있다. "임금(오늘날
은 민중)을 사랑하고 나라를 근심하는 내용이 아니면 시가 아니
다. 시대를 아파하고 퇴폐한 세속을 분개하지 않는 내용은 시가 될

수 없다. 대도(大道)를 알지 못하고 민중에게 혜택을 주려는 마음가짐을 지니지 못하는 사람은 시를 지을 수 없다. 세상을 걱정하고 백성을 긍휼히 여기며 항상 무력한 사람을 들어올려주고, 없는 사람을 구제하고 싶어 방황하고 안타까워서 그냥 두지 못하는 그런 간절한 뜻이 있어야 시가 되는 것이다. 자기자신의 이해(利害)에 연연하는 것은 시가 아니다." 200여년이 지난 오늘날에도 이 다산 시론은 우리들에게 많은 교훈을 준다.

시라는 것은 외국 어디에서 갑자기 들어오는 것은 아니다. 시론 역시 그렇다. 이런 훌륭한 시론이 우리나라에도 일찍부터 있었다는 사실은 나에게 많은 힘과 희망을 안겨주기도 한다. 그렇다. 탓할 일이 많은 세상일수록 시인은 외롭지 않은 것이다. 탓할 일이 많은 상황일수록 시인의 게으름은 부지런함으로 바뀌고, 탓할 일이 많은 사건일수록 시인의 무력은 왕성한 상상력으로 일깨워지는 것이 아닐까.

우리 역사상 가장 괴롭고 어두웠던 시기는 일제하 36년이 아니었던가 한다. 가장 괴로웠고 캄캄했던 이 시기에 우리들의 노래는 가장 뜨거웠고 절실했었다. "문전의 옥토는 어찌되고/쪽박의 신세가 웬말인가/말깨나 하는 놈 재판소 가고/일깨나 하는 놈 공동산 간다/아깨나 낳을 년 갈보질하고/목도깨나 메는 놈 부역을 간다" "우리집 부모가 날 찾으시거든/광복군 갔다고 말 전해주소" 등등의 노래를 보더라도 그렇다.

나는 이제부터라도 시 쓰는 일에 게으름을 피우지 않겠다고 다짐해본다. 노래는 희망이요, 절필은 절망일 뿐이니까.

1982년 발표 지면 미상

버들개지 밑으로 물이 흐르면

　세상을 살아가노라면 자기 뜻대로 되어지는 경우보다는 자기 뜻대로 안되는 경우가 많은데, 나는 그럴 때마다 고향을 머릿속에 떠올리곤 한다. 슬플 때나 괴로울 때나 일이 잘 안 풀려 난감할 때나, 특히 한 줄의 시를 쓰기 위해 끙끙거릴 때는 내 몸과 마음을 내 유년으로 던져버릴 때가 많다. 워낙 조용한 곳이어서 거기서 흐트러진 몸과 마음을 가다듬기 위해서인지 모를 일이다.

　내가 태어난 곳은 전남 곡성군(谷城郡) 죽곡면(竹谷面) 원달리(元達里)이다. 지명이 말해주듯 그야말로 첩첩산골이다. 보이는 것이란 대나무숲을 포함한 수림(樹林)이며, 그곳엔 원없이 날고 뛰는 날짐승 산짐승이며 하늘뿐이고, 들리는 소리란 밤낮으로 울부짖는 짐승소리며 흐르는 계곡 물소리며, 목탁소리에 조용히 오락가락하는 구름소리뿐이다.

　이곳은 달마대사의 선법(禪法)을 종지(宗旨)로 삼아 그 문풍(門風)을 이어온 유명한 구산선문(九山禪門)의 하나인 동리산(桐裡山) 태안사(泰安寺)가 자리잡고 있는 곳인데, 바로 이 절의 스님을 아버지로 해서 내가 이 세상에 태어난 것이다. 아버지는 이 태안사의 중요직책을 맡고 있는 대처승이었는데, 내 이름의 '태(泰)'자도 바로 이 절 이름의 첫 자를 따서 지었다.

이 마을에서 내가 다니던 동계국민학교까지는 산길로 시오리쯤
되었다. 등하교 길엔 온갖 짐승들의 공격에 대처하기 위해서 대여
섯 명씩 함께 모여, 책보따리를 어깨에 대각선으로 둘러매거나 허
리에 동여매고 신발은 새끼줄이나 칡넝쿨 따위로 묶고 한 손에는
돌멩이, 또 한 손엔 작대기를 들어야만 했다.

나쁜 어린이는 여우나 늑대, 곰이나 호랑이에게 물려가고 멧돼
지에게 받혀 집에 못 돌아온다는 이야기들을 어른들에게 무수히
듣고 자란 탓도 있지만, 실제로 산길을 오가다 그런 짐승들이 멀리
어슬렁거리거나 쏜살같이 우리들의 곁을 스쳐 간장을 써늘하게
만든 경우도 한두 번이 아니었으니까 말이다.

그런데 이곳의 겨울은 참으로 적적하고 지루하기만 했다. 가끔
대처에서 온 포수와 사냥길에 나서기도 했지만 거의 매일 긴긴 겨
울을 방구석에 앉거나 배를 깔고 엎드려 어머니의 베틀소리나 물
레 잣는 소리에 묻혀 지냈다. 내 교과서는 물론 누님이나 형의 교
과서까지 수십 번씩 되풀이해서 읽고 또 읽었다. 간식거리인 곶감
이나 알밤이나 싱건지(동치미) 맛도 진저리가 나서 봄만 기다릴
수밖에 없었다.

버들개지가 보송보송 피어나고 그 밑으로 개울물이 녹아 흘러
내리면 겨우내 추위에 무사했던 고기들이 노니는 모습도 볼 수 있
고, 여기저기서 새 움이 트는 소리가 들리는 듯하면 내 몸은 온통
간질간질해지게 마련이었다. 봄이 오고 있기 때문이었다.

3월은 새학기가 시작되고 새학기가 시작되면 기다리고 기다렸
던 새 책을 받아 단숨에 읽을 수 있고 겨울 내내 산골에 묻혀 살던
동무들을 한꺼번에 만날 수 있었다.

대여섯 명씩 함께 모여 한 손에 작대기를 들고 한 손에 돌멩이를

들고 "나의 살던 고향은 꽃피는 산골, 복숭아꽃 살구꽃 아기 진달래"나 "동해물과 백두산이 마르고 닳도록 하나님이 보우하사 우리나라 만세"를 오랜만에 목청껏 뽑을 수 있어, 첩첩산골의 봄은 1년에 두어 번씩 온다 해도 우리에겐 싫지 않은 계절이었다.

1982년 발표 지면 미상

새해에 새로운 시

　새해에는 새로운 시를 쓸 계획이다. 20여년 동안의 시작(詩作)활동을 되돌아보면 모두 낡은 것들만 일부러 골라 쓴 것이 아닌가 싶게 온통 낡은 시들만 남아 있다.

　새해에는 시선집을 묶어볼 참이다. 지금까지 네 권의 시집을 출간했는데 그 네 권의 시집 속에서 비교적 쉽고 비교적 많은 시편들을 골라 선집을 낸 다음 열심히 새로운 시를 써서 그동안 뜸했던 시작을 왕성하게 펼쳐보고 싶다.

　더욱 쉬운, 더욱 뜨거운, 더욱 새로운 시를 향해 몸부림치는 시인상을 스스로 창조하겠다. 나의 진실한 독자를 위한 길은 오직 이 길뿐이므로.

『시문학』 1984년 1월호

유년기의 자전적 시론

모든 소리들 죽은 듯 잠든
전남 곡성군 죽곡면 원달 1리

구산의 하나인 동리산 속
태안사의 중으로
서른다섯 나이에 열일곱 나이 처녀를 얻어

깊은 산골의 바람이나 구름
멧돼지나 노루 사슴 곰 따위
혹은 호랑이 이리 날짐승들과 함께
오손도손 놀며 살아라고
칠남매를 낳으시고

난세를 느꼈는지
산 넘고 물 건너 마을 돌며
젊은이들 모아 야학하시느라
처자식을 돌보지 않고

여순사건 때는
죽을 고비 수십 번 넘기시더니
땅뙈기 세간살이 고스란히 놓아둔 채
처자식 주렁주렁 달고
새벽에 고향을 버리시던 아버지.

—졸시 「원달리의 아버지」 1~5연

위의 시에도 그대로 나타나 있듯이 나는 전남 곡성군 죽곡면 원
달1리에 있는 태안사에서 1941년 9월 30일, 대처승이었던 부친 조
봉호(趙鳳湖)와 모친 신정임(申正任) 사이에서 7남매 중 넷째로 태어
났다.

태안사는 "서기 742년(경덕왕 1년) 신라의 혜철선사(惠徹禪師)가
창건하여 거금 1200여년이 흘러온 고찰로서, 그후 구산선문의 동
리산파 개조인 혜철국사(惠哲國師)가 주석(駐錫)을 하고부터 산세
(山勢)를 떨친 남녘의 소림(小林)"(졸저 시집 『가거도』 발문, 이문구)이었
다. 내 이름 중 첫 자인 태(泰)자도 태안사(泰安寺)의 첫 자를 따서
부친이 지어주셨는데 내 형제의 항렬인 기(基)자와도 전혀 상관이
없는 자이다.

내가 태어난 시기는 일제의 착취와 탄압이 극에 달한 시기로서
유년시절의 기억을 지금도 똑똑히 기억하고 있다. 온 집안 식구들
은 일제가 강제로 할당해준 송진을 채취하기 위해 온 산을 헤매었
으며 나는 그 뒤를 따라다니면서 철없이 칭얼대기도 했었다. 어떤
때는 긴 칼을 차고 먼발치에서 순사가 나타나면 집안은 온통 법석
이었다. 놋요강·숟가락·젓가락·놋대접·놋화로 등 쇠붙이로 된
것들은 모조리 두엄 속에 파묻거나 울타리 속 아니면 처마 밑에 쑤

셔넣느라고 그랬었다. 대동아전쟁 때 군수물자(탄환 등)로 충당하기 위해 소위 공출이란 이름으로 일제가 싹쓸이해갔기 때문이었다. 그런 일을 옆에서 거들어주는 일도 신바람이 나는 일이었다. 순사는 이따금씩 찾아와서 알사탕을 주면서 숨겨놓은 곳을 알려달라고 어르기도 했지만 지금 기억에도 알사탕을 먹기 위해 그 쇠붙이들을 숨겨놓은 곳을 가리켜준 적은 한번도 없었다. 그러나 맛있는 것을 먹고 싶을 때는 어머니에게 "나 맛있는 것 안 주면 순사에게 일러바친다"고 졸라대어 토종꿀·조청·산자 등을 가끔씩 맛보던 일이 있었는데, 그때 어머니는 얼마나 애를 태우시며 철없는 자식을 속으로 꾸짖으셨을까 생각하면 지금도 송구스러움을 어찌할 바가 없는 것이다.

내가 태어나서 자라던 원달1리의 태안사 턱밑에 있는 마을은 모두 10여호에 지나지 않는 산골의 작은 마을이었다. 나는 이곳에서 한 20여리 떨어진 동계국민학교를 2학년까지 다녔다. 이리·멧돼지·늑대·노루 따위의 산짐승들 때문에 항상 친구들과 떼지어 다녔는데, 한 손엔 작대기나 돌멩이들이 들려 있었다. 그러곤 짚신이나 검정고무신은 칡넝쿨 같은 것으로 친친 동여매었는데, 산짐승들의 공격을 효과적으로 방어해내기 위한 배려에서였다. 물론 책보따리는 어깨띠 두르듯이 메고 다녔다.

그러나 학교 가는 일은 즐거웠다. 그 당시에는 책걸상이라곤 없어 교실 바닥에 그대로 퍼질러앉아 수업을 받았고 책은 교과서마다 한 분단에 한 권씩 공급되었기 때문에 책에 몹시 굶주렸다. 내가 집에 가져가서 볼 차례가 되면 밤을 새워 처음부터 끝까지 외워버리든가 아니면 연필로 창호지나 장판지 따위에 모두 베껴놓기도 했다. 그래도 부족하면 누나나 형의 교과서를 읽기도 했다. 그래서 나는 방학을 제일 싫어했었다. 깊고 깊은 산골에서 동무들 생각도 간절해서였지만 돌려볼 교과서가 없었기 때문이었으리라.

방학 때면 앞산 뒷산 옆산을 온종일 쏘다니며 토끼 사냥, 꿩 사냥, 멧돼지 사냥에 해가 지는 줄도 몰랐다. 꿩은 돌팔매질 혹은 나무를 휘어 올가미를 설치해서 잡았으며 토끼나 노루, 멧돼지 등은 그들이 다닐 성싶은 길목에다가 함정을 파거나 덫을 만들어놓으면 며칠에 한 마리씩은 잡히기 일쑤였다. 멧돼지 새끼들을 생포하기도 했다. 어미 돼지들은 이제 걸음마를 시작했음직한 번들번들한 새끼들을 7~8마리씩 이끌고 마을 근처까지 나타나곤 했는데, 우리 조무래기들은 숨을 죽이고 숲속의 바위 뒤에 숨어 있다가 갑자기 뛰쳐나가 새끼들을 한 품안에 한 마리씩 품고 악을 고래고래 지르며 도망을 치곤 했다. 어미 돼지들은 때로는 반격을 해오기도 했지만, 산골에서 태어나고 산골에서 자란 우리 동무들은 그 짐승 못지않은 슬기와 용감성을 일찌감치 몸에 익히고 있는 터여서 그까짓쯤은 잘도 피해냈었다. 그런데 의기양양하게 그 새끼돼지들을 품고 어른들 앞에 나타나면 칭찬보다는 꾸중이었다. 돼지는 길한 동물인데다가, 그리고 돼지떼들이 동네 근처에까지 나타난 것은 마을에 풍년이 아니면 좋은 길조를 보이는 것이니 놓아주라며 꾸중이었다. 그러면 우리들은 꽥꽥거리며 두려움에 떠는 그 번들번들한 돼지새끼들을 힘없이 놓아주며 입술만 한번 삐죽하면 그만이었지 아까워하지는 않았다. 언제고 그만한 동물 새끼들은 품에 안으면 그만이었으니까.

이렇게 산중에서의 유년시절은 온갖 산짐승들과 함께 어울리며 지냈는데, 이러한 원초적이고 티없는 체험들은 내 시에 일부나마 나타나고 있는 것이 아닐까.

그러나 나는 평생에 잊지 못할 비극적 체험을 맛보게 되었는데 그것은 1948년에 일어났던 여순사건이었다. 태안사가 위치한 동리산은 여순사건의 격전지였다. 낮에는 아군이 밤에는 밤손님(주민들은 공비들을 그렇게 불렀다)이 점령하는 그야말로 처절한 살육의 현장이었다. 자고 나면 이웃집의 누구는 행방불명이었고 이웃마을의 누구는 대창에 꽂혀 죽었다는 소문들이 꼬리에 꼬리를 물었다. 수차례 이 마을 사람들은 20여리 떨어져 있는 동계국민학교 옆마을로 소개되어 며칠씩을 지내다 식량이 떨어지면 다시 이 마을로 올라와서 식량이나 가축을 챙겼으나 이것들이 온전히 남아 있을 리가 없었다. 내 부친도 몇번이나 죽을 고비를 겪는 것을 똑똑히 보았고 지금도 그 광경은 내 뇌리에서 조금도 지워지지 않는다. 한번은 한밤중에 곤히 자고 있는데 어머님이 인정사정없이 우리 형제들을 꼬집었다. 우리 형제들은 엉엉 울었다. 아버지는 우리들이 우는 사이에 광으로 건너가 뒤주 밑의 마루를 들어내고 (나중에 안 일이지만 거기에 비상구를 만들어놓았었다) 광의 구들장 밑으로 들어간 순간 방문을 걷어차며 밤손님이 뛰어들었다. 싸립문께에서 들리는 인기척을 잠결에 듣고 어머님은 생득적으로 기지를 발휘해서 우리들을 꼬집었고 우리들이 아파서 혹은 아픈 척 우는 소란 속에서 아버지는 극적으로 피신을 해서 목숨을 부지했던 것이다. 만일 그때 피신을 못했더라면 밤손님에게 끌려가서 행방불명이 되셨을지도 모른다.

긴긴 해를 산짐승 날짐승이랑 함께
가파른 산을 뛰어오르며
가시덤불에 살이 찢겨 흐르는

피를 문질러가며,

산열매로 가득 배를 채우고
찔레꽃 개나리꽃으로 입술 물들이며
짐승들보다 더 빠르게
신나게 뛰던 친구들.

(…)

어둠속에서 두근거리는 가슴 조이며
한밤내 대창 부딪는 소리 들으며
친구들 생각에 밤잠을 설치고,

서로 무사했는지 새벽에 일어나
고함 지르며 골목골목을 뛰며
아침 안부를 나누던 친구들.

그 모습만 모습만
동리산 기슭에 가득 고였다.

— 「친구들」 부분

　이런 극한상황에서 아버지와 어머니를 따라 우리 7형제는 광주로 피난길에 올랐다. 물론 피난 당시에는 동계국민학교 옆마을로 소개되어와서 살고 있던 때였다. 그 마을 옆에 흐르는 압록강(북에 있는 강이름과 한자까지 똑같다)을 나룻배로 건너서 갔는데, 그때 아낙네들이 옷고름을 적시며 울어주며 환송하던 모습 또한 지금까지 지워지지 않는다. 특히 "생전에 태일이 도련님과 말 한마디 나누는 것이 소원이었는데 못 나누고 헤어지는 것이 섭섭하다. 부디 몸조심하고 고향에 꼭 찾아와라" 하는 아낙네들의 흐느끼던 소리가 나룻배가 나루터를 떠나 압록강 한복판에까지 왔을 때도, 그 강을 다 건너서도 내 귀에 맴돈 것 같았는데, 그 소리는 지금은 더 똑똑히 내 귀에 들리고 있는 것이다.

나는 지금도 별로 말이 없는 편이지만 유년기엔 거의 말을 하지 않았다고 한다. 내 또래의 동무들과는 잘 어울렸는데도 동네 어른들 특히 아낙네들과는 한번도 이야기를 하지 않았다고 한다. 나와 말을 걸려고 하면 나는 도무지 입을 떼지 않았고, 혹 입술을 겨우 열었다손치더라도 "몰라" 하면 끝이었다고 한다. 그만큼 나는 어른들과 대화를 하지 않았으며, 더구나 아버지더러 "아버지" 하고 한번 불러보지 못한 채 아버지를 여의었다는 말을 어머니와 형제들로부터 지금까지도 가끔 듣곤 한다. 참으로 수수께끼나 신화 같은 이야기가 아닐 수 없다. 지금 생각해도 아버지 생존시에도 아버지로부터 "태일아" 소리 한번도 들은 기억이 없다. 왜 부자간에 그랬을까?

세간살이 고스란히 고향에 놔두고 광주로 피난와서 어린 나이로 아버지와 함께 온갖 일을 하면서도, 예를 들면 아버지가 밭일을 나가시면 내가 할 일을 미리 알고 지게며 삽이며 쇠스랑을 들고 뒤따라가서 함께 일을 하면서도 대화 한마디 나눈 적이 없었으며, 논일을 나가시면 두레 같은 것을 옆구리에 끼고 뒤따라가서 함께 두레로 물을 품어올리면서도 한마디 서로 건넨 적이 없다.

아무튼 그 지긋지긋했던 여순사건의 참혹한 현장을 뛰쳐나와 광주로 피난온 지 2년 만에 우리 식구들은 6·25라는 엄청난 동족 상잔을 또 겪게 된다. 여순사건이 특정인들이 어느 한정된 지역에서 벌였던 참혹한 비극이었다면 6·25는 전국토에서 전국민이 겪어야 했던 민족의 대참극이었다. 나는 6·25를 겪으면서 국민학교를 제대로 다닐 수 없었다. 광주에서 세 번씩이나 학교를 옮겨다녀야만 했다. 그런데 6·25가 끝난 직후 아버지께서는 이 세상을 떠나셨는데 임종 때는 나 혼자만이 지키고 있었다. 그리고 생존시에도 식구들에게 가끔씩 하신 말씀이었지만 "고향(곡성) 떠난 지 30년이 지나면 고향땅을 밟아라"는 유언을 나에게 남기고 운명을 하셨던 것이다. 내 손을 꼬옥 잡으시면서 말이다.

삼십년을 떠돌다가
광주에 들러
친구 錫武를 차고
고향 찾아가는 길.

가다 가다 더위에 지치고
몰아치는 어린 시절이 숨가빠서
옷 벗어 바위에 던지고
동리천에 뛰어들어
금세 얼어붙는 성년을 덜덜 떨며
머리 위로 구름 스치는 소리
물고기 맨살 간지르는 소리 듣는다.

침묵으로 고향길 밟는 발바닥,

어렸을 적 내 발가락 부딪쳐 피내던
돌부리 하나하나 떠올리며
대창 부딪치는 소리 꽂히는 소리
쓰러지는 비명소리 들으며

착한 짐승 거느리듯
친구 석무를 뒤에 거느리고
어른을 버리고,
아장걸음으로 고향길 걷는다.

— 「동행」 전문

아버지의 유언대로 나는 실로 고향 태안사를 떠난 지 30년 만인 1977년 여름에 고향을 찾아갔다. 우리가 살았던 마을은 온데간데 없고 30년 동안 우리 대신 자란 숲들이 그 자리를 꽉 채우고 있었다. 다들 개발되어 사람들 떼로 우글거리는 판에 내 고향은 반대로 원시림에 가까워가고 있어서 한편으로 다행스러웠다. 그리고 다행히 태안사 건너산에 자리잡고 있는 '성기암'에 들르니 우리집 바로 아랫집에 사셨던 아버지 제자뻘이 되시는 대처스님인 백선사가 그 암자를 지키고 계셨는데, 함께 계시던 그분 부인(당시는 20대 후반이었음)에게 "태일입니다" 했더니 한참 두 눈을 비비시더니 "오메! 태일이 도련님?" 하시면서 수분 동안 눈시울을 적신 후에 "이젠 태일이도 말을 잘 하누만" 하시는 것이었다.

그리고 이내 나는 이 동리산 어딘가에 배어 있을 아버지의 음성과 어른거리고 있을 모습을 찾아보고 싶은 충동에 사로잡혔다.

삼십년을 떠돌다
고향 찾아드니 아버지 모습이며 음성
동리산에 가득한 듯하나

눈에 들어오는 것
폐허뿐이네 적막뿐이네.

—「원달리의 아버지」 6~7연

고향을 30년 만에 찾아보고 상경한 1개월쯤 후, 나는 양성우 시집 『겨울 공화국』 관계로 고은(高銀) 시인이랑 함께 긴급조치 9호 위반으로 내 일생 처음으로 구속되어 고향과는 멀리 떨어진, 그리고 전혀 딴판인 씨멘트와 벽돌투성이인 서대문교도소에 수감되었다. 이 글에 인용된 시는 모두 고향 이야기지만 모두 이곳에서 구상했던 것들이다. 나는 어렸을 적부터 별로이 말이 없었듯이 시에도 불필요한 말은 되도록 삼가려 애를 쓴 작품들이다. 나는 그리고 이 고향이 원상대로 복원되기를 갈구하듯이 내 시도 현대시가 잃고 있는 그 어떤 요소들을 복원하려고 노력하련다.

『연가』 (1985년 3월)

'태안사'에서 '가거도'까지

　말수가 적은 편임에도 나는 비교적 많은 문인들과 노소의 구별을 별로 두지 않고 어울리는데, 시대적 상황에 따라 그 빈도수가 증감되기도 하고 장소도 그 어울림의 농도도 달라진다.

　60년대 초, 그러니까 내가 대학 재학중에 신춘문예를 통해 문단에 데뷔한 이후로는 주로 어울리는 장소가 명동의 왕대폿집이었는데 대상은 박봉우·이성부 시인 등이었다. 그때는 학생 신분이었지만 일찌감치 명동에 진출하게 된 것이다. 넉넉지 못한 자취생활을 하면서도 그 화려한 명동으로 진출하게 된 까닭은 그 명동에 '막걸리 처가집'이라는 왕대폿집이 있었는데 거기 가면 거의 매일 박봉우 시인, 이성부 시인이 퍼질러앉아 대폿잔을 기울이고 있었기 때문이다. 버스값도 없던 때라 자취를 하고 있던 홍릉에서 명동까지 걸어가서 그 '막걸리 처가집'에 들어서면 그야말로 처가에 들른 기분이었다. 항상 열정적으로 "대한민국은 시인공화국이 되어야 한다"고 열변을 토해내는 박봉우 시인이 있거나 다정다감하면서도 그 미남풍을 풍기면서 열심히 대폿잔을 비워대는 이성부 시인이 있었다.

　그 명동생활도 2년을 넘기지 못하고 나는 입대하게 되었다. 제대를 하고 난 뒤부터는 무대는 광화문 일대로 바뀐다. 지금의 세종

문화회관 자리에 한국문인협회가 자리잡고 있었는데, 거기서 펴내는 『월간문학』이란 문예지의 편집장이 소설가 이문구(李文求)였기 때문이다.

나는 그때 지금의 종합청사 뒤에 있는 조그마한 인쇄소에 무보수로 입사해서 월간 시전문지인 『시인』을 창간하여 그 편집일을 맡아보고 있었다. 퇴근 무렵이면 가까운 문인협회로 달려가서 미리 와 있는 문우들(이성부·권오운·방영웅·박건하·이근배·송영택, 작고한 이동주 시인 등)과 어울려 바둑, 장기, 화투놀이, 트럼프놀이로 밤샘을 하기도 했다. 이런 일이 1년 남짓 계속될 무렵, 세상 돌아가는 형국이 좀 수상쩍었다. 삼선개헌이니 뭐니 해서 세상이 어수선하매 더이상 이런 잡기에 붙들려 있을 겨를이 없었다. 나는 이 무렵부터 화투·트럼프·장기·바둑의 잡기계에서 손을 탈탈 털고 일어섰는데 지금껏 그것들을 만져볼 기회를 가져본 적이 거의 없다.

나는 『시인』지를 계속 편집하면서도 돌아가는 시국에 관심을 갖지 않을 수 없었다. 양심적인 시인이나 양심적인 정직한 시들이 그리웠다. 나는 이때 지금의 상명대학 바로 뒤편의 홍은동 산1번지에 있는, 그 시대의 기인이었던 시인 김관식(金冠植)씨의 집에서 사글세방 한칸을 빌어 자취생활하면서 열심히 시를 쓰고 있었는데, 그 김관식 시인 집에는 처지가 엇비슷한 시인 천상병·구자운·박봉우·신경림 선배들이 자주 들락거렸다. 그때 김관식 시인은 이미 폐인이 되다시피 되어 본채 옆에다가 '육모정'이란 조그만 정자를 무허가로 지어놓고 매일 누워서 남은 여생을 갈무리하고 있을 때였다.

그의 스승이었던 육당 최남선을 흠모하여 육모꼴로 집을 지어

'육모정'이란 이름을 붙인 이 방에 들어서면, '금주'라고 씌어 있는 찌그러진 술주전자를 천장에 매달아놓고 김관식 시인은 누워서 그 찌그러진 주전자를 멀거니 쳐다보며 지난 세월을 더듬으면서 하루하루를 흘려보내고 있었다.

이때 나와 가까이 지냈던 문인들은 나보다 나이가 위인 선배 문인들이었다. 그들은 김관식 시인을 찾아오곤 했는데 김관식 시인은 술도 못 마시고 매일 구들장 신세를 지고 있는 터라 자연 나와 함께 내 자취방에서 소주잔을 비울 수밖에 없었다. 심히 다리를 절면서 그 가파른 고개를 올라서 찾아온 구자운(具滋雲) 시인, 한겨울에도 내복도 입지 못하고 여름옷을 걸치고 찾아온 천상병 시인, 별로 돈벌이도 하지 못한 채 바지런히 돌아다니던 조그마한 키의 신경림(申庚林) 시인 등과 어울리는 횟수가 많아졌다.

이 무렵을 나는 평생 잊을 수가 없을 것 같다. 궁핍한 생활을 하면서도 매일 술을 마셔댔으며, 『시인』지에 좋은 글을 많이 써준 김지하·양성우·김준태 등과의 친교는 지금까지도 계속되고 있다. 위의 시인들 말고도 원고료 한푼 주지 않는 『시인』지에 계속 원고를 써준 수많은 시인, 평론가들의 고마움은 영원히 잊을 수가 없을 것이다. 특히 문학적으로 이때부터 고행의 길을 걷기 시작한 김지하·양성우 시인과 『시인』지에 평론 한 편을 써서 결국 S대에서 말썽을 빚어 전임 기용의 기회를 박탈당해야 했던 평론가 염무웅(廉武雄)의 경우를 생각하면 더욱 그렇다.

70년대에 접어들어 김지하의 담시 「오적」 사건이 터지고 유신이다 뭐다 해서 세상이 매우 바람직하지 못한 방향으로 흘러가매 우리 문인들은 청진동에 매일 모이게 되었다. 그때 이문구는 월간 문학사를 그만두고 김동리·손소희 선생이 이끌던 문예지인 『한국문학』편집장직을 맡고 있어서, 자연히 문인들은 청진동의 한국문학사에 모여 문학을 걱정하고 세월을 걱정하고 인간성 타락을 걱정하면서 매일 소줏잔을 비웠다. 이때 마신 술은 아마 남들이 평생 마신 분량에 버금가는 분량이 될 것이다. 잠 한숨 안 자고 2박 3일, 아니면 3박 4일 코스로 술들을 퍼마셔댔으니 우리들간엔 제법 세상을 걱정했던가보다.

술을 마셔대면서도 우리들은 뜻있는 일을 기어이 해내고 말았으니 이름하여 '자유실천문인협의회'의 결성이었다. 이 단체는 오늘날까지도 계속 이어져 회원이 300명이 훨씬 넘는 큰 문인단체로 성장했다. 김정한·김병걸·김규동·이호철·고은·천승세·구중서·신경림·백낙청·황명걸·문병란·송기숙·김지하·염무웅·박태순·이문구·황석영·현기영·조세희·윤흥길·정희성·양성우·송기원·이시영·임정남 등 헤아릴 수도 없는 많은 문인들이 이 협의회 결성 초기에서부터 지금까지 마음과 뜻을 같이하고 있는데, 죄면 쬘수록 더욱 유대감이 깊어질 뿐만 아니라 문학에 대한 열정도 대단히 뜨거워지고 있는 것이다.

각설하고, 1982년 8월에 우리 문인 몇명은 송기숙(宋其淑)씨의 인솔로 대한민국 최서남단에 위치하고 있는 '가거도'로 피서를 간 적이 있다. 독자들은 가거도라 하면 잘 모르고 '소흑산도'라 하면 금방 알아차릴 것이다. 소흑산도란 명칭은 일제 때 일인들이 붙인 이름인데, 현지의 주민들도 '소흑산도'라 하면 싫어하고 '가거도'라 불러주기를 원한다. 실제로 행정구역상 명칭도 '가거도'이다.

"가도 가도 끝이 안 보인다" "가거든 오지 마라" "가고 보니 살만한 곳"이라 하여 '가거도'라 이름 붙였다는 이 섬은 대한민국 지도에도 나와 있지 않을 정도이다. 그런데 이문구의 표현을 빌리면

"갯가에 얼씬거리면 날씨와 갯것만 바라고 사는 어부로 보이고, 산길을 걸으면 탄광에서 막장일을 하다 하루 쉬는 광부의 나들이에 진배없으며, 보리 여문 들판에 서면 다 그만두고 싶은 마음이 보름달 같아도 새끼들이 가여워 땅 하나만 쳐다보고 사는 하잘것없는 농투성이와 얼른 가려지지 않는 사람"인 송기숙씨가 우리 문인 일행들(한승원·이문구·황석영·손춘익·이시영·천승세, 그리고 나)을 그곳으로 초청하여 이끌었던 것이다. 초청 이유인즉 바다낚시를 해서 원없이 회를 먹자는 것이었다. 이문구는 서울에서부터 널짝만한 아이스박스까지 챙겨 어깨에 메고 동행을 했는데, 회를 해먹고 남은 고기를 가득 담아갈 수 있다는 송기숙씨의 권유에서였다.

그런데 그곳에 도착하자마자 태풍 세실호가 서남해안을 강타했기 때문에, 2~3일 묵을 요량으로 떠났던 일정이었는데 꼬박 10여일을 가거도의 방구석에 박혀 지루하게 지낼 수밖에 없었다. 심심하기 짝이 없었다. 일행들 중에는 화투짝을 만지작거리거나, 황석영의 원맨쇼를 지켜보거나, 그 가거도의 추장격인 고의숙 선생의 중공 억류 회고담 같은 것을 들으며 나날을 보냈는데, 나는 그 사람들과 어울리기보다는 방바닥에 누워 낮잠을 즐기는 편이었다. 나는 어느날 밀가루와 멸치와 애호박을 구해 어렸을 적 어머니께서 하시던 솜씨대로 수제비를 쑤어서 일행들에게 한 그릇씩 대접했는데 그 수제비를 먹을 때가 가거도 10여일 동안에 가장 활기에 찬 순간이 아니었나 생각된다. 매일 갇혀서 똑같은 음식만을 먹다가 난데없는 수제비를 먹었으니 말이다.

하루는 낮잠을 즐기고 있는데 황석영(黃晳暎)이가 심심하고 짜증이 나서인지 파리채를 들고 내가 누워 있는 방에까지 와서 파리채를 탁탁 치면서 파리를 잡는 것을 보고 "황형! 만물의 영장인 사람도 올데갈데없어 방구석에 갇혀 지내는데 파리인들 어디 갈 데가 있겠어? 같이 지내게 관둬! 태풍이 멈출 때까지만 말야" 하고 파리 잡는 것을 만류했는데 황석영 왈, "태안사 곰이 가거도에까지 와서 명언을 남기시는구먼" 해서 우리 일행은 한바탕 웃어젖힘으로써 무료한 시간을 잠시나마 잊을 수가 있었다.

태풍이 가라앉자 우리 일행은 부두로 나와 모선에 승선하기 위해 통통배에 몸을 던졌고, 흑산도에 갇혀 있던 천승세(千勝世)씨는 구명복까지 걸치고 낚시도구를 한짐 지고 뒤늦게 그 모선에서 내려 통통배를 타고 와서 필사적으로 부두로 뛰어올랐다. 풍랑이 심해서 서로 악수하거나 인사할 겨를도 없이 우리들은 가거도를 떠났고 천승세씨는 홀로 가거도에 남았다. 이문구의 아이스박스 안에는 생선 대신 고의숙 선생이 주신 맥문동 한 포기와 흑산도에 와서 내가 사준 석란 두어 폭이 들어 있을 뿐이었다. 내 시집 『국토』 발간 후 8년 만에 출간한 네번째 시집명을 『가거도』로 붙인 것도 이 가거도 체험을 영원히 간직하기 위해서였다.

『안녕하십니까』 1985년 7월호

「모처녀전상서」와 「원주의 달」

　나의 스승인 황순원(黃順元) 선생님이 금년에 고희를 맞으시면서 쓴 「말과 삶과 자유」란 글 속에, "일단 활자화된 내 작품에 대해 나는 이야기하지 않기로 하고 있다. 이유는 간단하다. 작품으로 하여금 독립된 생명을 스스로 지니게 하게 위해서요, 작품에 대한 독자의 자유스러운 감상을 작가로서 방해하지 말아야 하는 생각에서"라는 대목이 있다. 나는 이 말의 뜻에 전적으로 동감하는 터이므로 이런 글을 쓰기가 거북스럽다.

　황순원 선생님은 소설과 시를 쓰면서도 비평이나 잡문은 좀처럼 안 쓰시는 분이지만, 나는 시를 쓰면서 느끼는 산문, 즉 비평문에 가까운 글도 많이 써온 터수여서 내 저서 중에는 시론집 『고여 있는 시와 움직이는 시』도 버젓이 한권 끼여 있는 실정이므로 마지못해 쓰는 수밖에 없겠다.

　그런데 편집자가 요구한 집필 요령은 "시 한두 편을 택해서 창작동기나 뒷애기, 에피쏘드, 쓰고 난 뒤의 생각이나 반응을 쉬운 수필체로 16장만 써달라"는 것이다. 다소 소녀적 취향이 깔려 있는 이런 글은 이번이 처음이자 마지막이 되길 바라면서 한번 써보기로 하는데, 먼저 한두 편의 시를 뚝 잘라내어 애기하기 전에 내가 지금까지 써온 300여편의 시들을 편의상 시집의 표제를 빌려서 시의 흐름을 간단히 말해두는 것이 좋을 성싶다.

첫 시집 『아침 선박』은 20대 초반의 젊은 관능과 에로티씨즘의 세계에서 방황하는 내면의 세계를 외면의 세계에 투영해보려 했으며, 두번째 시집 『식칼론』을 쓸 무렵은 60년대 후반으로, 그 관능적 세계에서 벗어나 대사회적인 세계로 시정신을 집중시켜나갔는데, 그때의 우리의 정치·사회 현실과 결코 무관하지 않다. 세번째 시집 『국토』는 70년대 초에서 중반에 이르는 사이에 씌어진 시로서 답답한 현실을 점검함으로써 암흑을 뚫고 명주실처럼 아련히 비치는 빛을 찾아 한걸음 한걸음 나아가면서 민중적 지혜에 이르고자 하는 과정을, 1975년에서 1982년 사이에 쓴 네번째 시집 『가거도』는 현실인식을 바탕으로 민중에 대한 끊임없는 신뢰와 사랑을 종합하여 한덩어리가 되는 화해의 세계를 지향해보려는 노력을 해본 시들이다. 요즘 쓰는 시에도 이러한 일련의 시적 태도는 중단 없이 흐르고 있음을 밝혀두고, 시 두 편에 대해서 말해보려 한다.

안녕?
어쩔 수 없이 핀 산꽃의 품안에서
어쩔 수 없이 춤추는 전장의 바람들.
눈이 횅한 해골은 눈으로 피리를 불고
뜨드득 뜨득, 뜨드득 뜨득 뜨득,
고달픈 내 병정의 이 가는 소리
무분별의 어둠이 갈아지고
날카롭게 날이 서버린 새벽이오.
당신이 흘리고 간 서너 올 머리카락.

68

나의 결단을 옭아매는 無聊와 고요.
이 조선의 온돌방, 불기둥을 세우고
비문 비문 새기듯 이 글을 쓰오.
오들오들 떨며 땀 빼는 경쾌함
느닷없이 염병을 앓는 불순한 사내.
살은 살로 혼은 혼으로 나뉘어져
씩씩한 도덕의 밤은 아동들의 발바닥에
이죽여지리라 이죽여지리라.
진리에 가까운 독충 한 마리 단호하게
내 혈맥의 어귀에서 울기 시작했소.
"전장에까지 와서 우는 개구리는 사기꾼이다
전장에까지 와서 피는 꽃은 사기꾼이다"
색깔 고운 내의, 시퍼런 언어
그 순수라 이름하는 독재를 벗으시오.
이 조용한 擧事의 새벽 명령이오.
안녕.

　이 시는 내가 최전방에서 소대장 생활을 하면서 쓴 「모처녀전상
서」란 시로 1967년 『신동아』 7월호에 발표되었다. 잠깐 외출을 해
서 시골 초등학교 교사이던 어떤 처녀를 선배의 주선으로 소개를
받아 함께 점심을 먹는데, 나는 식사는 하지 않고 두 홉들이 소주
두 병을 단숨에 비운 뒤 귀대시간이 되어 이러저러한 인사말 한마
디 제대로 나누지 못한 채 헤어지고 말았다. 그런데 그뒤로 며칠이
지나 한밤중인데 서부전선의 최전방에까지 무슨 꽃인지 화사한
한아름의 꽃을 안고 그녀가 나를 찾아왔다. 나의 어느 구석에 매력

을 느껴 그런 용맹스런 결단을 내렸는지 모를 일이었다. 아무튼 그녀를 허름한 소대장 방에서 자게 하고 나는 내무반으로 와서 소대원들 틈에 불편한 잠을 잘 수밖에 없었다. 아침 일찍 일어나 소대장 방으로 갔더니 그녀는 쭈그려앉은 채로 담요를 뒤집어쓰고 뜬 눈으로 새벽을 맞이하고 있었다. 아침을 함께 하고 그녀를 전송하고 소대장 방으로 들어와보니 서너 올의 머리카락이 무료하게 방바닥에 놓여 있었고 제멋대로 덕지덕지 발라놓은 뒷봉창엔 무수한 문구멍이 뚫려 있었다. 밤새 보초를 섰던 초병들이 번갈아가며 방 안을 들여다보기 위해 손가락에 침을 발라가며 뚫어놓은 구멍들이었다. 달빛에 어른거리는 귀신 같은 그림자들이 손가락을 쑥 밀어넣어 봉창을 뚫는 장면을 방 안에서 보며 곤한 잠인들 어찌 청할 수 있었을 것인가. 이런저런 사연과 최전방의 음산한 풍경을 묘사해가며 서간체로 쓴 일종의 연애시였다. 아무튼 이 시의 주인공이었던 처녀는 지금은 2남 1녀를 거느린 어정쩡한 중년부인이 되었는데 지금의 바로 내 집사람이 그 사람이다.

위의 시를 두고 김수영 시인은 월평을 통해 "자기만의 새로운 목소리를 찾으려고 애를 쓰는 가장 촉망되는 신진의 한 사람으로 그 소재는 사회고발적인 것에서 성(性)의 에로틱한 것으로 변하고, 그의 독특한 체질이 순수성을 줄기차게 고수하고 발전시켜나가고 있는 것에 호감이 간다"라는 평을 해주었다. 그런데 위의 시를 자세히 훑어보면 사회고발적인 것에서 성의 에로틱한 것으로 변하고 있는 것이 아니라 내 초기의 애로틱한 시정신을 근저에 깔면서 사회고발적인 것에 고삐를 늦추지 않고 있음을 독자들은 알 수 있을 것이다.

치악산의 뱀들
또아리를 틀고
머리를 쳐들었다.

온종일 울부짖던 짐승들의 숨소리,
밤바람에 떨며
나뭇잎들을 어루만진다.

달은 떠서
우리들 마음도 떠서

아직껏 돌아오지 못하는 사연을
비추누나.

보고 싶은 얼굴들 일어나서
달빛 타고 오르누나

억울해서 정다운 이끼리
울타리를 치고 둘러앉아
여기저기 옮기며

마셔도 취해도 목은 말라
뜨거움에 씻긴 맑은 마음이로다.

치악산에 걸린 달아

원주에 가득 찬 달아
　　서대문에 뜨는 달아

　이 시는 「원주의 달」이란 시다. 김지하 시인이 사형선고를 받고 무기징역으로 감형을 받아 서대문교도소에 수감되어 있을 때, 우리 문인들은 가끔 원주에 있는 김지하 시인 댁을 찾아 부모님과 그의 처를 위로해드리곤 했는데, 한번은 그의 부친과 함께 치악산에 올라가 야영을 했다. 그날 밤은 유난히도 달이 크고 맑아 보였다. 우리들은 많이 취했다. 김지하는 나와 동갑인 뱀띠다. 확인하지 않았지만 그날 밤 서대문 근처 하늘에도 맑고 유난히 큰 달덩어리가 차올랐을 것이다. 김지하 시인도 그 달을 통해서 치악산의 달 밑에서 폭음하며 밤샘을 하던 뱀띠들의 광경을 분명히 보았을 것이다.

『교보문고』 1985년 8·9월호

시인은 밤에도 눈을 감지 못한다

　나는 요즘 밤잠을 설치는 때가 많다. 얼마전까지만 해도 나는 잠꾸러기였다. 저녁에는 최소한 8~9시간 자야 직성이 풀리고 직장에서도 졸기 일쑤였다. 점심을 먹고 나면 한 시간쯤 자고 일어나야 마음이 상쾌했다. 출퇴근 시간에도 버스 안이든 택시 안이든 잠을 청한다. 그러다가 목적지를 훨씬 넘어서야, 아니면 버스의 경우 종점에 이르도록 잠을 잔 적이 한두 번이 아니었다.

　그런데 요즘은 직장에서건 차 안에서건 낮잠을 자지 않는데도 밤잠을 설친다. 설치기보다는 아예 뜬눈으로 지새는 경우도 많다. 왜 이런 지경에까지 이르고 말았을까?

　나는 작년에 많은 어려움을 겪었고 따라서 폭음도 많이 했었다. 그래서 올해에는 내 주위를 좀 정리하기로 했다. 우선 담배를 줄이고 술도 줄이기로 했지만 줄어들지 않았다. 자살을 반대하던 입장이었는데 자살을 생각해보기도 했다. 그렇게 되고 보니 마음은 더 여려지고 사내대장부의 눈에 이슬이 맺히는 경우도 한두 번이 아니었다. 불면증도 생겼다. 밤이면 느닷없이 일어나서 유서 비슷한 것을 써보기도 했다. 그러나 그것은 유서라기보다도 한편의 시였을 뿐이다. 그렇다면 내가 요즘 시 쓰는 일에 몰두하였다는 말인가. 그것도 아니다.

그런데 요즘에 와서 달라졌다. 나는 세상의 모든 이치에 대해 하나하나 꼬집어 생각하기로 결심했다. 모든 사물에 다시 한번 애정을 쏟아보기로 했다.

밤에 문득 일어나 창밖을 내다본다. 캄캄한 밤하늘에 잠을 자지 않고 있는 것들을 보고 깜짝 놀랐다. 수많은 별들이며 달님은 뜬눈으로 밤을 지새운다. 별들은 밤에도 눈을 감지 못한다. 나처럼 눈을 감지 못한다. 별새끼들은 에미와 애비를 따라 밤새도록 눈을 감을 줄을 모른다.

풀잎들도 밤에 눕지를 못한다. 눕기는커녕 밤새도록 몸을 뒤척이면서 밤을 지킨다. 풀새끼들은 에미와 애비를 따라 밤새도록 누울 줄을 모른다. 구름들도 마찬가지이다. 별들의 초롱초롱한 빛을 받으며 풀잎들의 서걱이는 몸짓을 지켜보며 수많은 구름새끼들을 꽁무니에 달거나 겨드랑이에 끼며 자장가를 불러도 구름새끼들은 에미와 애비를 따라 밤새도록 쉬지를 못한다. 팔베개를 해주고 자장가를 불러줘도 별새끼나 풀잎새끼나 구름새끼들은 도무지 잠을 자지 못한다. 자연이 그러할진대 사람인들 이 밤중에 잠이 올 리가 있겠는가?

뜻있는 사람은 밤에 일어나 무엇인가를 조용히 생각하게 마련인가? 이것을 두고 나는 불면증으로 생각하고 죽음을 생각하고 유서를 썼던 것인가? 어리석은 일이었다. 어리석은 대신 많은 시를 썼으니까 어리석다고만은 말할 수도 없겠다.

시인들은, 아니 뜻있는 사람은 불면증에라도 걸려 이 밤 속을 흐르는 만물의 마음씨들을 생각해볼 일이다. 책을 보는 것도 괜찮다. 유서를 써보는 것도 괜찮다. 그리고 자신을 돌이켜볼 일이다. 이 세상을, 한번만 태어나 떠나야 할 세상을 지금까지 과연 어떻게 생활해왔던가를 깊이 생각할수록 불면증은 더욱 깊어질 것이다. 그래서 이 불면증은 내일을 대비한 활력소가 될 것임을 알 것이다.

시인들은 밤에도 눈을 감지 못한다. 별들이며 풀잎들이며 구름들이 잠자지 않는 한 어찌 이 어둠 속에서 편히 잘 수가 있겠는가? 에미와 애비와 새끼들도 한통속이고 별들과 풀잎들과 구름들과 시인들도 한통속이겠는데 어찌 이 어둠을 두고 잠을 잘 수가 있겠는가?

『여성자신』 1987년

이문구라는 사람

소설가 이문구를 말하려면 많은 시간의 뜸들임과 연구가 뒤따라야 한다. 그만큼 그는 두터운 인간미가 풍기는 소설가이다. '이 작가를 말한다'라는 제목으로 "개인적으로 프로필·취미·습관 등을 쓰고 교류담도 소개해주고, 작품세계도 언급해달라"는 내용의 청탁을 받았을 때, 이문구의 프로필은 벌써 어느 문학전집에 밝힌 바도 있어서 난감한 일이었지만, 그와의 오랜 친구로서 거절할 수가 없어 이 글을 쓰기로 한다.

이문구는 이 시대의 가장 뛰어난 소설가이다. 사람다운 삶을 살아가려고 무던히도 힘쓰는 작가로서 역사의식이나 사회의식이 강한 작가이다. 이러한 의식은 그의 참담하고 서러운 특이한 삶에서 얻어진 당연한 귀결이 아닐 수 없다.

그는 1941년 이 세상에 어쩔 수 없이 태어났다. 필자가 그와 가까이 지낼 수 있었던 까닭은 태어난 해가 같았고 태어난 분위기도 '시골'이라는 점일 터이다.

그는 충남 보령군 관촌부락에서 사법서사 겸 선주의 4남으로 태어나 어렸을 적부터 유생의 기개가 대단했던 할아버지로 인해 이른바 양반교육과 한문교육의 터전에서 성장했다. 그러나 6·25 때 부친과 두 형님이 참혹한 죽음을 맞았고, 뒤이어 조부와 모친마저 세상을 떠나시자 그야말로 하룻밤 사이에 소년가장이 되었다. 그는 그때까지 굶주리며 농사를 짓고 있었는데, 그 참담한 육체적인 노동을 더이상 견디기 어렵고 농꾼으로 일생을 보내기가 억울해서 1959년 무작정 상경한다. 그것은 부친의 과거에 연좌되어 미성년임에도 요시찰인으로 찍혔고 부모형제를 순식간에 빼앗긴 저주스러운 땅에서 살기가 괴로웠기 때문에서였다.

그는 상경하자마자 희미하게 기억하고 있는 가통이나마 이끌어보려고 갖은 고생을 마다하지 않는다. 신촌시장 바닥에다 좌판을 벌여놓고 순하게만 생긴 얼굴로 건어물이며 풋마늘다발 등을 파는가 하면, 굶주림을 참아내면서 물건들을 힘겹게 어깨에 둘러메고 아현동 골목골목을 누비는 떠돌이 행상을 하기도 한다. 이런 떠돌이 행상을 하는 중에 4·19를 만나게 된다. 그런데 장사치의 신분으로서도 "그때 내가 가장 부끄러웠고 안타까웠던 것은 4·19의 주역이었던 학생 신분이 아니었다는 점이다"라고 말한다. 생각해보자. 그때 학생들이 길거리를 꽉 메우고 있을 때 생선장수 신분으로서 느껴야만 했던 처절한 소외감과 나약함을.

그는 그뒤 어떻게 어른다운 지혜를 짜내어서 서라벌예대 문예창작과에 들어가, 김동리 선생을 평생의 사부로 모시기로 하고 소설 공부에 열중한다. 소설이, 인생살이를 바탕으로 해서 지금 이곳에서 이룩되지 않는 것을 상상력을 통해 형상화시키는 것이라면, 그는 일찍부터 남이 겪지 못했고, 겪어야 할 것들을 체험함으로써 참으로 귀중한 삶의 문제를 소설로 다루는 살아 있는 소설가의 한 사람임에 틀림없다.

졸업 후 그는 "눈만 뜨면 삽자루를 들고 니기미 씨벌 하면서 뛰어다니"는 험악하고 무시무시한 노동판에 뛰어들어 일당 90원의 임금을 받고 도로포장 공사나 공동묘지 이장공사 일을 닥치는 대로 해냈는데 그때의 경험을 토대로 해서 마무리한 장편이 그 유명한 『장한몽』이다. 그는 이러저러한 세계의 밑바닥에서 알 것은 일찌감치 터득한 뒤 문예지의 편집장으로 들어앉게 된다. 동리 선생의 배려도 있었겠지만 그만한 일을 해내는 일꾼은 역시 그만한 일을 숨죽여 남몰래 해낼 수 있었던 이문구가 아니고는 다른 누가 있을 수 있었겠는가. 그는 이렇게 중요하고도 별것 아닌 것 같은 문예지 편집을 맡으면서도 이름없고 서러운 문사들을 외면하지 않고 늘 감싸면서 옹호했던 것이다.

그는 1977년 세상이 이상하게 막다른 곳까지 다다르자 경기도 화성군 향남면 행정리로 내려가서, 거무충충한 토종닭이며 재래종 토끼 혹은 염소와 강아지 등을 손수 치면서 그곳 농민들과 한마음 한몸으로 어우러져 상업주의와 소비문화에 오염되고 잠식당하는 농촌의 현실을 체험하면서 그 유명한 『우리 동네』 연작소설을 쓰고야 만다.

그는 그 앞에 고향의 체험들을 『관촌수필』이라는 소설로 마무리했었는데 "잃어진 육친과 쫓겨난 고향에 대해 바치는 최대의 문학적 헌사요, 낳아 길러준 땅에 되돌리는 가장 귀한 갚음"(염무웅)이라는 찬사를 받기도 했다. 이문구의 소설들은 한결같이 험난한 삶, 인정스럽고 악착스러운 삶들의 치밀한 묘사력을 바탕으로 해 문학적 감동으로 승화되어, 광범위하고 지속적인 독자층을 형성하고 있다. 이는 이웃들의 아픔을 자신의 아픔으로 받아들여 그 아픔을 함께하는 양심적인 작가정신이 아니고는 불가능한 일일 것이다.

그는 지금까지 필자와 늘 가까운 곳에 있으면서 "1년 365일을 거르지 않고 그와 마신 것이 내가 경기도에 내려가 산 5년을 제하고 자못 7년에 이르니 그 사이 권커니 잣거니 하며 마셔댄 것이 도대체 몇만 잔인가. 서울 한복판에서 단둘이 2박 3일씩 주야장취를 한 것도 여남은 번이 넘는데……" 하고 나와의 술마심을 폭로하고 있다. 글쎄, 일견 물렁해 보이면서도 물렁하지 않고, 쉽게 결론에 이를 일도 한참 뜸을 들여서 결론인지 아닌지 모르게 마무리를 짓는 태도는 어디서 연유된 것인지 나는 잘 모르지만 기억력 하나는 필자보다 훨씬 앞서고 있음을 안다.

그는 아무리 바빠도 걸음을 서두르는 일이 없다. 그는 빨리 달려본 적도 없다.(그는 아랫것들이나 잰걸음하고 달린다고 힘주어 말한다.)

엊그제 어느 상갓집을 나와서 허름한 시장 안에서 점심을 먹게 됐다. 그나 나나 똑같이 위장장애를 앓고 있는 터수인데도 나는 옛날 생각이 떠올라 반주로 소주를 두 병이나 비웠다. 그런데 그는 단 한모금도 안 마시지 않는가. "삼복이 에미하고 오늘 '전쟁과 평화'를 함께 보기로 했어"라는 것이 이유다. 나는 부럽기도 하고 신기하기도 해서 "부부동반해서 디스코도 추러 다닌다면서" 하고 물었더니 그는 웃으며 "요전에 '미션'이라는 영화도 함께 보았는걸" 하는 것이다. 순간 나는 멍해졌다. 그리고 안심했다. 월간문학, 한국문학, 청진동 그리고 지금의 마포 시절을 겪으면서 그는 빼앗겨버린 부모 대(代)의 가족에 대한 그리움을 지금의 가족들과 함께 한창 열심히 피워올리면서 몸부림치고 있음은 얼마나 눈물겹고 장하고 인간다운 일인가.

『교보문고』 1987년 4·5월호

시인과 독자와의 대화

저는 시를 쓰면서 전혀 현실을 외면하지 않았습니다. 우리가 흔히 하는 말로 이 세상을 살아가는 데는 세 가지의 태도가 있다고 합니다. 첫째는 타락하고 막힌 사회에서 그에 굴종·순종하는 순응적 태도, 둘째는 그 현실을 나몰라라 하고 도피하는 도피적 태도, 셋째는 적극적으로 그 현실을 변혁시키려는 행동적 태도입니다. 저는 순응·도피보다는 변혁 쪽에 역점을 두는 입장입니다. 지금까지도 말썽이 되고 있는 박종철군 사건을 보고, 저뿐만 아니라 전국민이 충격을 받고 분노를 했을 것입니다. 저는 이런 사건들을 놓치지 않으려고 무진 애를 써보기도 했습니다. 그럼 이 사건과 관련해서 제가 쓴 시를 한편 낭송해드리겠습니다.

책상을 손바닥으로 '탁' 치니까
'억' 하고 쓰러져 숨졌다?

종철아,
네가 모른다고 책상을 '탁' 치니까
아저씨께선
'억' 하고 쓰러져서 운명하시고

너는 이렇게 살아남았느냐?

　매우 짤막한 시입니다. 첫연 2행은 나의 창작이 아닙니다. 이 구절은 당국에서 발표한 기사문인데, 저는 이것도 훌륭한 시 구절이라고 생각합니다. 문학이라고 해서 특별한 그 무엇은 아닙니다. 시의 소재도 마찬가지입니다. 항상 우리들의 주위에 널려 있는 것은 모두 시의 소재가 될 수 있고, 이런 기사도 시가 될 수 있습니다. "사건 전모를 철저히 밝혀내 국민의 의혹을 풀겠다"라는 말은 큰 사건이 터질 때마다 당국에서 항상 앵무새처럼 발표하는 상투적인 말입니다. 그러나 저는 이것도 훌륭한 시라고 생각합니다. 시는 상상력을 통해서 그 말의 뒷면에 숨어 있는 여러가지 의미에 접근하게 마련인데, 이 말도 상상력을 통해 다음과 같이 해석을 해봅니다. "사건 일부분만 대충대충 밝혀내 국민의 의혹을 가중시키겠다"는 뜻의 함축이라고 말입니다. 그러기에 발표문 작성자는 시인인 셈이며 그걸 읽는 사람들은 시작품을 읽는 독자의 편에 서 있어야 합니다. 그래야 세상을 제대로 읽는 셈이 됩니다.

　저는 시와 현실과의 거리가 밀착되어야 한다고 생각하기 때문에 늘 시대상황과 함께하는 시적 태도를 지니고자 합니다. 4·19 때는 제 바로 밑의 동생이 행방불명이 되었는데, 아직도 죽었는지 살았는지 알 수 없습니다. 문학은 인간의 죽음과 삶, 역사적인 삶과 개인적인 삶에 대한 관심의 표현입니다. 우리가 익히 알고 있듯 서양에서는 철학·문학·역사라는 세 과목을 인간교육을 하는 데 있어 가장 중요시했습니다. 이는 동양에서도 마찬가지입니다. 서경·주역·시경이 그것입니다. 동서양을 막론하고 철학적인 삶, 역사적인 삶, 문학적인 삶을 똑같이 중요하게 여겨온 것이라 할 수 있습니다. 지금 우리가 살고 있는 이 세계가 낙원과 같이 바람직한 사회라면 종교·과학·문학·예술 등은 필요없을 것입니다.

그럼 '종교'란 무엇입니까. 이것은 우리가 살고 있는 현실세계가 낙원이 아니기 때문에 인간이 만든 것입니다. 현실적인 유한의 삶을 떠나서 영원히 사는 방법이란 종교에 의지할 수밖에 없다는 것입니다. 바로 영생을 추구하는 것이 종교입니다.

그다음에 '과학'(학문)은 어떻습니까. 인문과학·사회과학·자연과학 등도 현실에서 출발하는 것입니다. 현실이 낙원이라면 과학은 필요가 없습니다. 모든 것이 불편하고 불완전한 현실 속에서 인간의 꿈을 현실화·사실화시키는 것이 바로 과학입니다.

또한 '문학'은 무엇입니까. 문학도 현실의 '있는 세계'에서 '있어야 할 세계'를 꿈꾸는 것입니다.

그래서 제가 이 현실을 살아오면서 나름대로 터득한 것은 우리가 문학을 한다는 행위 속에는 항상 역사의식·현실의식 또는 사회의식이 깔려 있어야 한다는 것입니다. 만일 우리에게 역사의식이 없었다면 일제의 질곡 속에서 희망을 잃고 헤어날 수가 없었을 것입니다. 그 당시 역사의식이 결여된 친일문학인들은 대개 일제의 앞잡이가 되어 젊은 청년학도들을 전쟁터로 내보내고, 여자들을 정신대로 보내자고 다투어 외쳐댔습니다. 역사의식·사회의식이 빈약한 이들은 일제가 영원하리라 믿었던 것입니다. 그러나 대다수 민족구성원들은 언젠가는 해방이 될 것이라는 믿음으로 항일투쟁에 뛰어들어 독립을 쟁취하기 위해 죽음을 무릅쓰고 싸웠고 결국 죽음을 초월할 수 있었던 것입니다. 그 덕택으로 우리는 나라를 되찾은 것입니다. 결국 문학은 총체적인 삶을 표현하는 것이며, 이 총체적인 삶은 역사와 사회와 현실 속에 있습니다. 우리는 역사와 현실을 외면할 수도, 외면할 권리도 없습니다.

두번째로 우리가 생각해야 할 것은 민중에 대한 신뢰와 사랑을 지닌 문학이 바람직한 문학이라는 것입니다. 역사를 창조하며 이끄는 층은 천재, 영웅, 걸출한 지도자와 같은 특수층이 아니라 결국 민중입니다. 그들의 현장은 활달한 정서나 상상력이 있어 문학의 보고라고 할 수 있습니다. 또한 민중은 선진적인 힘을 가지고 있는 영원한 존재이기도 합니다. 이 영원성이 바로 문학의 영원성과 궤를 같이하고 있습니다.

세번째는 제3세계에 대한 자각입니다. 아시다시피 제3세계권은 식민지 통치를 받았던 민족이 대부분으로, 우리도 제3세계권에 속해 있습니다. 문학적·예술적 입장에서 볼 때, 그 훌륭한 민족전통의 예술형식이 서양의 제국주의적 행위로 짓밟혀서 말살된 사실을 알 수 있습니다. 따라서 아직도 우리가 지켜야 할 전통문화라든지 복원해야 할 문화가 많다고 믿고 있습니다. 우리는 서구중심적인 종속예술의 질곡에서 빠져나와 자신들의 전통적인 문화예술의 터전에서 새롭고도 참된 의미의 세계성을 찾으려는 노력을 해야 합니다. 서양의 이데올로기나 문화예술 양식에 우리의 생존과 행복을 내맡겨서는 안됩니다.

네번째는 분단문제입니다. 저는 우리 민족이 세계에서 가장 많이 고통을 받고 있는 민족이라고 생각합니다. 우리는 흔히 산업사회, 물질문명사회 속에서 발생하는 인간의 소외현상에 대해 많은 얘기들을 하고 있습니다. 소외는 고통과 고난이며 공동체적 삶에서의 이탈입니다. 이 소외는 지금 모든 국가에서 겪고 있는 문제이지만, 우리 민족은 그 위에 분단이라는 큰 아픔을 안고 있는 실정이어서 그 아픔은 다른 민족보다 더 큽니다. 한편 분단문학은 어떤

것이어야 하는가,라는 문제에 대해서는 대체적으로 통일 이후에
도 남을 수 있는 문학이라고들 말하고 있는데, 그러기 위해서는 통
일을 포기하지 않는 통일 지향적인 문학, 이데올로기의 흑백논리
의 극복, 남북을 통일적 공간으로 설정하고 자유·민주·자립의 정
신과 인간존엄 및 민족주체의식을 되살려서 한민족의 동질성 회
복에 동참하는 문학이 창출되어야 하겠습니다. 그러므로 앞으로
문학인들은 동질성 회복은 물론 통일 이후에도 모두 함께 얼싸안
고 춤추며 즐길 수 있는 문학이 바람직한 문학이라는 확신을 가져
야 할 것입니다.

　지금까지 역사의식이나 사회의식, 민중에 대한 한없는 신뢰와
사랑, 제3세계에 대한 자각, 분단극복을 위한 문학에 대해 대충 얘
기를 했습니다.

　이젠 마지막으로 실천적인 문학의 절실함을 말해볼까 합니다.
여기에서 실천적인 문학이라는 것은 보편적인 관점에서 말한다면
사람이 사람답게 사는 삶을 염원하면서 총체적인 삶을 문학 속에
포용하고 형상화함으로써 인간적·사회적·역사적인 참됨을 추구
하는 문학을 말합니다. 이러한 실천적인 문학이 되기 위해서는 순
응·도피·배설·하수구·쓰레기문학과 같은 감각적·찰나적 문학
을 과감히 떨쳐버려야 합니다.

　앞에서 박종철군의 기사를 말씀드리면서 그러한 것들로 시가
될 수 있다고 얘기했습니다. 저는 앞으로 시장바닥이나 대다수의
민중들이 사는 삶의 현장을 그대로 녹음해서 어떠한 형식을 갖춰
제 이름으로 발표를 해볼까 하는 생각도 하고 있습니다. 모든 문학
에서 기교주의 같은 것은 배격할 필요가 있기 때문이죠. 시라 하면
우선 상징·비유·아이러니 따위를 얘기하는 사람들이 많이 있는

데, 우리가 실제로 알아야 하는 것은 우리가 그냥 지나치는 이웃들의 삶, 생각 등인 것입니다. 이러한 것들은 그 자체가 엄청난 충격을 줄 수 있으며, 이러한 충격(충격적 요소, 생동하는 정서)을 그대로 옮겨놓기만 해도 기교주의에 빠져 있는 문학보다는 더 값어치 있는 문학이 되리라고 여겨집니다. 우리는 귀족주의 또는 기교주의에 빠져 그러한 것들을 많이 놓치고 있습니다. 이런 뜻에서 우리가 원래 가지고 있던 민중성의 회복을 위해서 총력을 기울이는 것이 문학에서의 실천적 태도라고 감히 말할 수 있습니다.

서두에 이미 말씀드렸듯이 저의 성장과정은 저 혼자만의 개인적인 삶이 아니고 그 시대의 역사 속에서의 삶이었습니다. 결국 모든 인간은 자신이 속해 있는 역사와 사회를 외면할 권리가 없는 것입니다. 간혹 어떤 사람들은 저에게 참여문학을 하는 사람이 아니냐고 묻기도 합니다만, 저는 그 소리가 듣기 싫지도 좋지도 않습니다. 문학을 순수나 참여라는 식의 이분법으로 나누는 것 자체가 잘못됐다고 생각하는데, 예를 들어 어떤 사람이 자신을 때렸다면 아프다는 표정을 짓는 것이 순수한 감정이지, 좋다고 웃는 것은 순수한 감정이 아닙니다. 역설적·반어적 반응도 있긴 합니다만 계속 때리는데 그 역설적·반어적 대응이 좋아 맞으면서 계속 웃을 수만은 없습니다.

끝으로 제가 말씀드리고 싶은 것은 총체성입니다. 우리는 보통 큰 산(태산)을 보면서 막연히 든든함이나 의젓함을 느끼게 되는데 그 속에 온갖 것을 거부하지 않고 포용하는 정신이 깃들어 있지 않다면 태산을 보면서 그런 든든함을 느낄 수 없을 것입니다. 말하자면 이름없는 풀, 나무, 풀벌레, 날짐승, 산짐승, 떨어진 낙엽, 흙, 돌멩이, 자갈, 바위 등과 같은 모든 것〔生·無生物〕을 거부하지 않고 포용함으로써 태산을 이루게 되는 것입니다. 또한 큰 바다〔大海〕도 마찬가지입니다. 이슬방울에서부터 폭우, 깨끗한 물과 오염된 물, 잔잔한 파도나 노도, 멸치에서 고래까지 모든 것을 포용함으로써 마침내 큰 바다를 이루게 되는 것입니다. 이것들이 만약 그 일부분만을 수용했다면 태산이나 대해는 이루어질 수 없는 것입니다.

그래서 제가 늘 하는 얘기이지만 삶의 태도도 항상 태산·대해와 같은 것이어야 하고, 또한 문학도 마찬가지라고 생각합니다. 문학은 말초화·세분화·미세화·신경질화된 것들로부터 빠져나와 폭넓은 삶의 총체성을 담을 수 있는 태도를 가져야 합니다. 이것이 바로 민족문학에 도움이 되는 것입니다. 흔히 민족문학이 가장 세계적인 문학이라는 말을 하는데, 저도 그 말에 전적으로 찬성합니다. 또 어떤 사람은 예술이 국경을 초월하지만 민족적이지 못한 것은 힘이 없기 때문에 국경을 넘기 전에 국경 근처에서 주저앉아버린다는 말도 했습니다. 저는 그 말에도 전적인 동감입니다.

대충 이렇게 간단히 말씀을 드렸습니다. '시인과의 대화'라면 말을 주거니 받거니 해야 하는데 저 혼자서만 떠들었습니다. 그럼 앞으로 여러분들의 질문을 받기 전에 몇마디 더 사족을 붙이겠습니다.

여기 앉아 있는 저는 시인 이전에 한 인간입니다. 옛날 어려웠던 시기에 남들처럼 오래 있지는 않았지만, 사회와 격리된 삶을 살았던 일도 몇차례 있습니다. 그때 저는 껍질이 완전히 벗겨진 마늘의 생명력을 발견했습니다. 요구르트병에다 화장지를 물에 적셔넣고 깐마늘을 그 위에 놓아두었는데, 며칠 지나서 싹이 나더군요. 마늘의 껍질을 벗겼다는 것은 짐승의 살갗을 벗긴 것이나 마찬가지입니다. 그런데도 어떠한 장소나 시간을 막론하고 자기자신을 지키려는 본능의 끈질긴 생명력이 경이로웠습니다.

저는 집에서 난을 서너 분 키우고 있습니다. 항상 방에다 두고 물을 주곤 하는데 2년이 되도록 잡초가 나지 않던 것이 금년에는 잡초가 자라더군요. 저는 잡초를 뽑지 않는 채로 그 풀의 씨앗이 어디서 왔을까 생각해보았습니다. 두 가지로 생각이 되더군요. 첫째는 풀씨들이 상수도관을 통해서 안방까지 들어와 거기에 자기의 보금자리를 잡고 싹을 틔우는 경우이고, 둘째는 바람에 흩날리다가 들어와서 거기에 보금자리를 튼 경우입니다. 그렇게 살 곳을 찾아서 제멋대로 피어나는 모습을 보니, 바로 생명의 끈질김, 경건함 같은 것이 느껴지더군요. 이런 얘기는 문학과 관련이 없는 것 같습니다만, 이처럼 작은 생명체뿐만이 아니라 생명이 없는 하찮은 물체에도 생명을 불어넣으려는 태도가 절절한 문학을 창조하는 것입니다.

질문(채광석) 『시인』지를 통해서 김지하씨, 양성우씨, 김준태씨 같은 70년대를 빛낸 시인들이 등단했는데 동년배인 그들에 얽힌 당시의 이야기를 들려주십시오. 그때가 상당히 어려운 시절이라고 들었는데요.

답변 저는 『시인』지를 창간하여 한 1년 가까이 주재를 했습니다. 그때 저는 28, 29살의 황금 같은 나이로, 장가도 들어 가정도 꾸려야 될 입장이었습니다. 그런데 문단의 돌아가는 판이 하도 우스운데다가 또한 제 나이가 젊은 탓에 모든 노력봉사를 하더라도 시지(詩誌)를 이끌어보겠다고 생각한 것입니다. 그리고 제가 잘나서 아까 말한 세 명의 시인들이 나온 것은 아닙니다. 우연히 그 사람들의 시가 투고됐고, 저는 독자 입장에서 그것을 읽어보았는데 상당히 활달하고 독창성도 있고 새로운 면도 있었기 때문에 그것을 신게 된 것입니다.

그때에도 『창작과비평』이나 『문학과지성』에서는 과감히 신인을 발굴해내었습니다. 그전까지만 해도 문단에 나올 수 있는 길은 대개 추천이나, 신춘문예를 통하거나, 아니면 개인시집을 통하는 세 가지가 있었습니다. 그러나 창비나 문지는 대담하게 한 사람의 작품을 서너편씩 동시에 중점적으로 게재해줌으로써 독자들 스스로 작가의 능력·역량을 판단하게끔 만들었습니다. 저는 뒤늦게 뛰어들었습니다만, 『시인』지를 했던 것도 바로 그러한 태도가 바람직하다고 생각했기 때문입니다.

그때는 요즘처럼 당국에서 그렇게 심하게 제약을 가하는 것은 아니었지만 어려움은 많았습니다. 김지하씨가 「오적」 때문에 도망다닐 때 김지하씨의 유명한 시론인 「풍자냐 자살이냐」라는 글을 실었습니다. 그런데 당국의 탄압으로 책을 다시 회수하여 그 부분을 잘라버리고 다시 배포한 일도 있었습니다. 그때는 직원이 있었던 것도 아니라 제가 직접 서울 시내를 돌아다니며 책을 회수해서 그 부분을 완전히 찢어버리고 다시 내놓았습니다. 요즘 같으면 그럴 필요가 없는데, 그때만 해도 뱃심이 없어서 기관에서 시키는 대로 회수했다가 배포했던 것입니다. 그 이후 그 시론 때문에 당국의 주목을 받게 되었고, 당국에서 계속 귀찮게 하여 그냥 물러났습니다.

그러나 저는 지금도 꿈을 가지고 있습니다. 앞으로 언론이 자유롭게 되고, 출판등록 같은 것이 자유롭게 되는 세상이 오면 『시인』지를 이어서 복간하고 싶은 마음이 있습니다.

독자질문 아까 시장바닥의 대화도 그대로 녹음을 해서 시로 발표하겠다고 말씀하셨는데, 시인도 모국어의 순화에 일조를 해야 한다고 생각합니다. 영국의 셰익스피어 같은 대시인도 영어의 순화에 크게 이바지했다고 학교에서 배우기도 했는데요. 국어순화에 대해서는 어떻게 생각하십니까?

답변 문학은 아름다운 말로만 채워질 수가 없는 것입니다. 옛날에는 아어(雅語)로 씌어졌거나 고풍스러운 시어로 씌어진 시를 전통시다 서정시다 말한 시인도 있었습니다. 그러나 소설의 주제만을 보더라도 옛날에는 선한 이야기로만 되어 있었던 것이 나중에는 권선징악을 거쳐 악의 모습을 보여주기도 합니다. 소설에 등장하는 언어도 온상에서 자란 언어가 아닙니다. 물론 셰익스피어라는 유명한 작가를 모르는 바는 아닙니다만 그것은 그때 당대의 제국주의적·귀족적 입장에서의 생각이었지, 지금은 그런 생각을 가지고는 문학이 할 역할을 제대로 해내지 못할 것입니다. 우리 국문학 중에서 가장 뛰어난 『춘향전』만 하더라도 거기엔 귀족언어(상층언어) 못지않게 천민언어(하층언어)가 수두룩합니다. 그래서 폭넓은 독자층을 형성하고 있습니다.

그런 이유로 제가 아까 시장바닥의 언어를 얘기했습니다. 문학이라는 것도 하나의 체험의 소산이기에 박제화·온상화·세련화되어 있는 것보다는 살아 있는 생생한 언어를 활용함으로써 독자들에게 신선한 충격을 줄 수 있을 것입니다. 실제로 어떠한 문학원론이나 문학개론을 펴보더라도 시의 언어가 따로 있다는 말은 이제까지 한번도 본 적이 없고, 들어본 적도 없습니다. 민족언어의 다양화를 위해서도 여러 계층의 언어가 폭넓게 동원되어야 한다고 믿습니다.

우리가 쓰는 모든 말이 시의 언어가 될 수 있습니다. 단지 문학

속에 그것이 어떻게 수용이 됐느냐가 문제이지 시의 언어나 소설의 언어가 따로 있는 것은 아닙니다.

질문(채) 김수영 시인이 생존해 계실 때 선생님께서는 아마 청년시인이셨을 텐데, 그때 「나의 처녀막」이란 연작시를 쓰신 걸로 알고 있습니다. 김수영 전집을 보면 그 당시 시편에 조선생님 청년시대의 시가 많이 언급되어 있는 걸로 알고 있는데, 그때 이후 이번의 『자유가 시인더러』라는 시집이 나올 때까지 사회의 변화에 따른 자신의 문학적 변모는 특징적으로 무엇이라고 생각하시는지요? 또 그 긴 세월 동안, 시가 변하고 사회가 변하는 동안, 자신의 문학과 관련해서 가장 뜻깊게 생각나는 이야기를 말씀해주셨으면 좋겠습니다.

답변 제가 시집을 다섯 권을 냈습니다만, 사실은 지금 정도면 여섯 권을 냈어야 합니다. 어떤 뚜렷한 이유가 있어서가 아니라 그냥 5년 만에 한 권씩 내는 것이 좋겠다고 생각해서입니다.

제가 대학교 다닐 때 『아침 선박』이란 시집을 냈습니다. 지금 읽어보면 유치하기 짝이 없습니다. 정신만 너무 팔팔하게 살아 있고 시로서는 좀 거친 면을 볼 수가 있습니다. 지금 『아침 선박』이라는 시집이 저한테 딱 한 권 있습니다. 그때 500부를 찍었는데, 너무 오래돼서 없습니다. 지금 집에 한 권 있는 책도 교제한 여자에게 선물로 줬던 것인데, 시집오면서 그 사람이 가지고 온 것입니다. 여러분들이 혹시 고서점에서 발견해 저에게 갖다주시면 제가 고가로 사겠습니다.

그 다음에 냈던 것이 『식칼론』입니다. 『식칼론』은 1970년도에 나왔습니다. 그때 "시집 제목으로는 너무 파격적이지 않느냐"는 얘기를 많이 들었습니다. 그리고 "무슨 논문도 아닌데, 식칼에다가 '론'자를 붙여서 거창하게 꾸몄느냐"는 질타도 많이 받았습니다. 저는 그 식칼을 폭력의 수단으로 형상화했던 것은 아닙니다. 이것은 좋은 말, 유식한 말로는 식도라든가 과도라든가로 미화를 해서 씁니다만, 식칼이라는 말은 우리들의 가정에서 항상 쓰는 언어입니다.

『식칼론』은 연작시로 되어 있습니다. 그때 독자들이나 친구들로부터 시가 너무 무섭다는 질타를 받았습니다만 저는 식칼이야말로 저를 있게 만들어준 하나의 활인검이라는 생각을 했습니다. 제가 『식칼론』이라고 제목을 붙인 것은 삼선개헌 직후였습니다.

그 다음 세번째 시집은 『국토』였습니다. 시야를 넓힌다는 의미에서, 제가 전세계적인 시야는 갖지 못할망정, 우리 국토만큼한 상상력은 갖춰야 하지 않을까 하는 생각에서 국토라는 제목으로, 50편의 연작시를 썼습니다.

그런데 1975년도 유신 때 긴급조치 9호로 판매금지를 당했습니다. 그때 『신동엽 전집』과 박형규 목사의 『해방의 길목에서』, 저의 『국토』 등 3권이 판매금지되었습니다. 아마 광복 후 최초로 일어난 사건이 아닌가 생각됩니다. 저는 국토에 대한, 민족에 대한 애정을 가지고 시를 썼는데, 이것을 오히려 범죄시하고 민족정신을 훼손하는 것으로 받아들이는 집단도 있다는 것을 알고 마음이 편치 않아 그뒤로 시 쓰는 일이라든가 시집 내는 일에 대해 7~8년 동안은 침묵을 지켰습니다.

그후 네번째로 1983년도에 『가거도』라는 시집을 냈습니다. 우리 국토의 최서남단에 위치하고 있는 곳이 가거도입니다. 여러분들은 가거도라고 하면 잘 모르실 테지만, 소흑산도가 바로 가거도입니다. 지도를 보면 소흑산도는 나오지 않고 있는데, 일본사람들이 흑산도가 있기 때문에 큰 섬을 대흑산도라고 불렀고 가거도를 소흑산도라고 붙인 것입니다. 제가 가거도를 찾아간 이유는 국토 사랑 또는 시의 영역을 넓히기 위해서였습니다. 그때 제가 놀란 일은 4·19 때 희생된 김부연이라는 학생을 기념하는 탑이 거기에 있었다는 사실입니다. 김부연이라는 학생은 그 섬에서 목포까지 나와서 유달중학교를 다녔고, 이후 서울의 서라벌고등학교로 유학을 갔습니다. 고등학교 때 4·19혁명에 참가하여 산화를 했던 것입니다. 그때 방파제 공사를 하고 있었는데, 그 섬에 상륙하기 위해서는 죽음을 무릅쓰고 통통배에서 육지로 뛰어내려야만 했습니다. 그리고 이런 일화도 있습니다. 자기 아버지가 병이 나서 목포에 가서 약을 지어 돌아와보니까 아버지는 이미 돌아가시고 무덤에는 잡초만 무성하더라는 얘기입니다. 그만큼 뱃길이 험하고 멀다는 뜻입니다.

그러나 섬사람들은 자부심을 가지고 있었습니다. 우리 역사를 보면 귀양살이를 많이 보냈는데, 그곳 가거도까지는 귀양을 보내지 못했습니다. 워낙 뱃길이 험해서 수행한 사람까지 위험하기 때문에 거기까지 보내지 않았던 것이고, 그런 이유로 그 사람들은 자부심 같은 것을 가지고 있습니다. 대흑산도는 정약전 선생을 비롯 많은 사람이 유배를 갔던 곳입니다만, 가거도는 멀고 험해서 그렇지 못했습니다. 저는 가거도를 통해서 제 시의 공간을 넓혀보고자 하는 의도를 가졌던 것입니다.

그 다음에는 『자유가 시인더러』라는 시집을 냈습니다. 그 이전에는 저의 시집 제목이 넉자 이내의 명사였는데, 이 시집만은 제목을 명사로 끝내지 않고 풀어서 쓴 것입니다. 자유가 시인과는 한몸이 되어야 한다는 의미에서, 또한 시인은 항상 각성하며 움직여야 한다는 뜻에서 그렇게 붙였습니다. 시적인 행위, 문학적인 행위는 결과적으로 자유를 행사하기 위한 몸부림인 것입니다. 자유의 행사라고 하면 어쩐지 좀 진부한 느낌마저 듭니다만, 실제로 자유란 이름은 태내에서부터 무덤에 들 때까지 불러도 진부하지 않고 항상 새로운 의미를 주는 삶의 실체이기도 합니다. 나는 앞으로도 모든 존재의 본질을 캐기 위해서 이 자유란 이름을 쉬지 않고 줄기차게 불러보려 합니다. 감사합니다.

   (이 글은 민족문학작가회의 주최 '민족문학교실'에서 행하였던 강연 내용이다. 이 시간에는 얼마전 타계한 시인 채광석씨가 진행을 보았는데, 그는 가고 없어 나는 이 녹음테이프의 원고를 수정하면서 무척 괴로워했다. 그의 명복을 빌고 빈다.)

민족문학교실 강연(1988년)

모두에게 싫증 안 나는 시*

찜통더위가 계속되고 있다. 이 더위에 수캐처럼 혀를 빼물고 할 딱거릴 수도 없는 노릇이다. 더위를 이기는 방법은 여러가지가 있겠지만 제일 경제적인 방법은 아무래도 낮잠을 서너 시간씩 자는 일일 것이다. 나는 평소 낮잠을 꼭 한 시간씩 자는 사람이다. 그런데 더위 속의 낮잠이란 숙면할 수가 없다. 버러지 살금살금 기어다니듯 땀이 온몸에 스물거릴 땐 잠을 깨고 만다.

잠깐잠깐 사이에 나는 고향을 생각하고 어머님을 생각하고 우리 7남매를 생각하고 친구를 생각한다. 더위에 시를 도무지 생각할 수 없었는데 이 낮잠을 자다가 잠깐씩 깨어날 때 생각난 것을 아무런 기교도 부리지 않고 버러지 기어다니듯 땀 스물거리듯 살금살금 써본 것들이다. 신경을 곤두세우고 시법을 생각하고 뭐 대단히 깊이있는 시를 생각하다간 이 더위를 참아내지 못할 것이다.

시를 통해서 우리는 무감각한 인간에게, 이웃에게, 아니 삼라만상에게 충격을 줄 수 있다. 신선한 충격이든 마지못한 충격이든 짜증나는 충격이든 말이다. 그러나 이러한 충격을 주는 방법은 꼭 어떤 강렬한 힘만이 아니라 부드럽고 정겨운 가녀린 힘으로도 얼마

---

* 「어머니의 처녀 적」「누이동생」등 5편의 시와 함께 발표되었으나 여기에는 산문만 싣는다.(엮은이 주)

든지 줄 수 있다. 그 부드럽고 정겨운 힘을 나는 '어머니'에서 찾기도 하고, 가난하나 착실하게 열심히 살려는 두 '누이동생'에게서 찾기도 한다.

5편의 시를 읽으면 다 알 수 있듯이 나의 어머니는 처녀 때부터 생사공장의 여공이었다. 누에고치에서 명주실을 뽑아내는 그런 여공이었다. 열일곱 나이에 그 시절로서는 너무나도 늙어 있는 서른다섯의 노총각 겸 스님과 결혼을 하셨단다. 일제의 질곡 속을 거쳐 해방을 맞고, 그뒤에 몰아닥친 여순사건을 현장에서 겪고 광주로 피난와서 또 6·25를 겪었다. 광주생활을 하면서 농사도 짓고 일감이 있으면 처녀 적부터 익힌 생사공장에 다녔다. 서른다섯에 남편을 잃었다. 우리 칠남매를 키우면서 우시던 모습을 수천번이나 보았다. 이제 팔순을 눈앞에 둔 어머니는 참으로 부지런하고 건강하시다. 여공 출신에다가 남정네들도 힘들어하는 등짐일, 농사일에다가 팔도에 흩어져 뿌리내리며 살고 있는 자식들을 마실 가시듯 누비고 다니면서 길러진 힘이 지금도 넘쳐난다.

나는 20년 전부터 매달 어머니의 용돈을 5만원씩 현금봉투로 송금해드린다. 온라인으로 보내드릴 수도 있지만 번거로울 것 같아서이다. 그런데 그 돈을 꼬박꼬박 모아서 선영(先塋)의 산일에 쓰신다. 현세의 일보다는 내세에 더 의미를 두시는지도 모른다. 어떨 때는 꽤 많은 몇십만원을 달라고 단호히 말씀하신다. "다 너희들 위해서"라며 그 돈으로 선영에 이르는 길도 닦고 초라한 비석도 세워 손주들 이름도 새기신다. 틈만 나시면 선영 주위의 밭에다가 온갖 곡물들을 심어 손수 가꾼다. 가을이면 거두어서 기름도 짜고 메주도 쑤고 고춧가루도 빻아서 자식들의 집을 찾아 골고루 분배하신다. 모두가 타고난 솜씨로 티 안 나게 조용조용히 일을 처리하신다.

우리들 모두의 어머니 모습일 것이다. 그 어머니 모습이 싫증이 안 나듯 모두에게 싫증 안 나는 시를 쓰려고 한다. 우리 선조들이 살아왔고 우리가 지금 살고 있고 우리 다음 세대들이 살아갈 이 땅이 전혀 싫증이 안 나듯이 나는 이 땅에서 이 땅의 삼라만상에게 싫증이 안 나고 조용한 충격을 받으며 더욱 바람직한 삶을 위한 시를 쓰려고 한다.

『한국문학』 1988년 9월호

나의 새해 설계

우선 자신의 건강을 위해 노력하겠다. 건강을 잃으면 문학을 포함한 모든 것을 잃기 때문이다. 건강을 지키면서 70년대 초부터 중반까지 쓰다가 중단했던 연작시 「국토」를 100까지 채우겠다. 그리고 시간이 허락된다면 우리 문학이 있어온 후로부터 지금까지 씌어졌던 시가 중에서 죽음을 주제로 한 시편들을 모두 독파한 뒤 한 편의 논문도 쓰고 싶다. 그리고 예술인을 포함한 모든 양심수들이 자유로운 몸이 되도록 일조를 하고 싶다.

『현대문학』 1989년 1월호

짧은 시들의 향연

모름지기 시는 한 시대의 노래여야 하고, 암울을 꿰뚫고 솟아나는 신명이어야 하고, 삶의 질곡과 기쁨 그리고 애환과 사랑의 용융 속에서 적절한 형식을 갖지 않으면 안된다. 시는 민중정서의 표현이며 어둠을 밝히는 화등잔임을 우리들은 알고 있다. 즉 함축과 긴장을 잃지 않는 간결한 형태로써 민중의 삶을 담아내는 질그릇으로 자리해야 하며, 벼포기 쥐고 허리를 펴는 농부에게, 공장에서 해머를 휘두르는 노동자에게, 설거지를 하는 주부들에게 이르기까지 일하면서 손쉽게 접하고 절로 흥에 겨워 음송되는 시편이어야 한다. 여기에 시의 아름다움이 깃들이고 뿌듯한 감동이 일어나는 것이다.

최근 '짧은 한편의 시'라는 부제를 붙여 시인사에서 펴낸 시선집 『그는 아름답다』에는 100여명의 시인이 쓴 짧은 시 160여편이 실려 있는데 편편마다 우리의 삶 도처에서 만나는 순간의 감동을 영원의 울림으로까지 이끌어올린 명쾌한 시정신을 보여주고 있다. 이 시집에 실린 시들은 주로 80년대에 씌어진 것들로, 제1부는 '아름다워라 젊은 사랑의 대꾸는', 제2부는 '바닥까지 드러낸 싸늘한 삶이여', 제3부는 '이제야 동이 터오는 아픔을 아는가', 제4부는 '같이 있을 때 그는 아름답다', 제5부는 '그리고 가야 할 길을 갑니다'라는 소제목들을 달고 있는데, 이 제목들마저 짧은 한편의 시로서 간주해도 잘못이 아닐 것 같고, 아무렇게나 책장을 넘겨도 시의 참맛을 느낄 수 있는 짧은 시들이 일대 향연을 펼치고 있다.

어머니는
죽어서도
자식에게 젖을 물린다
산이라면 산을 넘고
강이라면 강을 건너
아, 우리들의 어머니

—김준태 「어머니」 전문

「아아, 광주여 우리들의 십자가여」라는 시로 광주의 아픔을 맨 먼저 파헤친 김준태 시인의 또다른 면모를 엿볼 수 있는 시다. 비록 6행의 짧은 시이지만 우리 시대 어머니들의 바다같이 넓은 모성애를 심도있게 보여주고 있으면서도 한없는 사랑으로 인하여 아름다움마저 감득케 한다. 굳이 이 땅의 폭압적인 상황을 직접 묘사하지 않았더라도 이 시대는 죽어서까지 젖을 물릴 수밖에 없는 어머니의 비극적 정한으로 말미암아 어둠으로 규정됨은 물론이거니와 광주의 5월을 연상케 한다. 또 그런 사랑이야말로 이 시대의 암흑을 불사르는 무기임을 보여준다.

하늘과 땅이 맞닿는 곳에서
고운 저녁노을이 피어나듯이
남자와 여자의 배가 맞닿는 곳에서

아름다운 화음의 노래가 피어난다.

—문병란 「섭리」 전문

　그야말로 절로 무릎을 칠 정도로 영원한 우주의 순리를 일깨워
주는 것 같다. '하늘'과 '땅', '남자'와 '여자'라는 가장 보편적인
상관물을 놓고 시인의 변증법적인 세계관을 군소리 없이 드러내
보여주고 있음을 볼 때, 투쟁 위주의 시를 쓰는 민족시인의 달관한
모습을 발견한다. 이와 같은 감동은 고은의 「마을 하나」「그리움」,
박봉우의 「달밤의 혁명」 등을 포함한 수십편의 작품에서도 얻을
수 있다.
　다시 아무렇게나 뒤적여서 안도현(安度眩)의 「연탄냄새」라는 시
를 보자. 초겨울의 쌀쌀한 날씨 속에 옷깃을 여미며 집으로 돌아가
는 노동자의 모습을 통해 삶의 고달픔을 넘겨다볼 수 있다.

　　싸락눈 흩뿌리는 날
　　퇴근길
　　언 코끝으로, 살 속으로
　　파고드는 가족이여
　　최저생계비여.

　견디기 힘든 노동자의 삶이 간명한 시행 속에서 함축되어 있다.
구태여 노동조건과 임금실태를 조목조목 따지지 않더라도 이 5행
이 펼치는 시의 상황 속에서 우리는 피눈물나는 아픔을 감지하는
것이다. 이렇게 삶의 아픔을 읊는 시로는 김남주의 「그 얼굴 볼 수
없기에」, 정희성의 「겨울에 쓴 편지」, 정호승의 「아버지」 등이 있

는데 삶 자체가 바로 시의 형식임을 이들 시에서 확인할 수 있다. 또는 탁월한 소설가로 이미 자리잡고 있는 천승세와 송기원의 짧은 시들도 만만치 않다.

아침에서 저리 영그는
이슬을 보라
저승에서나 맺을 사랑은
밤에
울어야 한다.

— 천승세 「이슬」 전문

어제는 죽은 아비 때문에 울었습니다.
오늘은 죽은 오라비 때문에 웁니다.
내일은 혼자 남은 어미가 울겠지요.

— 송기원 「솔바람」 전문

불과 몇행에다가 인생의 복잡다기한 문제를 담을 수 있는 것이야말로 시인이 누릴 수 있는 기쁨이 아닐까. 저 유명한 원로소설가인 황순원 선생이 일제식민지 치하에서 일본 유학중에 쓴 「빌딩」이란 시는 "하모니카 불고 싶다"라는 단 8음절의 짧은 시다. 그는 이 시를 통해 식민치하 한 지성인의 고뇌와 울분을 간명하게 표현했던 것이다.

구태여 시는 길 필요가 없다. 80년대를 거치면서 우리들은 많은 사연들을 보듬고 살아왔다. 그 아프고 긴 사연들을 시에 담고자 했을 때 시는 길어지게 마련이었다. 그럼에도 불구하고 우리는 『그

는 아름답다』에 실려 있는 짧은 시를 통해서도 80년대의 길고 아
픈 사연들을 감동적으로 만날 수도 있는 것이다.

『금호문화』 1989년 8월호

어린 조카의 죽음과 시의 출발

나는 전남 곡성군 죽곡면 원달리 동리산 기슭에 있는 태안사에서 대처승의 아들로 태어났다. 일제의 탄압이 극심했던 시기였다.

큰 스님이 되라고 그랬는지 아버지께선 태안사의 '태'자를 따서 우리 형제들의 돌림자와는 달리 태일(泰一)이라는 큰 이름을 지어주셨다. 그런데 나는 스님이 못되고, 그러니까 성직자가 되지 못하고 인간의 근원적인 감정이나 보편적인 정서를 노래하는 시인이 되고 말았다. 아버지의 바람과는 어긋난 길인지도 모르지만 문학이나 종교가 다같이 '인간을 위한 것'에 최종목표를 둔다고 볼 때, 아버지의 바람과 나의 길이 그렇게 동떨어져 있다고 생각하지는 않는다.

아무튼 동리산 기슭에서의 유년생활은 모든 것이 원초적인 삶, 바로 그것이었다. 진종일 동리산 기슭을 누비며 멧돼지·노루·늑대·여우·사슴 등과 어울려 지냈고 감·밤·똘배·머루·다래·칡 등으로 배를 채우며 유년을 보냈다. 어떤 때는 동무들과 어울렸고 어떤 때는 그 깊은 산골을 혼자 헤매면서 자연과 어울려 지냈다.

1948년에 여순사건이 터졌다. 우리 식구들은 그 살육의 현장에서 어떻게든 목숨만이라도 부지하기 위해 몸부림쳤었지만 하는 수없이 광주로 피신을 할 수밖에 없었다.

그러니까 내 유년생활 8년을 마감하고, 다시 말하면 천혜의 자연과 이별을 하고 황량한 도시로 밀려왔던 것이다. 태안사에서의 8년 생활에 종지부를 찍은 것이다. 그곳에서는 책을 읽을 수 없었다. 시대적인 배경 탓도 있지만 워낙 산골짝이라 교과서도 제대로 볼 수 없는 형편이었기 때문이다. 그러나 책을 통한 사물에의 접근보다는 자연을 통한 사물에의 접근이 나의 문학적 토양을 기름지게 했음을 부인할 수는 없다.

　지금도 시를 쓰기 직전 한참 동안 그 고향의 유년생활을 기억나는 대로 더듬다가 마음의 평정을 얻은 다음 시를 쓰는 것이 버릇처럼 되어버렸다. 그러니까 유년시절에는 문학이란 것을 생각해보지도 습작을 해보지도 못했지만 내 시의 원천은 이 유년생활의 자연 속에 고스란히 꿈틀거리고 있는 원초적 생명, 바로 그것이라 하겠다.

　광주로 피난온 지 2년도 채 안되어 6·25를 만났다. 태안사에서 피비린내나는 살육을 속기가 없는 말똥말똥한 눈으로 목격했는데 그 영상이 사라지기도 전에 나는 또 그러한 동족간의 처참한 짓거리를 바라보아야만 했다.

　빈털터리로 광주로 피난왔기 때문에, 아버지 어머니와 함께 우리 7남매는 열심히 일하지 않고는 목구멍에 풀칠도 할 수 없는 형편이었다. 논밭에 나가 하루종일 엎드려 땅을 파야 했고, 물을 퍼올리는 두레질을 하루에도 몇천번씩 해야 했다. 무등산에 새벽같이 올라가서 땔나무를 해야만 했고, 시장의 곡물전 곁에 어슬렁거리며 닭모이를 쓸어와야 했다. 간혹 틈이 나면 책을 읽기도 했지만 문학을 하겠다고는 생각할 겨를이 없었다. 공부보다는 노동이 최우선이었다.

그러나 그 들어가기가 바늘구멍 같다는 서중학교에 입학하고부터는 미술반에 들어갔다. 내가 주로 그린 그림은 서툴지만 동리산 기슭의 풍경들이 많았는데, 주로 거기서 친하게 지냈던 산짐승이며 날짐승들이 화폭의 어느 구석엔가 꼭 들어가게 마련이었다. 그러나 화가가 되고 싶다는 생각은 없었다. 그림이나 문학이 나를 먹여줄 것 같지 않았기 때문이다.

상급학교에 가기 위해서는 한편으로는 학교공부를 등한히할 수도 없었고, 또한 공부를 하기 위해 노동을 안할 수도 없는 형편이어서 예술 같은 것에는 거리를 둘 수밖에 없었다. "오직 일하면서 공부하고 공부하면서 일하자"였다.

그런데 광주고등학교에 입학한 지 몇개월이 안되어서 문학을, 그것도 시를 쓰기로 작심을 했다. 큰 사건이었다. 사관학교에 입학해서 훌륭한 군인이 되고자 그 무렵 전국적으로 삼군사관학교 합격률이 상위에 있던 광주고등학교에 들어갔던 것이다. 그런데 하루아침에 시인이 되고자 마음을 바꿔버렸던 것이다.

그 까닭은 이렇다. 태어난 지 1년이 조금 지난 조카를 집에서 키우고 있었다. 큰누나의 둘째아들이었는데, 매형은 고시공부 한다고 산속에 들어가 있었고 누나는 매형 뒷바라지하랴 먹고살랴 정신이 없던 때였다. 장에 나가 장사도 하고 때로는 행상을 하느라 어린것 하나 제대로 보살필 수 없는 형편이었다.

그런 정황 속에서 어린 조카는 무슨 병인지도 모르는 병을 시름시름 앓고 있었는데, 병원 한번 약국 한번 가보지 못하고 몇달을 앓다가 바싹 마른 그 예쁘고 작은 입술을 혓바닥으로 빨아대더니만 그만 죽고 말았다. 요즘처럼 그 흔하디흔한 우유나 주스 한숟갈 못 먹고 당원을 탄 밥국물이나 강냉이죽만을 먹다가 어린 조카는 죽어갔던 것이다.

큰 충격이었다. 학교에 가서 월요조회에도 참석하지 않고 학교 언덕배기 아카시아나무 밑에 누워 눈을 감고 어린 조카의 죽음을 생각했다. 인생이란 도대체 무엇인가. 영혼은 있는 것인가, 없는 것인가. 만일 영혼이 있다면 어린 조카의 영혼을 무엇으로 위로해줄 것인가. 어떻게 사는 것이 바로 사는 것인가. 그것은 권세인가, 황금인가, 종교인가, 문학인가. 장군이 될 것인가, 스님이 될 것인가.

곰곰이 생각을 하고 있는데 짙은 향기와 함께 내 얼굴을 간질이기에 눈을 떠보니 하얀 아카시아 꽃잎들이었다. 아니 그것은 어린 조카의 영혼이었고 분신이었다. 바로 "삼촌은 시인이 되라"는 조카의 열렬한 부추김이었다. 그렇다. 인간의 희노애락애오욕의 감정을 최고의 수준에서 다스리고 표현할 수 있는 것은 문학, 특히 시 이외에 다른 것이 있을까. 시인이 되자. 자유자재로 노래할 수 있는 시인이 되자.

그날부터 하루에 한 권씩 시집이든 소설이든 닥치는 대로 읽어나갔다. 하루에 한 권씩 읽어나가기 위해서는 수업시간에도 키가큰 덕분으로 맨 뒷자리에 앉아 읽어나갔다. 3년 동안 그렇게 했다. 학교공부는 딱딱했다. 기본적인 두뇌를 가지고 있었지만 성적은 꼴찌에서 두서너번째였다.

방학만 되면 무전여행으로 전국을 떠돌아다녔다. 여행중에도 하루에 한 권씩 읽어나갔다. 동양의 고전, 서양의 고전, 한국의 현대소설, 현대시들을 닥치는 대로 읽어나갔다. 그중에서도 한하운·서정주·김현승·김소월·김영랑 등의 시가 비교적 마음에 들었다.

습작은 별로 하지 않았다. 처음으로 「백록담」이란 시조를 학교 교지에 투고했더니 실어주었다. 문학도 별것 아니라고 생각했다. 두번째 지은 시 「다시 포도(鋪道)에서」라는 시를 고3 때 써서 전남일보 신춘문예에 투고했더니 당선작 없는 가작 1석으로 뽑혔다.

그런데 문제가 생겼다. 대학에 진학을 해서 본격적으로 문학수업을 해야 하는데 학교에서 학력고사 입학원서를 써주지 않겠다고 하는 것이다. 이유인즉 꼴찌에서 두번째인 학생에게 원서를 써주면 합격률이 떨어져 학교의 체면이 깎인다는 담임선생님의 간곡한 만류였다.

나는 대뜸 "선생님, 저는 그래도 서중학교 출신입니다. 교과서는 안 읽어서 학교 성적은 형편없습니다만 온갖 문학서적을 3년 동안 천 권 넘게 읽었습니다. 그리고 기본적인 두뇌를 가지고 있으니 꼭 써주십시오"라고 말씀을 드렸더니 한참 골똘히 생각하시더니 "그럼 너만 믿는다"라며 원서를 써주셨다.

시험 결과는 합격이었다. 그 합격 점수도 우리나라에서 단 한 대학에만 갈 수 없는 좋은 성적이었다. 나는 합격할 것을 믿어 일찌감치 경희대에 진학키로 마음 굳혀놓았었다. 왜냐하면 경희대에는 주요섭·황순원·김광섭·양주동·조병화·김진수 선생 등 유명한 분들이 포진하고 계셨기 때문이다.

대학교에 들어가서는 유명한 교수님들의 얼굴을 바라보면서 강의를 듣는 것이 영광 속에 즐거웠고, 그 자체로써 나는 시인이 다 된 것처럼 들떠 지내기도 했다. 들떠 있는 가슴속에 머릿속에 둥둥 떠다니는 것은 모두 시들이었다. 그러나 그것을 원고지에 옮겨적으려고 하면 그 시상들은 모두 어디론가 훨훨 날아가버리고 원고지 칸에 붙잡힌 시상들은 불과 몇단어나 몇줄에 지나지 않았다. 지금도 그러한 현상은 마찬가지여서 시 한편 쓰는 데 며칠씩 아니면 몇달씩 걸린다. 과작인 셈이다.

아무튼 같은 과 같은 학년에 조세희·조해일이 있었고 그 위 학년으로는 권상국·이성부·김제현·김용성씨 등 지금 우리 문단에 중요한 자리를 차지하고 있는 그들과 한 캠퍼스에서 지낸다는 것이 즐거웠다. 그러나 나는 교수님들께나 동료학생들에게 열심히 시를 공부하고 있다는 점을 과시하지도 않았다. 그저 시를 좋아하는 학생쯤으로 비쳐지기를 바랐다.

그러나 술자리에는 거의 빠지지 않고 앉아서 문학 이야기를 나누었다. 청량리 홍릉의 2층 다다미방을 얻어 자취생활을 했었는데, 차비가 없어 걸어서 명동의 '은성'이란 술집에 들러 술을 얻어마시기도 했다. 탤런트 최불암씨의 모친이 경영하던 조그만 술집으로 이봉구·김수영·조병화·박봉우 등의 많은 문인들이 들락거리던 곳이었다.

그런데 술을 마시는 데에는 그 많은 시간을 허비했지만 시 쓰는 일에는 시간을 할애하지 않았다. 그러나 문단에 데뷔를 하기는 해야겠는데 써놓은 시가 없어 고민이었다. 몇편을 써서 추천을 받을까 했지만 사람 찾아다니기도 귀찮고 이건 이렇게 쓰고 저건 저렇게 쓰라고 간섭할 것만 같아 신춘문예에 당당히 응모해보기로 작정하고, 대낮인데도 창문을 담요로 완전히 가리고 촛불을 켜놓고 하루 만에 세 편을 써서 마감시간이 약간 넘어서 당시 소공동에 있던 경향신문사를 찾아가 수위 아저씨께 접수를 시키고 걸어서 홍릉까지 돌아왔다.

1963년 12월 31일 오후 종로에서 경향신문을 펼쳐들었다. 1964년 1월 1일자 신문에 「아침 선박」이란 제목과 함께 내 이름 석 자가 꿈틀거리며 노란 하늘로 둥둥 떠가고 있었다. 「아침 선박」도 하늘을 향해 당당히 출항하고 있었다. 당선이었다.

아침 바다는 예지에 번뜩이는 눈을 뜨고
끈기의 저쪽을 달리면서

시대에 지치지 않고, 처절했던 동반의 때에,
쓰러진 시간들을 하나씩 깨워 일으키고.
저, 넘쳐나는 지평의 햇살을 보면
청명한 날에 잠깨는 출항.

세수를 일찍 끝낸 여인들은
탄생을 되풀이한 오랜 진통에
땀배인 내의를 벗어 바다에 던지고,
파이프에 남자들은, 두고 온 연대를 열심히 피워문다.

— 「아침 선박」 부분

습작시 10편도 안되는 처지에 당선이 되고 만 것이다. 그것도
하루 만에 쓴 시가 영광을 차지한 것이다. 당선의 기쁨 다음으로
떠오른 것은 이 세상에 잠깐 왔다가 홀연히 떠난 어린 조카의 모습
이었다.

『지방시대』 1989년 9월호

시원하고도 섭섭한 마음

금년 한해를 보내려 하니 시원하고 섭섭한 마음이 든다. 왜냐하면 금년 한해를 보냄은 80년대, 즉 10년을 한꺼번에 보냄과 같기 때문이다.

돌이켜보면 80년대는 바로 '광주의 5월'과 함께 막이 열린 무대로, 그 무대는 엄청남 비극적 정경이었으며 파행적인 역사 진행의 신호였었다.

금년 정초를 맞으면서 나는 이 80년대를 청산하는 한해이기를 기원했었다. 정치·사회·문화 모든 면에서 1980년 5월의 체험을 통해 그간 우리 민족이 한결같이 원했던 반외세 자주, 반독재 민주, 반분단 통일까지 이룩하는 한해이기를 간절히 바랐었다. 그러나 이러한 것들을 바로 90년대로 이월해야 한다는 생각을 하니 90년대를 기쁜 마음으로 맞이할 용기가 나지 않는다.

다시 1989년을 붙들어매놓고 통곡하고픈 생각도 든다. 그래서 금년 3월, 30년 만에 고향에 와서 대학 강단에 선 것도 부끄럽게 생각한다. 열심히 학생들과 생활하면서 좋은 시를 쓰려고 노력은 했지만 아무것도 해낼 수가 없었다.

이 모든 것을 꼭 정치·사회의 탓으로 돌리고 싶지는 않다. 인생은 아무것도 못할 정도로 그렇게 짧은 것이 아니기에, 계속 노력하겠다는 다짐으로 시원하고도 섭섭한 마음을 달래본다.

『현대문학』 1989년 12월호

유년시절의 체험으로 국토를 껴안고

　나는 일제의 식민시대에 태어나서 유년시절에 처참한 여순사건을 겪고 6·25를 겪었다. 이승만정권의 독재시대를 살면서 4·19혁명에 참여했고 뒤따라 5·16을 겪었다. 뒤이어 6·3에 참여했고 유신시대와 긴급조치시대를 겪으면서 아슬아슬하게 삶을 이어갔다. 10·26을 겪고 12·12를 겪고 5·18광주민중항쟁을 겪고 6월항쟁에 참여했다.

　실로 숨쉴 틈도 없이 겪은 이 '겪음'은 문학하는 사람으로서 매우 소중한 것들이었다. 나의 시는 바로 이 '겪음'을 끌어안는 데서 출발한다. 어떤 이념적 입장, 예컨대 자유·민주·자주·평등·해방 등에 관심을 집중시켜 몸소 그것들에 무게를 실었다면, 그리고 실천하려 노력한 시를 참여시라고 말할 수 있다면, 내 시 역시 참여시에서 멀리 떨어져 있지 않다.

　내가 '겪음'을 얘기하였지만, 사람은 이 세상을 살아가면서 여러가지 체험들을 하게 된다. 그래서 사람들은 이러한 체험들을 하나하나 쌓아가며 살아가게 되고, 직접적이든 간접적이든 보고 듣고 말하고 느끼고 하면서 얻어진 체험들을 소중하게 간직하는데, 이런 체험들의 미적 형상화가 바로 시이다. 이런 의미에서 체험은 문학예술의 바탕이 되며 무궁무진한 소재의 보고가 되는 것이다.

나는 '무엇을 하기 위해' 시를 쓰게 된 것이다. 그 '무엇을 하기 위해'서는 많은 체험들이 필요하다. 체험은 사람이 이 세상을 살아가는 구체적인 모습을 보게 하고 알게 하고 느끼게 한다.

그런데 사람에게는 체험 이전에, 세상에 태어날 때 나름대로 고유한 기질 같은 것을 지니고 태어난다고 하는데, 이 기질이 앞으로 주어지는 환경에 반응하면서 영구적인 마음의 골격이 형성된다. 다시 말하면 한 인간의 선천적인 성격(기질)은 사회·시대·환경이라는 구체적인 처지에 놓이면서 후천적으로 개인성이 만들어지는 것이다. 이 개인성은 현재의 결과로서 한 인간의 전생애를 통해 끊임없이 형성되는 가변성과 유동성을 갖는다.

그렇다면 나의 시 밑바닥에 깔려 있는 나의 기질과 개인성은 어떠한 것일까? 김화영 교수는 나의 시를 이야기하면서 "이 분노의 목소리가 너무나 격렬해서 얼른 보기엔 시정의 우리네가 접근하지 못할 지사일 것만 같은 그 목소리 뒤에는 깊고 외로운 태안사 산골에서 아무도 같이 놀아줄 친구 하나 없이 혼자 골짜기의 멧돼지들과 나무들과 새들과 놀거나 (…) 엄청나게 큰 돌을 집어들어 밤나무 둥치를 후려치면 잘 익은 알밤이 떨어지면서 머리와 어깨나 등을 두드리던 그 산골 시절의 경험이 그에게 제공한 것은 잔잔하고 어여쁜 서정시의 소도구들이 아니다. 그 뿌리에 담겨 있는 힘과 격렬함, 무엇보다도 대단한 열정과 원초적인 생명력의 고집인 것이다"라고 했는데 내 시의 원초적인 힘과 개인성이 어디에서 비롯했는지를 적절히 설명해준 글이다.

깊은 산골의 바람이나 구름
멧돼지나 노루 사슴 곰 따위

혹은 호랑이 이리 날짐승들과 함께
　　오손도손 놀며 살아라고
　　칠남매를 낳으시고

—「원달리의 아버지」 부분

　　35세의 노총각이 17세의 처녀를 얻어 7남매를 낳은 아버지께선 대처승이셨고, 태안사의 주지로 지내셨다. 덕분에 나는 하루종일 동리산 기슭을 누비면서 온갖 짐승들과 어울리며 온 산을 들쑤시고 다녔다. 어떤 때는 산에서 길을 잃고 깊은 산속을 종일토록 헤맨 적도 있다. 이러한 유년의 티없는 체험들이 내 시의 정서적 골격을 이룬다고 해도 지나친 말은 아니다. 그러나 이러한 아름다운 체험만이 있는 것은 아니다. 1948년 여순사건이 일어나면서 낙원 같던 나의 고향은 살육의 현장이 되었다. 자고 나면 누구누구는 잡혀가고 누구누구는 대창에 꽂혀 죽었다느니 하는 간밤의 무서운 사연들이 꼬리에 꼬리를 물고 그 조용한 낙원을 몸서리치게 만들었다.

　　어둠속에서 두근거리는 가슴 조이며
　　한밤내 대창 부딪는 소리 들으며
　　친구들 생각에 밤잠을 설치고,

　　서로 무사했는지 새벽에 일어나
　　고함 지르며 골목골목을 뛰며
　　아침 안부를 나누던 친구들.

그 모습만 모습만
동리산 기슭에 가득 고였다.

—「친구들」 부분

평화스럽고 풍요롭기만 하던 동리산 기슭까지 여순사건의 여파가 미치자 그곳에서 더이상 우리 가족은 삶을 이어갈 수 없었다. 어쩔 수 없이 고향을 떠날 수밖에 없었다.

이 유년시절에 형성되었던 체험의 덩어리들은 지금까지 어떠한 세계와 부딪치는 체험과 맞물려 증폭되기도 하고 현재의 정서와 치열한 싸움을 하더라도 항상 승리로 빛나게 된다. 그리하여 내가 하는 모든 일의 시작과 끝은 고향에서 비롯되어 고향으로 귀결된다. 그만큼 고향은 내 시의 원동력이 되는 것이다. 그러므로 나의 시는 내가 태어난 태안사에서 발원하여 전국토를 온몸으로 내달려서 민족과 역사 앞에 올바르게 서고자 하는 몸부림인 것이다. 전국토를 껴안고 민족과 역사 앞에서의 몸부림인 것이다.

발바닥이 다 닳아 새 살이 돋도록 우리는
우리의 땅을 밟을 수밖에 없는 일이다.

숨결이 다 타올라 새 숨결이 열리도록 우리는
우리의 하늘 밑을 서성일 수밖에 없는 일이다.

야윈 팔다리일망정 한껏 휘저어
슬픔도 기쁨도 한껏 가슴으로 맞대며 우리는
우리의 가락 속을 거닐 수밖에 없는 일이다.

버려진 땅에 돋아난 풀잎 하나에서부터
조용히 발버둥치는 돌멩이 하나에까지
이름도 없이 빈 벌판 빈 하늘에 뿌려진
저 혼에까지 저 숨결에까지 닿도록

우리는 우리의 삶을 불지필 일이다.
우리는 우리의 숨결을 보탤 일이다.

일렁이는 피와 다 닳아진 살결과
허연 뼈까지를 통째로 보탤 일이다.

—「국토서시」 전문

이 시는 나의 세번째 시집 『국토』에 실린 50여편의 『국토』 연작
시의 정서나 주제를 집약시켜서 시로 쓴 것이다. 따라서 이 시는
시이기 이전에 내 시론이기도 하다. 이 땅에서 이 시대를 어떻게
살아내야 하는가란 문제는 결국 한편의 시를 어떻게 써야 하느냐
하는 문제와 맞물려 있는 것이다. 이때까지 체험의 결과로 빚어진
이 시의 호흡과 의미는 앞으로도 지속적으로 이끌어야 할 내 시의
세계인 것이며 내가 표현해야 할 애정의 세계인 것이다.

시인으로서 세계적인 시야를 확보하기 위해서는 지금 이 땅의
현실과 역사, 민족에 대해 끝없는 신뢰와 애정이 필요하다. 그렇게
하기 위해서는 그야말로 온몸으로 혼신의 힘을 쏟아 이 땅의 현실,
역사, 민족을 끌어안고 철저히 몸부림칠 수밖에 없는 일이다. 이러
한 태도는 나의 시가 현실과의 거리를 좁혀 밀착할 수 있었던 계기

가 되었고 이런 원인은 다름아닌 수많은 '겪음'에서 비롯된 것이다. 이 끊임없는 '겪음'은 있는 현실의 진실뿐만 아니라 꼭 있어야할 당위적 진실을 탐색하고 형상화할 수 있는 시의 힘이 되는 것이다.

1990년 발표 지면 미상

전국적인 규모의 문예지로 성장
포항문학을 말한다

『포항문학』이 벌써 10호째를 기록하게 되어 매우 기쁘다. 문학판에 뛰어든 지 30여년의 세월을 보내면서 짜증스러웠던 일, 즐겁고 보람찼던 일도 많았는데 『포항문학』이 10호를 낸다고 하니 이일은 나로서는 보람차고 즐거운 일 중의 하나임에 틀림없다.

『포항문학』은 몇년 전까지만 해도 내가 관여하던 시인사에서 편집·조판·제본·발행의 일을 도맡아서 전국 서점에 배포까지 했었기 때문에 감회가 아니 기쁠 수 있겠는가? 이렇게 된 까닭은 빈남수(賓南洙) 선생님이나 손춘익(孫春翼)·이문구 형들과의 각별한 정분 때문이기도 했지만, 나 자신 지방 촌놈 출신이었기에 지방 문예에 대한 애정이 넘쳐나서 그런 잡무까지 신경을 썼던 것이다.

숙취로 인해 내 몸 하나 감당하기 어려운 처지로 쏘파에 드러누워 그놈의 술을 원망하고 있을 때, 그러니까 모든 것이 귀찮고 짜증스러울 때, "포항에서 전화왔습니다"라는 사원의 전갈이 어찌그리 귀찮고 미웠는지…… 전화 송수화기를 들면 예의 그 따발총식 어수선함과 정열적인 음성으로 "포항문학 어찌 됐노? 잘 만들라! 알겠제?" 하는 손형의 독촉 성화에 나는 "음, 알았어, 알았어" 하고 전화를 받곤 했던 기억이 생생하다.

『포항문학』은 이제 전국적인 규모의 문예지로 성장했다. 나는 평소 가장 지방다운 것이 가장 한국적이고 가장 한국적인 것이 가장 세계적이라는 시각에서 문학활동과 문학운동에 역점을 두어왔던 터인데 『포항문학』이 나의 견해에 일치하고 있음에 감사하게 생각한다.

정치판에서는 30여년 만에 지방자치제를 실시한다고 한다. 문예활동 혹은 민중들의 감각보다 항상 무디고 늦은 행보에 불만인 나로서는, 일찌감치 문학의 지방자치제를 착실히 튼튼히 올곧게 해온 『포항문학』을 본떠서 신나는 정치를 해줬으면 한다.

『포항문학』 제10호(1990년 4월)

나의 삶 나의 예술
하나뿐인 국토, 사르는 시혼(詩魂)

나는 곡성군 죽곡면 원달리의 동리산 태안사에서 대처승의 7남매 중 넷째로 태어났다. 아버지께선 큰 스님이 되라고 그랬는지 태안사의 '태'자를 따서 우리 형제들의 항렬과는 상관없이 태일(泰一)이라고 엄청나게 큰 이름을 지어주셨다.

그런데 나는 스님이 되지 못하고 인간의 근본적인 감정이나 보편적인 정서에다가 창조적 개성을 더하는 시인이 되고 말았다. 아버지의 바람과는 어긋난 길인지도 모르지만 문학이나 종교나 학문이 다같이 '인간을 위한 것'일진대 아버지의 바람과 나의 길이 그렇게 동떨어져 있다고 생각하지는 않는다.

아무튼 동리산 기슭에서의 유년생활은 모든 것이 원초적인 삶 바로 그것이었다. 하루종일 동리산 기슭을 누비며 멧돼지·노루·늑대·여우·이리·사슴·산토끼 등과 어울려 지냈고, 감·밤·똘배·머루·다래·칡 등으로 배를 채우며 유년을 보냈다. 어떤 때는 동무들과 어울렸고 어떤 때는 그 깊은 산골짜기를 헤매다 길을 잃은 적이 한두 번이 아니었다.

내가 태어난 시기는 일제의 탄압과 착취가 극에 달했던 시기로서, 온 집안 식구들은 일제가 강제로 할당해준 송진을 채취하기 위해서 온 산을 헤매었으며 나는 그 뒤를 쫄쫄 따라다니며 철없이 칭얼대기도 했었다. 어떤 때는 긴 칼을 찬 순사가 먼발치에 나타나면 집안은 온통 법석이었다. 놋요강·숟가락·젓가락·놋대접·놋화로 등 쇠붙이로 된 것들은 모조리 두엄 속에 파묻거나 울타리나 처마 밑에 쑤셔넣느라 그랬다. 공출이라는 명목으로 일제가 싹쓸이해 갔기 때문이다.

내가 태어난 태안사의 턱밑에 있는 마을은 모두 10여호쯤 되는 작은 마을이었다. 나는 이곳에서 한 시오리 남짓한 동계국민학교를 2학년까지 다녔다. 산짐승들 때문에 항상 동무들과 떼지어 다녔는데, 한 손엔 작대기, 한 손엔 돌멩이가 들려 있었다. 그리고 짚신이나 고무신을 칡넝쿨 같은 것으로 동여매었는데 산짐승들의 공격이 두려워서였다.

그러나 이런 아름다운 체험만이 있는 것은 아니었다. 나는 평생에 잊지 못할 비극적 체험을 겪었는데, 그것은 1948년에 일어난 여순사건이었다. 태안사를 껴안고 있는 동리산은 여순사건의 격전지였다. 낮에는 아군이, 밤에는 밤손님(주민들은 공비들을 홀대하지 않고 그렇게 불렀다)이 점령하여 죽이고 잡혀가고 잡아오는 살육의 현장이었다. 자고 나면 누구는 행방불명이었고 누구누구는 대창에 꽂혀 죽었다는 소문들이 꼬리에 꼬리를 물고 조용한 산골 마을을 치떨리게 했다.

동리산 기슭은 우리 가족들을 더이상 껴안을 수 없고 살육과 궁핍의 장소로 일시에 변해버렸다. 우리 가족들은 살아남기 위해 광주로 피난길에 올랐다. 태안사에서의 8년의 생활을 청산하고, 그러니까 아름다운 자연과 이별을 하고, 살아남기 위해 아무런 연고도 없는 광주로 삶의 터전을 옮긴 것이다.

광주에 뿌리를 채 내리기도 전에 6·25가 터졌다. 태안사에서의 피비린내나는 살육을 속기가 없는 눈으로 목격했는데 그 모습이 사라지기도 전에 나는 또 그러한 동족간의 처참한 짓거리를 바라보아야만 했다. 빈털터리로 피난왔기 때문에 우리 식구들은 열심히 일을 해야만 했다. 논밭에 나가 하루종일 엎드려 땅을 파야 했고 물을 떠올리는 두레질을 하고 쟁기질을 하고 등짐을 했다. 새벽같이 무등산 중봉까지 올라가 땔나무를 해야만 했고, 양동시장의 곡물전 곁을 어슬렁거리며 닭모이를 쓸어와야 했다. 간혹 틈이 생기면 책들을 읽기는 했지만 문학공부를 하겠다는 생각은 한번도 해보지 못했다. 오직 일만이 나의 전부였다.

내가 문학을 하게 된 동기는 고등학교 때 어린 조카의 죽음 때문이었다. 어린 조카는 무슨 병인지도 모르는 병을 얻어 시름시름 앓고 있었는데, 병원 한번 약국 한번 가보지 못하고 몇달을 앓다가 바싹 마른 그 예쁘고 작은 입술을 혓바닥으로 빨아대더니만 그만 죽고 말았다. 요즘처럼 그 흔하디흔한 우유나 주스 한방울 못 먹어보고 당원을 탄 밥물이나 강냉이죽만을 먹다가 어린 조카는 죽어 갔던 것인데, 그 어린 영혼을 달래기 위해 인간의 희로애락애오욕이라는 감정을 최고의 수준에서 다스리고 표현하기 위해 시를 쓰기로 했던 것이다.

좋은 문학을 하기 위해서는 바른 역사의식, 바른 현실인식이 절대로 요청된다. 나는 역사의 비탈이나 현실의 비탈에서 비켜서 있는 것이 아니라 그 한복판에 서 있기를 원한다. 나는 일제시대에 태어나서 여순사건을 겪고 6·25를 겪었다. 4·19를 겪고 5·16을 겪었다. 6·3사태를 겪고 지독했던 유신을 겪었다. 10·26을 겪고 5·18을 겪고 6월항쟁을 겪고, 청천벽력 같은 3당야합을 겪었다.

실로 숨쉴 틈도 없이 몰아쳐온 이 '겪음'은 문학적 체험으로 매우 소중한 것이었다. 나의 시는 바로 이 '겪음' 속에서 성숙했다. 한복판에 있기를 원하는 삶과 문학적 태도는 유신을 전후해서 세 번의 옥고를 겪게도 했다.

물론 내 시의 바탕은 유년시절의 체험이다. 원초적인 생명력과 그 순발력, 역동성이다. 내 시의 처음은 고향이요 그 끝도 또한 고향이다. 고향 정서에서 시작해서 고향 정서로 끝나기를 바란다. 다시 말해서 원초적인 힘에서 시작해서 원초적인 힘으로 마무리 되기를 바라는 것이 내 시의 일관된 의지이다. 유년시절의 정서와 지금 현재 정서와의 싸움은 항상 유년시절 정서의 승리로 끝나기를 원한다.

유년시절에 형성되었던 체험의 덩어리들은 요즘까지도 어떤 사물과 부딪치는 체험과 맞물려 증폭되기 일쑤다. 온갖 짐승들, 풍부했던 산열매, 천진스러웠던 동무들과의 어울림, 오직 독경소리와 목탁소리로 집안 분위기를 이끌었던 아버지의 무언의 모습, 베짜기와 물레짓기와 혹은 들일로 하루를 마감하던 어머니의 모습, 공출을 안하려고 온 식구들이 합심해서 지혜를 짜던 일들, 여순사건 때 처참했던 현장의 모습들이 이 글을 쓰는 동안에도 펄펄 살아 내 몸과 정신을 사로잡는다. 뿐이랴. 망월동의 무덤들이 무등산만큼이나 큰 모습으로 부활해서 내 꾀죄죄한 시정신을, 폭이 좁은 내 행동을 마구 꾸짖는다. 하나뿐인 국토를 온몸으로 껴안으라고.

『전남일보』 1991년 9월 28일자

체험 속에서 국토를 온몸으로 껴안고
움직임 속에 나의 삶, 나의 시가 있다

나는 전남 곡성군 죽곡면 원달1리의 동리산 품안에 있는 태안사에서, 대처승이며 교육자였던 부 조봉호와 모 신정님 사이에서 7남매 중 넷째로 태어났다. 아버지 나이 35세, 어머니 나이 17세에 결혼, 7남매를 낳으셨던 것이다. 내 이름은 큰 스님이 되라고 그랬는지 아니면 어떤 분야에서든지 큰 인물이 되라고 그랬는지, 우리 형제들의 돌림자(항렬)와는 달리 태안사의 '태'자를 따서 태일(泰一)이라는 큰 이름을 지어주셨다.

아무튼 동리산 기슭에서의 유년생활은 모든 것이 원초적인 삶 바로 그것이었다. 하루종일 동리산 기슭을 누비며 멧돼지·노루·늑대·여우·이리·사슴·산토끼 등과 어울려 지냈고 감·밤·똘배·머루·다래·칡 등으로 고픈 배를 채우면서 유년을 보냈다. 어떤 때는 동무들과 어떤 때는 나 혼자 깊은 산골짝을 헤매다가 길을 잃은 적이 한두 번이 아니었다.

태안사에서 스님의 아들로 태어나다

나의 유년시절은 일제의 탄압과 착취가 극에 달했던 시기로, 그때의 기억은 지금도 회상의 기억 속에 똑똑히 박혀 있다. 온 집안 식구들은 일제가 강제로 할당해준 송진을 채취하기 위해서 산을 헤맸으며 나는 그 뒤를 졸졸 따라다니면서 철없이 칭얼대기도 했었다. 어떤 때는 긴 칼을 찬 순사가 먼발치에 나타나면 집안은 온통 법석이었다. 놋요강·숟가락·젓가락·놋대접·놋화로 등 쇠붙이로 된 것들은 모조리 두엄 속에 파묻거나 울타리나 처마 밑에 쑤셔넣느라 그랬었다. 공출이란 이름으로 일제가 싹쓸이해갔기 때문이다. 그런 일을 옆에서 거들어주는 일은 신바람이 나는 일이었다. 순사는 이따금씩 알사탕을 주면서 숨겨놓은 곳을 대라고 얼렀지만 그 알량한 알사탕을 얻어먹기 위해 숨겨둔 곳을 가리켜준 적은 한번도 없었다. 우습게 말하자면 그때 알사탕의 꼬임에 넘어갔으면 친일을 했을 터인데, 그렇지 않았기 때문에 항일을 한 셈이다.

나는 태안사에서 십리쯤 떨어져 있는 동계국민학교를 2학년까지 다녔다. 1948년 여순사건이 터져 우리 식구들은 죽을 고비를 몇번이나 넘기고서야 광주로 피난을 했었다. 태안사 주위는 여순사건의 격전지였다. 낮에는 아군이, 밤에는 밤손님(주민들은 공비들을 홀대하지 않고 그렇게 불렀다)이 점령하여 죽이고 잡혀가고 잡아오는 살육의 현장이었다. 자고 나면 누구누구는 행방불명이었고 누구누구는 대창에 꽂혀 당산나무에 매달렸다는 끔찍한 소문들이 꼬리에 꼬리를 물고 조용한 산골마을을 치떨리게 했다.

도저히 우리 식구들은 살아남을 수 없을 것 같아 세간살이 그대로 두고 알몸뚱이로 압록강(보성강)을 꼭두새벽에 건너 광주로 피난해서 광천동에 자리를 잡았다. 피난온 지 2년 만에 6·25가 터졌다. 살아남기 위해 광주로 피난왔는데 채 뿌리도 내리기 전에 난리를 또 겪게 되니 아버지께서는 더욱더 말씀을 하시지 않았다. 아버지는 6·25가 끝난 직후에 세상을 떠나셨는데 유언이 "고향(곡성) 땅은 그곳을 떠난 지 30년이 지나서 밟아라"는 것이었다. 이 '30 년'이란 의미는 아마 한 세대를 가리키는 것이 아닌가 한다.

조카의 죽음에서 출발한 시

내가 문학을 하게 된 동기는 조카의 죽음 때문이었다. 고등학교에 입학한 지 몇개월이 안돼서 우리집에서 키우던 큰누나의 둘째 아들인 조카가 무슨 병인가를 얻어 시름시름 앓더니만, 병원 한번 약국 한번 가보지 못한 채, 바짝 마른 그 예쁘고 조그만 입술을 헛 바닥으로 빨아대더니만 그만 이 세상을 떠나고 말았다. 요즘처럼 흔하디흔한 주스 한방울, 우유 한방울 먹어보지도 못하고 당원을 탄 밥물이나 강냉이죽만을 고통스럽게 삼키다가 어린 조카는 죽어갔던 것이다.

나는 육군사관학교에 입학하기 위해 고등학교에 들어갔었다. 그러나 조카를 흙에 파묻고 난 후 등교해서 교실로 들어가지 않고 학교 뒷동산의 아카시아 꽃그늘에 눕고 말았다. 삶이란 무엇이며 죽음이란 무엇인가, 영혼은 있는 것인가 없는 것인가, 만일 영혼이 있다면 조카의 어린 영혼을 무엇으로 어떻게 위로해줄 것인가, 어떻게 사는 것이 바람직한 것인가, 권세를 쫓을 것인가, 황금을 챙길 것인가, 이런저런 상념 속에 스르르 눈이 감기려는 순간, 짙은 향기와 함께 내 얼굴을 간지럽히기에 눈을 떠보니 새햐얀 아카시아꽃들이 쏟아지고 있었다. 그것은 어린 조카의 청순한 얼굴이었고 영혼이었다. 그것은 "삼촌은 시인이 되라"는 조카의 열렬한 부

126

추김이었고 충동질이었다.

그렇다! 인간의 희노애락애오욕의 감정을 최고의 경지에서 다스릴 수 있고 표현할 수 있는 방법은 문학, 그것도 시 이외에 또 어떤 방법이 있겠는가. "시인이 되자. 거침없는 시인이 되자"고 다짐하고서 매일매일 한 권씩의 책을 읽어나갔다. 보이는 대로 닥치는 대로 읽어나갔다. 나의 출발인 자연, 그것도 곡성의 태안사를 생각하면서.

사람은 누구든 이 세상에 태어날 때 고유한 특질, 즉 어떤 가능성의 성격이나 기질이라는 싹 같은 것을 지니고 태어난다고 한다. 따라서 이런 성격이나 기질은 자의로는 어쩔 수 없이, 어떤 사회, 어떤 시대, 어떤 환경이라는 구체적인 처지에 놓여져 후천적으로 개인성이 형성된다. 이 개인성은 현싯점의 결과로서 죽는 날까지 끊임없이 형성되는 가변성과 유동성을 갖는다.

나는 평소 말이 별로 없는 편이다. 조용한 동리산 기슭에서 태어난 탓도 있겠지만 아버지께서는 하루종일 말을 자제하면서 세상을 살았다. 새벽에 일어나 목탁을 두드리며 염불을 하시는 모습이 거룩해 보이기도 했고 무섭기도 했다. 나는 쉰이 넘었는데도 지금까지 하루도 거르지 않고 새벽 다섯시면 꼬박꼬박 잠에서 깼다. 새벽 두세시까지 폭음을 해도 어김없이 잠자리에서 일어난다. "새벽에 움직이는 사람, 새벽에 생각하는 사람"이라고 나는 스스로 나를 말하기도 한다.

내 시의 출발이며 끝인 유년의 정서

아무튼 내 시의 정서적 골격을 이루고 있는 것은 유년시절의 체험인데, 바로 원초적인 생명력과 그 순발력, 그 역동성이다. 비록 여순사건으로 고향이라는 낙원이 짓밟히고 그 개서 고향을 떠날 수밖에 없었던 쓰라린 체험도 많았지만 기독교적으로 말하면 그 곳은 나의 에덴동산이다.

그 유년시절 형성되었던 체험의 덩어리들은 요즘까지도 어떤 사물들과 부딪치는 체험들과 맞물려 증폭되기 일쑤다. 온갖 짐승들, 풍성했던 산열매, 천진스러웠던 동무들과의 어울림, 오직 독경 소리 목탁소리로 집안 분위기를 이끌었던 아버지의 무언의 모습, 베짜기와 물레짓기와 혹은 들일로 하루를 보내시던 어머니의 모습, 송진을 채취하러 온 산을 누비던 형제들의 모습, 공출을 안하려고 온 식구들이 지혜를 짜서 실행하던 일들, 여순사건의 처참한 현장의 모습들, 나를 끔찍이 보살펴주던 마을 아낙네들의 심상들은 오늘의 내 시에서 하루도 떠난 적이 없다. 이런 모습들이 내 시에서 구체적으로 형상화되지는 않는다 해도 다른 정서의 형상화 과정에서 나의 몸가짐, 마음가짐을 한시라도 간섭하지 않을 때는 없었다.

내가 시를 쓸 때, 답답하게 일이 꼬일 때, 즐거울 때, 괴로울 때, 또는 어떤 일을 결행하려 할 때, 배고플 때, 배부를 때, 나는 습관처럼 먼저 고향의 정경들을 끌어안는다. 아니 내가 하는 모든 일의 시작과 끝은 고향에서의 시작이고 고향에로의 끝이라 할 수 있다. 나의 시는 고향 정서에서 출발해 고향 정서로 끝난다. 다시 말하면

128

원초적인 힘에서 시작해 원초적인 힘으로 끝내고 싶은 것이 나의 일관된 시의 의지다.

'겪음'의 한복판에서 피는 꽃이 나의 시

나는 이러한 의지로써 이 역사와 이 시대와 우리 겨레의 한복판에서 시를 써왔고, 쓰고 있고, 쓸 것이다.

나는 일제시대에 태어나서 여순사건을 겪고, 6·25를 겪었다. 4·19에 참여했고, 5·16을 통해 좌절하기도 했다. 6·3에 참여했고, 유신과 10·26을 겪고 5·18을 겪고 6월항쟁에 참여했고 3당야합을 겪었다. 실로 숨쉴 틈도 없이 이 '겪음'은 나를 좌절케 했고, 다시 모든 것을 털고 일어서게 하기도 했다. 이 겪음은 시를 쓰는 사람으로서 매우 행복스럽기까지 했다. 나의 시는 바로 이 '겪음'을 피하지 않고 이 '겪음'의 한복판에서 피는 꽃들이다. 나는 이 '겪음'의 연속 속에서 세 번의 감옥살이를 했다. 연행, 연금도 수십 차례 겪었다.

아버지의 유언대로 딱 30년이 되던 1977년에 나는 곡성땅을 밟았다. 지금은 국회의원인 박석무(朴錫武)랑 함께 찾아간 것이다. 태안사 초입에서 동리천을 따라 침묵으로 걸었다. 성년을 버리고 유년시절의 걸음으로 걸었다. 유년의 마음으로 걸었다. 우리 식구들과 이웃들이 살았던 마을은 온데간데없고 30년 동안 우리 대신 자란 숲들이 그 자리를 꽉 채우고 있었다.

감옥 속에서 고향에 관한 시들을 구상

고향땅을 꼭 30년 만에 밟고 상경한 1개월쯤 후 나는 양성우 시집 『겨울 공화국』을 편집, 출판, 배포했다는 이유로 고은 시인이랑 함께 긴급조치 9호 위반 혐의로 구속되어 서대문구치소에 수감되었다. 나는 이 감방에서 비로소 고향에 관한 시들을 구상하게 되었다. 그리고 아버지 유언 속의 '30년'이란 세월의 의미도 나름대로 해석해보기도 했다. 이를테면 '30년이 지나면 너의 삶에 큰 전기가 올 것'이라는, 그래서 고향을 찾아가서 떠돌이 30년을 반성하고 앞으로의 삶에 필요한 모든 지혜와 힘을 충전하라는 뜻으로 해석해보기도 했다. 새로운 지혜는 한 세대인 30년이 지나서야 오는가.

1979년 10·26이 터지기 5개월 전 나는 국가원수모독죄로 29일간의 구류를 살았다. 가택연금중에 몰래 빠져나와 수유리의 4·19탑을 돌아보고 대취한 상태로 귀가했다. 그날이 마침 사월초파일이라 통행금지가 없어서 새벽까지 마셨던 것이다. 귀가하자마자 옥상으로 올라가 30여분 동안 연설을 한 것이, 이웃집의 밀고로 경찰서 대공과로 끌려갔다. 밀고 내용은 "박아무개! 정치를 잘하라. 지금 당장 물러나지 않으면 어느 놈의 손에 맞아죽을지 모른다. 일국의 시인이 충고한다! 지금도 늦지 않았다. 이 조태일도 어느 놈의 손에 맞아죽을지 모르지만 나라와 겨레를 위해서 외치노니 당장 유신을 철폐하라"는 것이었다. 이 내용으로 내가 연설을 했다는 증거를 대라고 나는 버텼다. 3일간을 버텼다. 그때는 인권대통령인 카터가 방한한다고들 떠 있었던 때라 구류 29일을 살았지만 큰일날 뻔한 사건이었다. 10·26이 터지자 나를 담당했던 형사들이 찾아와 나더러 '예언자'라고 말하면서 시를 쓰면 앞일도 가늠하느냐고 웃으면서 홀가분해하던 모습이 눈에 선하다.

1974년에 우리 문인들이 표현의 자유와 인간 삶의 자유를 확보하기 위해 결성했던 '자유실천문인협의회'(지금의 민족문학작가회의)의 간사회의를 1980년 5·18 이틀 전에 서울 청진동의 모 음식점에서 개최했다는 이유로, 2개월여 도피생활 끝에 체포되어 계엄법 및 포고령 위반혐의로 구속되어 군사재판에서 2년형을 선고받고 세번째의 징역을 살았다.

앞에서 말한 바와 같이 이러한 체험들은 시인으로서 피할 수 없는 값진 것이 아닐 수 없다. 문학은 현실의 반영이고, 그 현실의 깊숙한 드러냄이 시를 활달하게 하고 시의 영역을 넓히는 촉매제가 되는 것이다.

『시인』지를 창간하다

나는 ROTC 4기생으로 임관하여 서부전선의 최전방에서 기관총 소대장으로 출발하여 대대 보급관을 거쳐 중위로 예편했다. 사관학교에 들어가서 훌륭한 장군이 되보려는 꿈이 어린 조카의 죽음으로 무산됐지만, 초급장교로서 시인 장교로서 국가와 민족을 위해서, 아니 인간을 위해서 노력한 것은 사실이다.

제대 후 좋은 직장을 마다하고 무보수로 어느 인쇄소에 들어가서 월간 시전문지인 『시인』을 창간하여 1년여 동안 발간했으나 당국의 압력으로 폐간되고 말았다. 문단풍토를 쇄신하고 새로운 시들을 소개하여 한국문학사에 일조를 하겠다는 소박한 생각에서 출발하여 호를 거듭할수록 선풍적인 반응을 얻었으나 1년여 만에 타의로 문을 닫았었다. 이 『시인』지를 통해 김지하·김준태·양성우 시인들이 한국시단에 오르게 된 것이 그래도 수확이라면 수확이라 하겠다.

70년대와 80년대를 겪으면서 내가 내는 책들은 모두 판금을 당했다. 세번째 시집인 『국토』는 긴급조치 9호 위반이라고 판매금지됐다. 첫번째 평론집 『고여 있는 시와 움직이는 시』도 80년대의 현실을 왜곡했고 국민정서에 반한다는 이유로, 네번째 시집 『가거도』, 다섯번째 시집 『자유가 시인더러』는 이유없이 판금되었다. 나의 육체는 살려두고 정신을 죽이는 이런 행태들을 겪으면서도 나는 쉬지 않고 글을 써왔다. 글을 쓰면서 나를 새롭게 하기 위해 43세 때에 대학원에 들어가 5년 동안 열심히 석사과정, 박사과정을 마쳤다. 방학이었지만 강의시간에 지각을 한 적도, 결강을 한 적도, 조퇴를 한 적도 없었다.

광주에서의 초·중·고등학교 시절 나는 엄청나게 일을 많이 했다. 두레질, 논밭매기, 모심기, 나락 져나르기, 꼭두새벽에 일어나 광천동에서 무등산 중봉까지 가서 땔나무를 해서 양동시장에다 팔기도 했다. 틈만 나면 양동시장에 가서 곡물전을 서성거리며 닭모이를 쓸어와 닭을 치기도 하고, 들판을 쏘다니며 개구리를 잡아 닭을 주기도 하고, 삶아서 돼지를 먹이기도 했다.

이런 나의 노동들이 지금도 새벽 5시면 꼬박꼬박 일어나게 하는 힘이 됐을 것이다. 게으름 피우지 않고 나의 팔다리가 붙어 있는 한 나는 끊임없이 움직이면서 시를 쓸 것이다. 움직이는 한 이 사회 이 땅에 닥쳐올 미래에의 전망도 가능할 것이다.

찬바람 속에서 광주는/큰 애를 뱄다더라.//찬눈에 덮여서도 무등산은/그렇게도 우람한 만삭이더라.//광주를 온몸에 적셔서/서울의 내 곁에 사알짝 놓아두고//터벅터벅/서울을/떠나버리는 친구! (「겨울소식」 부분)

위의 졸시는 1976년에 쓴 시로서 흔히들 광주민중항쟁을 예언한 시라고들 말한다. 모진 찬바람 속에서 큰 애를 잉태했고, 찬 눈속에서도 만삭이 된 무등산이 끝내 출산한 것이 비유컨대 광주항쟁이다. 제2의 해방이다. '8·15'를 뒤에서부터 읽으면 '5·18'이 된다. 제3, 제4의 해방운동이 필요하지 않은 사회를 꿈꾸기 위해서 나는 오늘도 새벽에 일어나서 좌선을 하고 곡성 동리산 기슭의 태안사를 끌어안고 유년생활을 생각하는 것으로 오늘 하루를 출발한다.

『사람 사는 이야기』 1992년 9월호

해남 땅끝의 깻잎 향기

돌무더기 주위엔
파도소리 바쁘고.

땅끝은 끝이 없어라
향기 끝은 끝이 없어라.

들깻잎 위에 밤비 내리고
들깻잎 향기 바다를 잠재운다.

어떤 시인은 정열적으로 한꺼번에 많은 시를 써낸다. 어떤 시인은 가뭄에 콩잎 나듯 드문드문 써낸다. 나는 정열적으로 염소 콩알 똥 싸듯이 쏟아내지도 못하고, 1년에 한두 편 써내는 것도 아니다. 그저 한 달에 한 편꼴로 써내는 편이다.

그런데 웬일인지 그렇게도 사람들을 삶고 찌는 듯한 더위였지만 올 여름 팔월에는 무려 다섯 편이나 썼다. 그것도 견공들 헐떡이듯 숨가쁘게 쓴 것이 아니라 삼베옷에 바람 들고나듯 시원스럽고도 쉽게 썼다.

참으로 이상한 노릇이다. 이러다간 하룻밤에 수십편씩 써지지 않을까 걱정이 되기도 한다. 물론 그렇게 쓴 시들이 좋은 시일 수도 있고 나쁜 시일 수도 있겠지만 하여튼 나로서는 겁나기도 하다. 위의 시는 나로서는 터무니없이 한꺼번에 많이 씌어진 5편 가운데 한 편이다.

평론가 임헌영(任軒永)씨가 이끌고 있는 '국문학예술연구회' 주최의 문학기행에 따라나섰던 것이 7월 25일이었다. 기행코스는 서울을 출발해서 광주, 해남, 보길도, 강진을 거쳐 서울로 되돌아오는 것으로 1박 2일간이었다. 광주는 내 고향이고, 해남은 윤선도·이동주·고정희·김준태·황지우의 고향이고, 보길도는 윤선도가 상당 기간을 보냈던 곳이고, 강진은 정다산이 18년이란 길고긴 유배생활을 하면서 『목민심서』와 당시의 시대상황을 처참하게 묘사한 수많은 시들을 썼던 곳이다.

해남 '땅끝'은 '토말(土末)'이라고도 하는데 우리 한반도 육지의 맨 끝을 말한다. 물론 우리나라 영토의 맨 끝은 제주도의 마라도지만 육지에 붙어 있는 맨 끝은 해남의 '땅끝'으로, 고유명사다.

우리 일행이 탄 석 대의 관광버스는 오후 일곱시쯤에 보길도행 배를 타기 위해 그 '땅끝'에 도착했다. 그러나 밤안개가 짙게 깔려 한치 앞을 내다볼 수 없는 날씨여서 배가 뜰 수 없었다. 우리 일행들은 너나할 것 없이 당황해하면서 서성거릴 수밖에 없었다. 유치원생들에서부터 칠십 가까운 노인네들, 그러니까 남녀노소의 150여명이나 되는 대가족이 하룻밤을 지새기란 퍽 어려운 일이기 때문이었다.

나는 바닷바람에 섞여 어디선가 찾아온 깻잎 향기를 안주 삼아 소주 몇잔을 들이켜고, 처음 와본 이 '땅끝' 주위를 샅샅이 누볐다. 밤안개 때문에 바다는 보이지 않고 파도소리만 요란하였다.

처음 이 지구가 열렸을 때부터 파도는 늘 그렇게 했을 것이다. 바쁜 것은 이쪽의 사람들, 그중에서도 갈 길이 바쁜 우리 일행일 따름이다.

밤안개에 가려 끝을 볼 수가 없고 따라서 안 보이는 곳을 모조리 '땅'이라고 생각했다. 바람이 불 때마다 파도가 칠 때마다 그 자락에 실린 들깻잎 향기는 피곤한 내 몸과 마음과 정신까지를 온통 새롭게 개조하려는 듯이 들쑤셨다. 우리 민족에겐 항상 익숙해 있는 이 향기는 유독 그날만큼은 나를 환장하게 만들었다.

내 개인적으로는 오만가지 향기 중에서도 가장 으뜸으로 여기는 것이 바로 들깻잎 향기다. 비좁은 우리 국토에 항상 충만해 있는 것이 이 향기다. 이 향기에 눈도 귀도 코도 그러니까 온몸이 취해 땅끝 주변을 누볐다. 그때의 체험을 써본 것이 이 시이다.

발표되고 읽어보니 아무래도 맨 끝연의 '잠재운다'라는 대목이 설명적이어서 어떤 강렬한 여운을 남기기엔 실패했다고 생각한다. 너무 느슨한 느낌이다. 시집으로 묶을 땐 이 대목을 고쳐볼 작정이지만 아직은 적절한 표현을 찾지 못하고 있다.

나는 시를 쓸 때 언어로부터의 해방을 갈구한다. 따라서 나는 어떤 언어에 대해서도 학대하지 않고 편애하지 않는다. 이른바 세련어, 지체 높은 문화어나 투박한 비속어 등을 가리지 않는다. 따라서 문학내적인 문맥, 즉 언어의 선택이나 배열이라든지 현실적·역사적 상황 등의 문학외적인 문맥도 동등하게 고려한다. 그러나 이 시에서는 비교적 얌전한 언어와 평범한 가락이지만 조금은 우리 일상에서 떨어져 있는 사치스러운 정황에 갇혀 있지 않나 하는 생각을 해본다. 내 시의 흐름과는 거리가 있는 몰개성적인 시가 되고 만 느낌도 드는 시이다.

시의 개성은 소재를 어떻게 선택했는가, 어떤 각도에서 관찰했는가, 미적 감각은 남다른가, 그렇게 해서 세운 인생관은 새롭고 탄탄한가 등에서 나타난다. 이런 개성을 가지고 사회 전반의 보편적 인식에다 새로운 활력을 더해주는 일이 시의 길이며 시의 세계며 시의 정신이다. 이 시가 이 사회의 보편적 정서와 개인의 창조적 개성 사이에 놓여 있는지 그렇지 못한지는 오로지 읽는 이들의 판단에 맡긴다. 이 시에 나타난 나의 정서가 우리들의 정서와 화합하지 못할 때는 완전히 실패한 시 비슷한 것일 뿐이리라. 너무 쉬운 시라, 어렵게만 어렵게만 쓰는 시인이나 그 어려운 시를 읽어내려고 무던히도 애쓰는 이들에겐 너무 싱거운 시가 됐는지도 모르겠다.

『현대시학』 1992년 10월호

편운 조병화 선생님께

선생님!

계유년 새해를 맞았습니다. 닭의 해라지만 닭의 홰치는 소리나 닭의 울음소리가 전혀 들리지 않는 삭막한 세월 속의 서울입니다.

선생님, 선생님께서는 지금쯤 선생님의 따스한 체온으로 알맞게 반질반질해진 파이프에 담배연기 대신 넉넉한 사랑과 끝간 데 없는 고독을 연방 피워올리고 계시겠죠. 선생님께서는 인생을 늘 나그네길로 비유하시면서 그 나그네의 고독을 시의 주제로 삼았습니다. 현재의 삶은 '여(가)숙(旅(假)宿)'의 삶에 지나지 않으며, 모든 인생의 가치와 사랑이 완성되는 세계가 원숙(原宿)의 세계라는 일관된 인생관으로 시를 생각하며 살아오시고 계십니다. 그 어떤 시류에도 흔들리지 않는 굳건한 시정신은 많은 후학들의 길잡이가 되기도 했습니다.

30년 전의 일입니다. 촌놈인 제가 경희대 국문과의 문을 두드렸습니다. 면접 때였습니다. 김광섭·김진수·황순원·조병화·서정범 교수님들이 앉아 계셨습니다. 고교시절에 꿈에 그리던 선생님들이었습니다. 선생님께서 물으셨습니다.

"학생은 왜 이 학교에 응시했지?"

"훌륭하신 교수님들에게서 문학, 특히 시를 배우고 싶어서입니다."

"좋아하는 시인은 누구누구지?"

"네, 서정주 시인, 김현승 시인, 박봉우 시인 등입니다."

"고향이 같아서?"

"아닙니다."

그때 면접고사장을 나오면서 저는 불안했었습니다. 고교시절 선생님의 『버리고 싶은 유산』 『하루 만의 위안』 『패각의 침실』 『인간고도』 『사랑이 가기 전에』 등등 모두 고독의 세계와 끈끈하게 연결된 시집들을 애독을 넘어서 열독을 했었습니다. 복잡하지 않은 심상, 어렵지 않은 시어, 기교가 없는 무기교의 시상 전개는 늘 저를 사로잡았고, 무엇보다도 제 영혼을 흥건히 적셔주는 시정신에 감동하고 매료되었던 기억들이 떠올랐습니다. 고교시절 저에게 큰 영향을 끼쳤던 선생님을 찾아 학교를 선택했던 것인데, 박봉우 시인까지 들먹거리고도 선생님 면전에서 깜박 선생님을 잊어버렸던 것입니다. "아닙니다"라는 대답 대신 차라리 침묵해버렸더라면 하는 생각과 더불어, 혹시 낙방시키지 않을까 하는 걱정이었습니다. 그러나 그것은 기우에 지나지 않았습니다. 합격이었습니다.

선생님! 선생님 강의시간은 늘 즐거웠습니다. 딱딱한 문학이론보다는 다양한 선생님의 인생론에 학생들은 늘 즐거웠습니다. 학생들과의 시간 약속이나 처리해야 할 일에는 한치의 오차도 없이 정확하고 명쾌하였으며 시원시원하셨습니다. 하루는 칠판에 저로서는 도저히 알 수 없는 고등수학 공식 같은 것을 그리셨는데 이 꼴(=) 왼쪽에다가는 무슨 지렁이 늘어진 꼴 같은($\int$) 위아래와 옆에다가 더덕더덕 부호 같은 것을 붙이고 이 꼴 오른쪽에다가는 사람이 무덤(관) 속에 누워 있는 모습에 더하기(+) 알파(α)였습니다. 인생이란 온갖 모습으로 다양하게 살지만 종합해보면(죽으면) 시체에 불과한데, 시체에다가 알파를 더할 수 있는 것이 인생의 완성이라는 뜻으로 지금도 생각하고 있습니다. 그렇습니다. 시인도 죽으면 하나의 시체에 불과하지만 일생 동안 추구했던 시정신은 후세에까지 살아 있는 생물과 같은 것입니다.

선생님! 저의 대학시절엔 많은 도움을 베푸셨습니다. 경제적인 어려움 때문에 학업을 중단할 처지에 놓인 저를 총장님실로 직접 데리고 가서서 설립자 장학금을 받도록 해주셔서 졸업 때까지 2년간을 돈 한푼 내지 않고 다닐 수 있었습니다. 뿐입니까? 대학 4학년 때 간행한 저의 처녀시집 『아침 선박』의 서문을 써주셨고 표지의 그림까지 그려주셨습니다. "군의 시엔 순수무구한 정신의 깊은 지하수 같은 맑은 개울이 흐르고 있다. (…) 출범은 항상 쾌하고 험하다. 겸손하고, 착하고, 무엇보다도 '체'하지 않는 젊은 이 선장 조태일"이라는 서문대로 인간의 순수함을 잃지 않고 험한 이 세상 일망정 겸손하고 착하게 살아가려고 노력합니다만 뜻대로 되지 않을 경우가 더 많은 것 같습니다.

선생님! 대결이 아닌 너그러운 화해, 외침이 아닌 오손도손한 대화, 미움이 아닌 애틋하고 따뜻한 사랑의 세계가 눈에 보일 듯, 손에 잡힐 듯하지만 아직 저의 몫이 아닌 것 같아 안타깝습니다. 어떤 이념의 노예, 딱딱한 철학, 잡다한 어떤 유파도 떠나 자기위안, 자기구원, 자기해결을 위해 선생님은 오늘도 외로운 나그네길을 가고 계십니다.

선생님! 편운문학상 1회 수상기념으로 선생님께서 좋아하시는 백목련 한 그루를 저의 비좁은 뜰에다 작년에 심었습니다. 올 5월이면 또다시 환하게 피겠죠. 늘 건강하시기를 기원합니다.

1993년 새해
조태일 올림

『시와시학』 1993년 봄호

진달래도 피면 무엇하리

4월이다!

바야흐로 온갖 생명들이 자신의 생명들을 한껏 뽐내는 4월이다. 비록 코딱지만큼이나 비좁은 우리집 정원이지만, 몇년 전에 심은 목련나무에서는 백련화가 박속 같은 속살들을 아낌없이 드러내고, 이웃의 담장에서는 온갖 꽃송이들이 화려한 얼굴들을 다투어 디밀며 지나가는 봄바람을 붙잡아 그들의 향기를 아낌없이 나누어준다.

어디 담장뿐이랴. 들마다 산마다 생명 있는 것들은 이 4월을 놓칠세라 제 목숨의 소중함과 어여쁨을 드러내며 신명이 나 있다.

"오메! 사람 환장하겠네" 하는 감탄사들이 여기저기서 들려오는 4월이다.

4월이다!

저마다 생명의 아름다움과 소중함을 만들고 지키며 가꾸고 밝히는 4월, 어느 노랫말처럼 "4월은 생명의 등불"을 밝혀주는 계절이다. 이렇듯 삼라만상이 해마다 아름답게 피어나는 4월의 언덕, 우리는 이 언덕에서 찬연하게 밝혔던 등불을 생각하지 않을 수 없다. '4·19혁명'이라는 우리 민족사에서 가장 순결하고 밝았던 이 등불은 다름아닌 지금 이 땅 곳곳에서 폭죽처럼 터지는 꽃망울이기도 하다.

학생에 의해 부패한 독재정권을 타도했고, 반외세 민족해방과 반독재 민주주의 실천 가능성을 제시했던 이 혁명은 바로 민중의 마음이었고 고귀한 생명들을 지키기 위한 생명 자체의 운동이었으며 울부짖음이었다. 이는 조선후기 외국세력의 침투로 국가와 민족의 위험이 가중되고 정치의 부패, 탐관오리의 가렴주구, 세금의 가중으로 심한 고통을 겪어야 했던 농민들을 이끌고, 녹두장군이 보국안민을 부르짖으며 4월에 백산(白山)전투를 승리로 장식했던 역사적 사건과도 그 맥을 같이한 것이었다. 그럼에도 불구하고 4월혁명은 곧이어 터진 5·16쿠데타로 완성을 보지 못하고 미완인 채 오늘에 이르고 있는 것이다.

이 '4월혁명'을 누구보다도 사랑하고 아끼며 감격해하던 박봉우 시인은 혁명세력의 한계와 그들의 개혁정책이 반혁명적 세력에 의해 좌절되자 그 탄식과 절망을 "진달래도 피면 무엇하리" 하며 흐느꼈다. "4월의 피바람도 지나간/수난의 도심은/아무렇지도 않은/표정을 짓고 있구나.//진달래도 피면 무엇하리./갈라진 가슴팍엔/살고 싶은 무기도 빼앗겨버렸구나.//아아 저녁이 되면/자살을 못하기 때문에/술집이 가득 넘치는 도심.//약보다도/이 고달픈 이야기들을 들으라/멍들어가는 얼굴들을 보라.//어린 4월의 피바람에/모두들 위대한/훈장을 달고/혁명을 모독하는구나.//이젠 진달래도 피면 무엇하리"(「진달래도 피면 무엇하리」) 하고 읊었다.

그렇다. 혁명이 총칼로 좌절되고 모독되면서 민중들은 "살고 싶은 무기"도 빼앗기고 "자살을 못하기 때문에" 술집에 모여들어 고달픈 이야기나 나누며 살아가자니까 얼굴들은 온통 멍이 들 수밖에 없는 노릇이다. 그러니까 온 산천에 진달래꽃이 흐드러지게 피어도 시인의 마음은 기쁠 리 없고, 그래서 손뼉을 쳐줄 기분도 나지 않았을 것이다.

4월이다! 진실을 드러내 온 국토에 참 삶의 꽃을 피어나게 해야 할 4월이다. 이제는 지나간 옛이야기를 하듯 역사의 한 장을 기록한 것쯤으로 생각하고픈 세력이 아직도 부지기수겠지만 '4월의 완성'의 꿈은 오늘도 생생하게 살아서 이 땅 위에 도도히 흐르는 물줄기가 되었다.

그날의 희망이 오늘의 절망으로 다시 내일의 희망으로, 그날의 미완이 오늘의 완성으로 다시 내일의 확고한 완성으로 이 물줄기는 나아가고 있다. 왜냐하면 4월혁명의 가장 본질적이고도 소중한 의미는 외세에 의해 만들어진 분단의 벽을 허물고 끊어진 이 땅의 척추를 다시 이어서 통일에 이르고자 하는 이 민족의 염원과 일치하기 때문이다. '4월의 완성'은 이 땅의 현실을 살고 있는 오늘의 우리에게는 절대적인 과제이다. 이 '4월의 완성'이 없었기에 '5·18광주항쟁'이 5월에 필연적으로 꽃피었던 것이다.

미완은 항상 완성을 앞에 두고 있다. 완성을 꿈꾸는 아름다운 4월이여! 4월이 완성되었을 때는 "진달래도 피니까 얼씨구 좋구 절씨구 좋구나"라고 지하의 박봉우 시인은 손뼉을 칠 것이다.

1993년 발표 지면 미상

144

이 땅, 모조리 망월동 아니냐

광주를 온몸에 흠뻑 적셔
터벅터벅 그 친구는 서울엘 와서

늘 외롭고 힘없는 내 손을 쥐고
눈과 손으로 광주를 건네주지만

내 허전한 마음까지 건네면 쓰나
내 찌든 몸까지 건네면 쓰나

찬바람 속에서 광주는
큰 애를 뱄다더라.

찬눈에 덮여서도 무등산은
그렇게도 우람한 만삭이더라.

광주를 온몸에 적셔서
서울의 내 곁에 사알짝 놓아두고
터벅터벅

서울을

떠나버리는 친구!

──「겨울소식」 전문

이 시는 필자가 1976년에 쓴 시인데 기이하게도 5·18광주민중항쟁을 예언한 시가 되고 말았다. 흔히 시인을 예언자라고 한다. 이런 예언은 그냥 어떤 공상에서 비롯된 것은 아니다. 과거의 체험과 현실적 체험에서 끌어낸 역사적 전망에서 나오는 것이다. 우리는 과거의 결과가 현재요, 현재의 결과가 미래라는 말들을 한다. 현재를 통해 앞으로 닥쳐올 미래를 전망, 예측하는 일은 웬만한 역사의식을 가지고도 가능하다.

"찬바람 속에서 광주는/큰 애를 뱄다더라" "찬눈에 덮여서도 무등산은/그렇게도 우람한 만삭이더라"라는 표현이 4년 후에 5·18광주민중항쟁이라는 역사적 사건으로 분출되었다. 아이를 잉태하면 몸을 풀게 마련이다. 이것이 출산이다. 광주와 우람한 무등산이 합궁해서 출산해낸 옥동자가 바로 5·18광주민중항쟁이다. '5·18'을 거꾸로 읽으면 '8·15'가 된다. 그러므로 '5·18'은 제2의 민족해방에 다름아니다. '8·15'를 맞아 외세의 간섭 없이 자주적으로 나라를 세웠다면 남북분단이 됐을 리 없고, 6·25가 터질 리가 없었다. 외세와 독재가 없었다면 4·19가 터질 리 없었고, 일제 잔재만 어느정도 청산됐더라면 5·16이, 6·3이 있을 리가 없고, 5·18항쟁이 일어날 이유가 없었다. 저 1980년 5월의 광주, 과거와 현재와 닥쳐올 미래의 모순까지도 온몸으로 끌어안고, 금남로에서 충장로에서 중앙로에서 계림동에서 광주천변에서 땅을 울려 하늘을 진동케 했던 그때의 한 맺히고 피 맺혔던 절규는 지금도 우리들의 머리 바로 위 하늘에 떠돌고 있다.

천년만년 늘 너그럽고 부드러운 침묵으로만 누워 있던 무등산이 육중한 몸을 뒤척이면서 일어나 몸을 푼 것은 무엇을 의미하는가. 광주 바닥에 뿌려지던 남녀노소의 그 붉은 피는 이 역사의 벽에 무슨 말을 새기기 위해서였는가. 그것은 바로 '반외세 민족자주' '반독재 민주평화' '반분단 민족통일'이라는 우리 민족의 꿈을 아로새기기 위해서였다. 이것 말고 우리 민족이 바라는 것이 또 있겠는가. 이것이 바로 우리 민족이 반세기 동안 한결같이 갈망하고 싸워온 것이 아니겠는가.

그러나 '오월의 노래'는, '오월의 한'은, '오월의 외침'은 우리들의 삶의 터전인 전국토를 울음으로 흐르고 있다. 이제 이 울음들이 위로 솟구쳐서 전 국토에 쏟아내리려 하고 있다.

70년대와 80년대는 이승과 저승의 삶을, 아니 이승과 저승의 경계선을 도무지 분간할 수 없었던 시대였다. 바로 어제까지 한 교실에서 공부하던 학생들이 투신하고 분신하며 죽어가던 시대였다. 바로 어제까지 한 공장에서 일하던 동료 근로자들도 투신하고 분신하여 죽어가던 시대였다. 이름하여 열사의 시대였고 어디론가 끌려가 시체로 드러나던 의문사의 시대였으나 5월항쟁을 원동력으로 하여 1987년의 대규모적인 6월항쟁을 낳기도 했었다.

90년대는 그래서 우리 국민들이 좁쌀만큼의 희망을 걸고 맞이했던 시대였다. 여소야대를 만들어준 국민들은 한가닥의 희망을 걸고 생활전선에 뛰어들어 제 할일들을 하고 있었다. 그런데 웬 날벼락이라더냐? 하루아침에 밀실에서 부정한 야합으로 '민자의 치맛자락'을 국민들의 코앞에 펄럭이게 하였다. 그 치맛자락 안의 속곳에서 풍기는 악취는 국민의 코를 들쑤셔대 마비시켜놓았다.

5월 그날, 맨가슴으로 총검의 숲을 헤치며 파도치듯 절규했던 자주와 민주와 통일의 염원은 공안통치라는 해괴한 적막강산에 묻혀버렸고, 무참히 쓰러져간 항쟁의 영령들이 지금 이 나라의 구천을 떠돌고 있는 가운데 오늘도 많은 학생들과 노동자들이 죽어가고 있다. 90년대에도 이승과 저승의 삶이 도무지 분간이 안되는 시대로 진행되고 있는가. 반민족·반민주·반통일 세력들이 광주를 혐오와 좌절의 도시로 오염시켜 역사의 뒤안길로 내팽개치려 해도, 민족의 위업에 기꺼이 신명을 다해 더불어 살아갈 수밖에 없는 민족구성원에게 호소했던 그때 영령들의 고결한 뜻이 이 땅을 지켜보고 있는 한, 우리들은 결코 좌절하지 않고 "무릎 꿇고 사느니보다 차라리 서서 죽는" 결의로써 그 위대한 뜻을 꽃피워 열매를 맺고야 말 것이다.

광주민중항쟁은 각계각층이 신분의 고하, 빈부의 차등 없이 광범위하게 참여한 대규모적인 항쟁이었고, 항쟁기간 중에는 민중의 자치가 훌륭하게 실현되었을 뿐만 아니라, 이 항쟁을 분수령으로 하여 반미운동이 보다 적극적이고도 심도있게 벌어졌다는 점에서도 한국민중운동사에 획기적인 의미를 갖는다.

이 항쟁을 통해서 한국민중의 막연한 숭미의식이 구체적인 반미의식으로 전환되었다. 이 민중운동이 자주·민주·통일이라는 절대절명의 궤도에 진입하게 된 것이다. 1980년 5월항쟁의 경험은 문화운동에서도 획기적인 전환점을 가져온 계기가 되었다. 문화운동에서 광주체험은 정치적 의식의 고양으로 정치적 훈련을 쌓는 좋은 원동력이 되기도 했다. 그리해서 오랫동안 오염되었던 서구 상업문화와 허구적 외세의 지배문화에 대한 대항문화로서의 민중문화 건설이라는 전망을 제시해주었다. 최승운은 「문화예술

운동의 현단계」라는 글에서, 80년대의 커다란 경험은 운동의 전반적 발전에서는 물론이요, 특히 문화운동에서는 각별한 의미를 지닌다고 전제한 뒤, 운동이 대중에 의해 이루어지는 것이라는 사실은 그 이전까지는 다만 막연한 상식에 불과했으나 1980년의 경험은 대중의 참여 여하가 그리고 대중이 얼마나 조직되어 있는가의 여부가 운동의 성패를 가늠하는 결정적인 요인이란 사실을 우리들에게 충격적인 방식으로 가르쳐주었다고 지적했다.

그러면 문화운동으로서의 문학운동은 어떠했는가. 80년대의 문학은 '광주 5월'이라는 정신적 모태로부터 출발했다. 70년대의 퇴폐적이고 말초적이고 향락주의적인 상업주의 문학에 이미 식상하였던 터라 역사의 봇물을 총칼로 거슬러놓은 군부독재에 항거하기 위한 무기를 필요로 했는데, 그것이 바로 '시라는 무기'였다.

즉, 광주 5월의 비극적 상황 이후 이 땅의 민중들은 역사의 진실에 목말라 있었고, 그들의 골 깊은 상처를 치유해줄 수 있는 순발력 있는 짧은 형식의 시가 하루가 다르게 변하는 상황 속에서 적절히 활용될 수 있었기에 80년대를 우리는 '시의 시대'라고 일컫는다.

이런 점에서 첫번째로 떠오르게 되는 것은 5월항쟁의 정신을 수용·계승한 '5월문학'의 확립이다. 그 대표적인 예가 '5월시'라는 동인 활동이다. '5월시'는 1980년 광주를 근거로 한 젊은 시인들이 중심이 되어 결성되었는데 '광주 5월'이 그들 시의 텃밭이었다. 즉 80년대 광주의 비극적 현실을 역사의 큰 분수령으로 인식하고 그러한 상황이 돌출하게 된 민족의 여러 모순을 사회과학적 인식으로 걸러내어 투사하겠다는 문학적 의지를 보여준 동인활동이었다. 그것은 곧 분단의 아픔이며 외세의 강점이며 국가독점자본의 횡포임이 분명하며, 반공이데올로기의 소산임을 철저하게 체득한 후의 출발이었다는 점에서 괄목할 만한 성과를 올렸었다.

두번째로 80년대의 문학운동에서 두드러진 특징 중의 하나는 기층민중이 문학의 창작주체로 등장했다는 점이다. 이는 70년대부터 고양되어 확산된 노동운동의 사회·경제사적인 배경을 굳건히 딛고 출발한 노동자·농민 시인들의 괄목할 만한 활동이다.

특히 박노해의 『노동의 새벽』이란 시집은 우리 시문학사에 큰 획을 긋는 획기적인 성과물 중의 하나다. 문학성과 혁명성을 조립하여 노동자를 각성케 하고 노동해방의 참 의미를 형상화한 그의 시는 기층민중이 문예창작의 주체가 될 수 있다는 노동문학의 가능성을 열었다는 점에서 그렇다.

세번째로는 1979년 이른바 '남민전' 사건에 연루되어 1988년 광주의 진상규명과 함께 10여년의 감옥생활을 마치고 출옥한 김남주(金南柱)의 활동을 들 수 있다. 김남주는 광주가 낳은 제3세계권의 전형적인 민중시인으로, 감옥에서 썼던 200여편이라는 시를 『진혼가』『나의 칼 나의 피』『조국은 하나다』라는 세 권의 시집으로 묶어내기도 했다. 반제민족해방과 조국통일에의 열망을 그 누구보다도 열정적으로 노래하고 싸운 혁명시인이다. 이밖에 많은 시인들의 시와 소설가들의 업적이 '광주 5월'을 모태로 창작되어 한국문학의 수준을 높인 작품들이 많다. 끝으로 필자의 졸시 「모조리 망월동」이란 시 중에서 몇구절을 인용하면서 이 난잡한 글을 끝내려 한다.

　　전 국토에 동동 달이 뜨니
　　이 땅 모조리 망월동 아니냐
　　전 세계에 동동 달이 뜨니

이 세상 모조리 망월동 아니냐

달은 그리움과 부활과 재생의 상징물이며 슬픔의 상징물이기도
하다.

1993년 발표 지면 미상

몸부림으로 피는 꽃의 눈물

　나는 오랫동안 마음속으로 이도윤(李燾潤)을 지켜보았다. 그러
나 마음 밖으로는 이도윤을 퍽 냉정하고도 무심하게 대했기 때문
에, 내가 이도윤을 지켜보았다기보다는 이도윤의 처지에서 보면
이도윤이 나를 오랫동안 지켜보았을 것이라는 표현이 훨씬 실감
이 날 것이다.

　15년 전의 일이다. 1978년 5월 어느날, 첫눈에 괜찮게 보이는 대
학생이 내가 일하고 있는 오장동의 인쇄소를 찾아왔다. 나는 그때
의 상황을 까마득하게 잊고 지냈으나 최근에 이도윤이 어느 술자
리에서 기억을 일깨워주었다. 그의 말에 따르면 그때 나는 비좁은
인쇄소의 이층 다락방에 앉아 때 절은 러닝셔츠 바람에 다 찢어진
부채로 뻘뻘 흘러내리는 땀을 식히고 있었고, 한쪽 구석에선 낡은
선풍기가 주조기와 인쇄기 돌아가는 소음들을 털털거리며 달래고
있었다 한다. 그때 오고간 대화를, 그의 기억과 평소 나의 언동을
통해 재구성해보면 대충 이렇다.

　"무슨 일로 찾아왔지?"

　"시 공부를 하는데 지도를 좀……"

　"지도는 무슨 지도, 나도 배우는 참인데. 아무튼 내 시를 읽어는
봤냐?"

"네, 『식칼론』과 『국토』를 읽어봤습니다. 그중에서도 「요강」이란 시가 아주 좋았습니다."

"좋긴 뭐가 좋아. 나 바쁘니까 써둔 것 있으면 놓고 가. 시간 나는 대로 읽어볼게."

그와 첫 만남에서의 대화였다. 그가 돌아간 후 황토색의 대학노트에 빼곡 들어 있는 150여편의 시 중에서 3분의 1도 채 안 읽었는데 그는 무엇이 그리 급한지 열흘쯤 지나서 두번째로 나를 찾아왔다. 시간 나는 대로 읽어본다고 했는데 이렇게 빨리 나타나니 귀찮다는 생각도 들었다. 인쇄소 운영하랴, 종로 5가에 나가랴, 명동성당 집회에 참석하랴, 거의 매일 있다시피 한 양심수 재판 방청하랴, 이런저런 기관에 불려다니랴, 시국 탓하며 술 마시랴, 그래도 가장인데 가정 생각하랴, 시간이 나기는커녕 시간이 부족해 남이 못다 살고 간 시간까지 챙겨서 이리 뛰고 저리 뛰어야 할 숨가쁘고 답답한 시국이었다. 두번째 만남에서의 대화도 간단했다.

"왔냐?"

"네, 제 시는 어떻던가요?"

"글쎄…… 왜 시를 쓰려고 하지? 차라리 산문이나 쓰지."

"……"

그는 매우 낙망스러운 표정이었다. '차라리 산문이나 쓰라'는 말은 '더욱 노력하면 좋은 시를 쓰는 시인이 될 것이다'라는 뜻으로 내가 즐겨 사용하는 반어적 표현이다. 원래 반어법은 긍정을 깔고 하는 어법이 아니던가. 다 아는 사실이지만 민중에게는 대단히 고통스럽고 위태로웠던 70년대란 유신시대는 이른바 상업주의적 소설이 풍미했던 시기였는데, 첫인상을 '괜찮게' 본 대학생더러 그쪽에 가서 얼쩡거리라고 꼬드길 수가 있었겠는가.

그는 두번째 만남 이후 그해를 넘기고 몇번 나를 찾아왔으나 시에 관해선 한마디의 말도 서로 건네지 않았다. 만날 때마다 오장동 뒷골목의 복집에서 복탕에 소주를 사주는 것으로 그의 시에 대한 나의 느낌과 기대를 대신했었다. (처음 내가 그의 시를 접했을 때 느낀 점은 어린 나이에도 세상을 꽤 깊고도 애정어린 가슴으로 성찰하고 있구나 하는 것이었다.)

그뒤로 이런저런 모임에서 가끔 부딪히기도 했지만 시 이야기는 서로 일절 하지 않고 지내다가 1985년에서야 마포의 창제인쇄사(시인사와 같이 있었음)에서 그에게 "시 써놓은 것 있으면 추려서 가지고 와봐" 했다. '차라리 산문이나 쓰라'고 말한 뒤로 실로 7년이란 세월이 지나서였다. 그 7년 동안 서로는 서로를 마음속으로 지켜본 셈이다. 가지고 온 시는 조금 거칠긴 했지만 현실과 맞서 몸부림치는 사려깊고 따뜻한 시정신이 신뢰감을 주었다.

국회의원 당선사례 벽보 밑
가랑이 사이로 스며들어
술꾼 오줌발을 비틀비틀
물들이고 있다가도
펜대 하나와 거짓말로
위태롭게 세상을 이고 가는
내가 못 미더워
헐렁한 등덜미를 몰래몰래
따라오기도 하고
시퍼런 칼부림에 뒤척이는 남녀
주인 없는 무덤

154

묘지번호 99전병 15호

숫자로 새겨진 주검을 더듬어

위따워따 내 새끼야 맨살 부비다

한 시절 내내 차디차게 울다가

그래도 어찌할거나 살아서 크는 놈들

사람답게 가르치리

용암사 칠성당 정한수에 에헴 앉아

장돌뱅이 허씨 며느리 자궁 속에

숨가삐 부끄럽게 빠져드는 달아

―「달」부분

위에 인용한 시는 그때 가져온 시 가운데서 골라 『시인』지에 실었던 「달」의 첫연이다. 『시인』지에는 이 「달」 말고도 「안 보인다」 「어허둥둥」 「똥」 「오월의 꽃」 등 7편이 더 실렸는데 모두 '광주'와 관련된 시들이다. 여타 시인들의 '광주'에 관련된 시들은 대개 '광주'에 대해 큰 부채를 지고 있다는 기본 심정이 공통점으로 되어 있다. 그리고 대부분 목소리를 높여 울분과 추상적인 질타를 적당히 안배한 규격품인 시가 주종을 이루지만, 이도윤의 시는 덜 그렇다는 점에서 일단은 관심을 가질 수밖에 없었다. 덜 그렇다 함은 서정시의 틀을 굳건히 유지하고자 한 흔적이 뚜렷하다는 점에서다. 이처럼 서정성이 강한 작품으로 「동백」 「돌탑」 「갈대」 「봄」 「바다」 「새」 「인연」 등 대개 10행 미만의 짧은 시편을 들 수 있다.

서정시의 특징 중의 하나는 잘 알다시피 '세계의 자아화' 혹은 '자아의 세계화'를 통한 세계와 자아와의 동질성(일체감)을 회복하는 데에 있다. '달'이라는 사물을 자신의 내부로 끌어들여 자아화하고 다시 자아를 초월해서 자아를 세계화한 시가 이 「달」이다. 그렇기 때문에 달은 바로 이도윤이 되기도 하고 이도윤은 다시 달이 되기도 한다. 그래서 달은 "술꾼 오줌발을 비틀비틀/물들이"기도 하고, 위선적으로 살아가는 자신의 "헐렁한 등덜미를 몰래몰래/따라오기"도 하고, 망월동 묘지의 주검을 더듬으며 "워따워따 내 새끼야 맨살 부비"기도 하는가 하면, 칠성당 정한수 속에 넉살좋게 앉았다가 앞에서 빌어쌓는 여인네의 자궁 속으로 숨가쁘지만 그래도 "부끄럽게 빠져드는 달"이 되기도 한다.

이도윤의 시적 의지는 여기서 끝나지 않는다. 이 시의 끝연에 잘 표현되어 있듯이 자기의 세계를 달빛이 비치는 영역까지 확보하고자 한다. 자기 세계의 확대는 "남으로 북으로 빠져드는 달/다시금 하나로 솟구치는 달"에서 보이는 바와 같이 남북을 삶의 한 공간으로 설정하는 데서 출발한다. 남으로 북으로 각각 빠져든 달이지만 마침내 다시 하나로 솟는 달을 꿈꾸는 시인이야말로 이 시대 이 땅에서 가장 듬직스럽고 소망스러운 시인의 태도가 아니겠는가. 이런 태도는 세계에 대해, 자아에 대해 깊은 성찰을 통해 획득하는 사랑의 힘에서 나오는 것이다.

　　새끼들이 모두 떠난
　　사람의 쭈그러진 늙은 등은 허전하여
　　바라볼수록 눈물이 난다
　　위대하여라 등이여
　　이 땅의 모든 새끼들을 업어낸 외로움이여

　　　　　　　　　　　　　　　　　　　　　　　　　—「등」 전문

위의 짧은 시에서도 그가 세계를 바라보는 사랑이 얼마나 깊은 지를 우리는 쉽게 알 수 있다. 그런데 이 사랑이 그의 시에서 곧잘 '눈물'로 변용되는 경우가 많다. 그러나 이런 눈물의 시편들은 위의 시에서 볼 수 있듯이, 절망 끝에 쏟는 눈물도, 천박한 감상주의에서 나오는 소녀 취향적 눈물도, 소시민적 발상에서 시도 때도 없이 쏟아붓는 허드렛눈물도 아니다. 그야말로 개체를 초월해서 전체와 하나가 되려는 사랑의 정신 때문에, 그 겸허함 때문에 나오는 절제의 눈물이다. 예로부터 우리 선조들은 "다습고 부드럽고 인정이 두터운 것이 시의 가르침(溫柔敦厚 詩敎也)"이라 했는데 이 눈물은 바로 온유돈후에서 나오는 값진 눈물인 것이다.

　자신이 살아가고 있는 이 세상을 잊지도 않고 버리지도 않겠다는, 그리고 동서고금의 모든 어머니들이 고달픔을 딛고 죽음을 넘나들며 새끼들을 업어 길러냈고 지금 이 순간에도 기르고 있듯이, 시인도 이 척박하고 가난한, 그래서 어둡기만 한 현실을 부둥켜안고 혹은 업고 살아가겠노라는 결의에 찬 값진 눈물인 것이다.

　　아, 미치도록 아름다운 것이여
　　오늘 네가 부르는 서러운 노래가
　　이 땅을 적시는 한
　　네 어미가 살다 간 이 땅을
　　버릴 때까지
　　그렇게 아름다운 향기여
　　소중한 꽃이여

　　　　　　　　　　　　　　　　　—「너는 꽃이다 1」 부분

위 시에 표현된 "서러운 노래"도 바로 눈물이다. 그러니까 이 땅을 적시는 것이다. 그런데 이 서러운 노래는 '아름다움'이 부르는 노래다. 그렇다면 이 아름다움이란 무엇인가. 고난의 과거와 어두운 오늘을 이겨내며 밝은 내일을 열려는 몸부림인 것이다. 이러한 몸부림이 성숙되었을 때 피는 것이 바로 꽃이다. 시인이 이 고난의 시대를 버리지도 않겠거니와, 그렇기 때문에 늘 아름다운 꽃의 향기가 우리들과 함께 있을 수밖에 없는 것이다.

1987년 전두환의 4·13호헌조치에 반대하는 학계·문인 등이 서명운동을 벌이던 당시, 그는 자유실천문인협의회의 만류에도 불구하고 MBC의 수습사원 신분으로 서명을 하기도 했고 6월항쟁에 적극 참여하기도 했다. 1992년 9월 대선을 앞두고 MBC노조가 방송민주화투쟁을 하며 파업에 들어갔을 때 연작시 「너는 꽃이다」를 특보에 연재했는데, 이런 행동이 파업을 선동하며 이인모 옹을 찬양했다는 혐의로 검찰의 수배를 받아 도피생활을 하기도 했는데, 이렇듯 시대의 아픔에 대한 시인의 반응은 적극적이다.

> 뜨거운 노래를 언 땅에 묻고
> 그는 조국의 불씨로 남았다
> 피에 젖은 강산에서
> 무쇠도 녹은 생매장된 사십사년
> 세월도 그의 신념을 어쩌지 못했다
> 이년을 같이 살고 삼십이년을 헤어진
> 기약없는 사랑 앞에서
> 그는 단 한번도
> 사랑하는 사람의 이름을 바꾸지 않았다.　　—「너는 꽃이다 7」 부분

이인모 옹은 북으로 갔다느니 고향으로 갔다느니 하는 말들이 제법 그럴싸하다. 가기는 어디를 갔다는 말인가. 그는 '조국'에서 태어나 지금도 '조국'에서 살고 있다. 그는 지금까지 단 한번도 사랑하는 조국을 떠나지도, 조국의 이름을 바꾸지도 않았다. 다만 조국의 고통 속에 살아왔고 고통 속에 살고 있으면서 향기를 내뿜는 꽃으로 이 어둠을 밝히고 있는 것이다. 이도윤은 이것을 알고 자기도 꽃이 되는 몸부림으로 눈물을 흘리고 있는 것이다. 그러므로 그가 수시로 떨구는 눈물은 꽃의 눈물인 것이다.

이도윤 『너는 꽃이다』 발문(1993년 6월)

꿈꾸고 나서 쓴 「아침 선박」

내가 문학을 처음 하게 된 동기는 어린 조카의 죽음 때문이었다는 점을 여러차례 밝힌 바 있다.

중학교 때는 운동부나 미술부에 들어가 공을 열심히 차거나 줄리앙이나 비너스 등의 석고를 팔이 아프도록 그리기도 했었다. 그러나 고등학교에 막 입학하고 난 뒤, 어린 조카가 무슨 병인지는 몰라도 병을 얻어 시름시름 앓더니만 병원 한번 못 가보고 약 한첩 먹어보지 못한 채 이른 새벽 그냥 이 세상을 뜨고 말았다. 큰 충격이었다. 그날 새벽 조카를 땅에 묻고 학교에 갔으나 월요조회엔 참석하지 않고, 학교 언덕바지 아카시아 나무 밑에 누워 눈물로 범벅이 된 눈을 감고 조카의 죽음을 생각했다. 삶이란 무엇이며 죽음이란 무엇인가. 만일 영혼이 있다면 불쌍한 어린 영혼을 무엇으로 어떻게 위로해줄 것인가. 이런저런 의문에 의문이 겹쳐 더 큰 의문 속으로 자꾸만 빠져들고 있었는데, 짙은 향기와 함께 내 얼굴을 간질이기에 슬며시 눈을 떠보니 하얀 아카시아꽃들이었다. 아니 그것은 어린 조카의 창백한 얼굴이었고 새하얀 영혼이었다. 그것은 '삼촌은 시인이 되어 내 영혼을 위로해달라'는 조카의 열렬한 부추김이었고 충동질이었다.

그렇다. "시인이 되자, 무엇이나 표현할 수 있는 시인이 되자"고

굳게 다짐했다. 그래서 우선 어린 조카의 영혼을 위로하는 시를 써보겠다고 며칠을 끙끙대며 써보았으나 겨우 "산산이 부서진 이름이여! 허공 중에 뜬 이름이여! 내가 부르다 죽을 이름이여" 어쩌고 하는 김소월의 「초혼」에서 빌어온 시구에 하염없이 쏟아진 내 눈물의 범벅뿐이었다. 그러므로 내 처녀작은 「초혼」의 몇구절과 눈물로 범벅이 된 몇구절의 시일 터인데 어디 그것을 시라고 하겠는가?

4·19혁명 직후 전국을 무전여행으로 누비던 때 한라산 백록담을 보고 지은 시조가 한편 있었는데 지금은 내 수중에 없다. 그러니까 나의 출세작은 자연스럽게 문단 데뷔작인 「아침 선박」이 될 것 같다. 이 「아침 선박」은 경향신문 신춘문예에 당선된 시다. 대학 2학년 말쯤, 그러니까 1963년 가을에 쓴 시로서 내 문학의 운명을 걸고 투고한 시인데, 그냥 당선이 되고 말았다.

나는 4·19혁명에 참가했기 때문에 도저히 5·16쿠데타를 인정할 수가 없었다. 이 5·16에 대한 부정은 꿈속에서까지 이어졌다. 꿈결마다 가끔 나타나는 검은 안경을 낀 작달막한 그 사람, 그 사람 곁의 또 자그마한 사람들은 내 꿈자리를 수시로 설쳐댔다.

어떤 때는 반들반들 윤기가 도는 돼지새끼들이 쫓겨와 내 품속을 파고들기도 했는데, 그럴 때마다 검은 안경을 낀 그 사람들이 총부리를 겨누며 그 돼지새끼들을 내놓으라고 윽박지르고 쑤셔대고 얼러대기도 했다. 그럴 때면 돼지새끼들은 눈을 부릅뜬 채 돌돌 돌거리며, 겁에 질린 채 나만 쳐다보기 일쑤였다.

꿈 중에서 제일 좋은 꿈은 역시 돼지꿈이라는 생각은 우리 민족의 오랜 믿음이었고 바람이었다. 꿈속에서였지만 몹시 안타까웠고 불안했다. 이 나라 이 민족이 평탄치 못하리라는 조짐으로 느꼈

다. 이 꿈속의 괴이하고 안타깝고 불안한 체험을 토대로 꽤 길게
「아침 선박」을 썼다.

1

아침 바다는 예지에 번뜩이는 눈을 뜨고
끈기의 저쪽을 달리면서

시대에 지치지 않고, 처절했던 동반의 때에,
쓰러진 시간들을 하나씩 깨워 일으키고.
저, 넘쳐나는 지평의 햇살을 보면
청명한 날에 잠깨는 출항.

세수를 일찍 끝낸 여인들은
탄생을 되풀이한 오랜 진통에
땀배인 내의를 벗어 바다에 던지고,
파이프에 남자들은, 두고 온 연대를 열심히 피워문다.

2

철저한 자유를 부르면서
흐느끼는 심연, 그 움직이는 고요.
가파른 정오의 한때를,

이해만이 남고 오직 진행이 있을 때

당황하던 파도를,
식욕을 거느린 별들이 주워들고 멀리 떠났다.
험한 해협엔 그러나
의지를 철썩이는 잔잔한 파도의 무료.
밤새워 해변을 지키던 새의, 사연은 남고.
순수의 깊이에서 일어서는 서적들의 눈부신 항변.

──아직 침실에 누워 있는 자들도 한번은 떠날 것이다.
휴식의 때가 오면 패배의 옷자락을 가다듬을 꼭 가다듬을
늙지 않는 아우성, 동족을 꺼려하는
쓸쓸한 시선들도
한번은 떠날 것이다.

   3

우리에게 주어진 한 개의 원인은
서성이는 곳에 쓰러지지 않는 거만한 거부.
타협이 없는 거리를 글쎄,
걸어갈 수 있을까?

신앙은 놓이고 길을 가는 의문의 날에
찾아온 제삼의 치맛자락에 매달린 식탁.
어지러워라.
천둥이 울더라도 흔들리지 않는
확고의 식탁은 없을까?

쟁취의 이빨을 내놓기 전
낮에도 눈이 감긴 암초의 눈을 뜨게 할 순 없을까.

겨울을 빠져나온 꽃들이 찾아가
피어날 꽃나무는 없을까.
계절이 없어 과일들은 익질 못한다.

　　4

획득의 눈이 내리고 있다.
학동들의 꿈길에서 얻어진
멀고 먼 나라의, 가까운 은혜가 흩날리고 있다.

아침 인사를 받으면서 물러앉은 산.
아침 인사를 받으면서 오후가 되더라도 피로하지 않을
하이얗게 움직이는 선박이 있다.

우리 젊은, 우울한 선장에겐 무엇을 바칠까?
우리의 모국어를,
우리의 손으로 만들어진 나침반을,
우리의 눈에 맞는 색깔의, 저 지평을 향해
펄럭일
기를 바쳐야 한다.

구태여 독자의 이해를 돕기 위해 약간의 설명을 덧붙인다면 '3'
은 제3공화국, '치맛자락'은 정통성과 도덕성이 없는 규범, '식탁'
은 불안, '선장'은 박정희, '모국어'나 '나침반'은 국민의 의지, '지
평'은 우리 민족이 다다라야 할 곳, '기'는 우리의 꿈 따위다. 그런
데 당선작 발표날 낮잠을 자다가 그 돼지꿈을 꾸었고, 곧바로 종로
로 달려가 신문을 사서 펼쳐보니 「아침 선박」이 당선되어 있었다.
참으로 희한한 일이 아닐 수 없었다.

『책과인생』 1993년 6월호

그리운 쪽으로 고개를
만해문학상 수상소감

얼마전 우리 '거시기 산우회' 회원들은 서울 근교의 청계산 산행을 마치고 하산한 후, 매양 그렇게 하였듯이 그날도 호프집에 들러 생맥주를 거나하게 마셨다. 얼마쯤 마셨을까, 취기가 돌고 광주에 두고 온 난의 향기가 코끝을 간질이기에 지나가는 말로 "내가 기르고 있는 난이 수십 분 있는데, 그중에 대흥사계라는 난이 꽃대를 네 개씩이나 뽑아올려 꽃대마다 꽃들을 수장씩 피워대서 그 향기가 지독스럽습니다. 어찌된 일로 꽃대를 네 개씩이나 뽑아올렸는지 모르겠습니다" 했더니 일행 중 한 분이 "그건 운수대통할 징조야" 했다. 나는 그 말을 받아 "금년 한해도 거의 지나가는데 운수대통은 무슨 운수대통입니까" 하고 싫지 않게 되물었더니 "운수대통은 운수대통이니까 그렇게만 알아요, 조대장!" 하기에 그냥 입을 다물고 말았다. 그 말 때문이었는지 모르지만 그뒤 누구랑 2차까지 기분좋게 마신 후 헤어졌는데, 지하철로 고속터미널까지 와서 길을 잃고 두어 시간 헤매다가 누구의 도움으로 어렵사리 귀가한 적이 있었다. 난생 처음으로 그놈의 난 때문에, 그놈의 향기 때문에, 그놈의 술 때문에 길을 잃고 영원히 미아가 될 뻔했었다. 운수대통은 이런 것을 두고 말하는 모양이라며 그렇게 말한 사람을 실없는 사람이라고 생각했었다.

그로부터 일주일쯤 후 토요일, 창비사로부터 제10회 만해문학상 수상자로 결정됐다는 소식을 듣고 수초 동안 아찔했는데, 기분 좋은 아찔함이었다. 이 수상을 두고 운수대통이라면 운수대통일 수도 있겠다 싶어 그 양반 운수 한번 잘 맞췄다고 생각하면서 나는 곧바로 눈을 감았다. 그리고 그리운 쪽으로 고개를 돌렸다. 내가 태어난 곡성의 태안사골이다. 슬플 때나 기쁠 때, 일이 잘 풀릴 때나 꼬일 때, 사는 것이 고통스럽다고 아니면 살 만하다고 생각할 때, 무슨 일을 결행할 때나 포기할 때, 외로울 때나 번거로울 때, 나는 습관처럼 눈을 감고 고향에서부터 지금까지의 내 역정을 더듬는 버릇을 40여년 이상 계속해왔다.

일제시대다. 공출을 피해보려고 숟가락·젓가락·놋식기·놋대접·다리미·인두·놋화로·놋요강 따위를 처마 밑이나 울타리에 쑤셔넣거나 두엄 속에 파묻어놓고 행여 발각되어 빼앗기지나 않을까 두려운 눈을 감추지 못해 하시던 어머님과 누나들의 얼굴이 선하다. 송진을 채취하러 동리산을 헤매던 일도 눈에 선하다. 여순사건 때다. 밤이면 밤(산)손님들이 조그마한 사하촌을 장악하고 낮이면 경찰이나 국군이 야단법석이었다. 당산나무 가지마다 시체들이 대창에 꽂혀 (과장법을 쓴다면) 주렁주렁 매달린 채 노여운 눈으로 이 땅의 하늘을 쳐다보거나 땅을 굽어보던 눈동자들, 지금도 그 눈들을 못 감고 있을 것이다. 어느 쪽에서는 협조를 안했다고 또 어느 쪽에서는 협조를 했다고 그랬던 것이다. 그 와중에서 몇번씩이나 죽을 고비를 넘기시던 아버지가 신새벽마다 마루에서 결가부좌를 하고 염불을 하시던 모습이 지금까지 요상스럽고 무섭기만 하다. 곧바로 6·25다. 살아보겠다고 7남매가 줄줄이 고향을 떠나 광주로 피난왔는데 2년 만에 또 맞는 난리였다. 피난을 가지 않고 우물 속에서 재봉틀 의자에 앉아 눈을 감고 염주를 굴리시던 아버지! 4·19 때다. 고등학교 시절 광주 시내를 종일 누비며 여태까지 아껴놓았던 소리소리 고함고함 치면서 이승만 독재정권을 무너뜨린 감격의 시대였다. 대학에 가서는 그 6·3이란 것 때문에 회기동과 청량리 로터리, 안암동 거리를 누비던 시절이 있었는데 괜찮았던 것 같다. 삼선개헌과 유신 선포로 좌절과 희망이 교차되었던 그 긴급조치시대에는 부지런히 뛰어다녔던 것 같다. 10·26과 12·12를 거쳐 5·18광주민중항쟁, 그때의 아우성소리나 피비린내가 지금도 무등산 자락에 안개처럼 피어오른다. 6월항쟁 때, 명동과 서울역 앞에서 맡았던 최루가스가 지금도 온몸에서 찐득찐득 묻어나는 것만 같다. 1990년대 중반 지금은 광주와 서울을 오가면서 우리나라의 자연풍경과 그 풍경을 이루는 모든 것들에 애정을 쏟고 있다…… 여기까지 생각하는 데 5분도 채 안되었다. 55년이란 세월이 단 5분, '내가 과연 진정한 시인인가'라고 자문하는 데는 단 5초도 안 걸렸다.

문학적으로나 인간적으로나 변변치 못한 나임을 늘 생각하며 살아왔다. 그런데 '만해'라는 큰 이름이 붙여진 상을 내가 받는다니 버겁다. 나는 내 시가 괜찮다고 생각해본 적이 별로 없다. 오직 심혈을 기울여 써왔을 뿐이다. 나는 내 행동이 옳아서 남의 귀감이 되리라고는 정말 단 한번도 생각지 않았다. 문학적 업적도 변변치 못하고 실천 면에서도 내세울 것이 거의 없는 내가 '만해' 선생 이름의 상을 받는다니 괴롭기도 하다. 그분의 족적에 그늘을 드리우지 않을까 괴롭다는 말이다. 그러나 기왕 그분 이름의 상을 받게 되니 앞으로는 다시 태어나서 새로 출발하는 기분으로 과거를 반성하고 더 좋은 삶을 통해서 더 좋은 시를 쓰겠다는 다짐을 해본다.

　세상 돌아가는 모양새가 좋지 않다는 생각을 요즘 들어 부쩍 많이 한다. 그래서 요즘은 1976년에 썼던 졸시 「겨울소식」을 되뇌곤 한다.

　　광주를 온몸에 흠뻑 적셔／터벅터벅 그 친구는 서울엘 와서／／늘 외롭고 힘없는 내 손을 쥐고／눈과 손으로 광주를 건네주지만／／내 허전한 마음까지 건네면 쓰나／내 찌든 몸까지 건네면 쓰나／／찬바람 속에서 광주는／큰 애를 뺐다더라.／／찬눈에 덮여서도 무등산은／그렇게도 우람한 만삭이더라.／／광주를 온몸에 적셔서／서울의 내 곁에 사알짝 놓아두고／터벅터벅／서울을／떠나버리는 친구!

　일종의 예언시나 참시(讖詩)라고 할 수 있다 하겠다. 앞으로는 이런 시를 쓰지 않는 시대가 전개되었으면 한다. 만해문학상을 운영하고 있는 '창작과비평사'의 여러분과 심사위원들께 감사드린다. 그리운 쪽으로 고개를 돌려 숙이면서.

『창작과비평』 1995년 겨울호

아잇적 그대로의 마음을 가진 시인

이 동시집의 지은이는 초등학교 때 무려 다섯번이나 학교를 옮겨다녀야 했다고 한다. 그래서 낯선 동무들 사이에서 늘 외롭게 지냈으며, 정이 들자마자 또 헤어져야 했던 얼굴들이 그리워질 때는 오동잎을 따서 몽당연필 심에다 침을 발라가며 편지를 썼고, 맨땅에다 길게 기차를 그려 그 위에 '오동잎 편지'를 올려놓고 해질녘이 되어서야 집으로 돌아오곤 했다고 한다. 그렇듯 사연 많았던 지은이는 그때를 그리워하며 수년간 초등학교에서 아이들을 가르치기도 했다.

지금껏 지은이는 이런 어린아잇적 그대로의 마음을 지니고 동시를 쓰고 있다. 항상 동심을 잃지 않고 어린이다운 심성과 정서를 제재로 하여 쓴 그의 동시들은 어린이들뿐만 아니라 자칫 동심을 잃고 꽉꽉하게 살아가게 마련인 오늘날의 어른들에게도 큰 감동과 깨우침을 안겨줄 것이다.

이 동시집에 실린 시들은 아동문학이 지녀야 할 여러 덕목들을 고루 갖추고 있다. 우리의 삶을 바탕으로 하여 끝간 데 없이 펼쳐지는 풋풋한 상상력, 짜릿하면서도 시리고 포근한 꿈의 세계, 누구나 끊임없이 찾아나서 껴안고 싶어하는 원초적인 생명력, 하찮아 보이는 작은 것들에게도 한량없이 쏟는 모성적 사랑 들이 작품마다 소박하면서도 명쾌하게 잘 드러나 있기 때문이다.

"햇살이 콕콕/나뭇가지를 쪼아댄다//햇살이 쪼은 자리마다/점점이/연둣빛으로/멍이 들었다//보리밭에서부터 바람은/살살 일어나/이제 빈 가지마다/꽃불을 켜겠지//멍든 자리마다/뾰조족 돋아나는/파름한 빛/봄빛을 켜겠지"(「빈 가지마다」)와 같은 작품을 보아도 이와 같은 사실을 확인할 수 있다.

또한 「오동잎을 따서」와 같은 동시는 동화적인 내용을 완벽하게 담아낸 동화시이다. 따라서 이 책을 읽는 이들은 짧은 시간에 56편의 시에서 재미와 매력을 담뿍 안아들고 마음껏 꿈을 펼쳐보는 즐거움을 맛보게 될 것이다.

몇몇 동시에서 관습적인 안일한 표현의 결함도 더러 보이지만 이런 것은 그의 삶에 대한, 글 쓰는 태도에 대한 성실성과 열정으로 능히 극복될 것이다.

항상 어린이의 마음을 갖고 웃음을 잃지 않는, 항상 누군가를 도와주고 싶어 안타까워하는 천연기념물적인 '소녀 보살'이 첫선을 뵈는 이 동시집이 적막하기만 한 아동문학계에 신선한 충격과 파문을 일으킬 것을 믿는다.

이성자 『너도 알 거야』 추천사(1998년 10월)

제 3 부

음주·끽연론

36억의 세계 인구 중에서 60퍼센트에 가까운 20억을 25세 이하의 젊은이들이 차지하고 있다는 통계숫자가 1969년 유엔 창설 25주년 기념식에서 우탄트 유엔 사무총장에 의해서 밝혀진 바 있다. 비록 그들의 사회적·정신적 지위는 미미한 존재처럼 보이지만 그들이 형성하는 파워는 여러가지 분야에서 큰 관심사가 되고 있다. 그들의 시대는 인생에 있어서 황금시대에 접어드는 찬란한 시기이며, 어린이 세계에서 어른의 세계로 옮겨가는 과도기이며, 인간의 전생애를 통해서 신체적·정신적으로 가장 심하게 격변하는 질풍노도의 시대이며, 장래의 행복한 국가·사회·가정을 건설하고 자기의 행복을 쌓기 위한 인생관·세계관을 형성시키는 시기이다.

이처럼 막중한 시기의 청년들을 향해 던져진 많은 석학·현인들의 갖가지 수식어들도 볼 만한데, 생각나는 대로 대충 열거해보기로 한다.

"만약 내가 신이라면 나는 청춘을 인생의 종말기에 두었을 것이다"(아나똘 프랑스) "청년에겐 비록 결점이 있다고 하지만 점차 스러지는 것이다"(로우얼) "새 술은 새 부대에 넣어야 한다"(신약성서) "혼이 깃든 청년은 쉽게 망하지 않는다"(카로싸) "청년의 사전 속에는 실패라는 단어가 없다"(불워 리튼) "청년은 가르침을 받기보다는 자극되기를 바란다"(괴테) "청년은 미래를 갖고 있다는 것만으로도 행복한 시절이다"(고골) "청년은 결코 안전주(安全株)를 사서는 안된다"(장꼭또) "옆에 유혹하는 사람이 없어도 청년은 자기자신에 모반(謀反)하고 싶어한다"(셰익스피어) "청춘은 밖에서는 붉게 빛나지만 속에서는 아무것도 느끼지 못한다"(싸르트르) 등등의 풍성한 말로써 영 어덜트(Young Adult, 20~30세의 청년층)를 수식하고 있지만, 그래도 그들은 완전한 성년도 소년도 아닌 중간계층이라는 점에 야릇한 관심을 가지게 된다. 아니 우리들 모든 인간들도 그들처럼 완숙되지 못하고 늘 반숙(半熟)의 상태로 있다가 저승으로 설익은 채로 넘어가는지도 모른다.

하여튼 이 시기엔 좋건 싫건 간에 술·담배와 두터운 친분을 맺는 동시에 술·담배를 잘하고 못하고에 따라 어른스러움과 애스러움을 구별하는 척도로 삼으려는 경향마저 있게 된다. 그래 과음한 나머지 만취자들은 밖으로 그들의 욕구를 발산하면서 폭력을 수반하여 기물을 부수거나 사회질서를 파괴하는, 폭력으로 치닫는 주사도 있게 마련이지만, 두 가지 모두 타산성이 없이 인색하지 않고 주거니 받거니 하며 즐기는 기호품들이다. 따라서 술·담배는 날이 갈수록 번거롭게 발달을 했으면 했지 퇴보라는 것이 없다. 민족과 국가는 망해도 술·담배는 있게 마련인가보다.

우리 민족도 술·담배를 어지간히 좋아한 모양이다. 담배의 경우만 하더라도, 이조(李朝)의 백과사전파(百科辭典派) 학자인 이규경(李圭景)이 쓴 『백운필(白雲筆)』에 "담배를 피우면 술 취했는지 술 깼는지, 배고픈지 배부른지를 분간 못하기 일쑤인데, 담배는 담 끓는 데, 거위배(회충) 앓는 데, 가슴앓이에 좋으며, 우울증을 해소시키고 또 추위를 견딤에도 썩 도움이 된다. (…) 50~60년 전만 하더라도 담배 피우는 사람은 열에 두셋이었는데 지금은 안방 부인들로부터 어린아이들에 이르기까지 안 피우는 사람이 별로 없으며 심지어 네댓 살짜리 어린이까지도 몇대씩 연거푸 젖 빨듯 달게 피운다"고 적혀 있다. 지금으로부터 120여년 전의 상황이다. 담뱃잎을 술에 쪄서 피우면 까무러질 듯 독한 것이지만 이렇듯 우리들 생활로부터 떨어져나갈 수 없는 '영원한 적이며 반려자'인지도 모른다.

그렇다면 그 담배·술을 무생물로서 대할 것이 아니라 살아 있는 한 친우로서 대하는 것이 바람직할 것 같다. 이른바 주도(酒道)라든가 끽연도(喫煙道)가 그것이다. 나는 여기서 구태여 주도라든가 끽연도라든가에 대해서 지나치게 매력을 갖고 있지는 않다. 다만 15~16세 때부터 배우기 시작한 그것들을 20년 가까이 열렬히 즐기면서도 지금껏 신체적인 결함을 가져보았다든가 대소의 사건도 거의 없었다는 점을 나로서도 기특하게 생각하는 것이다.

나는 나대로의 주도와 끽연도를 가지고 있는지도 모른다. 돈이 없다고 이것저것 짬뽕하지 말고, 한 좌석이나 혹은 2차 3차의 주석을 갖더라도 한가지 종류만 마신다. 여러가지 것을 섞어 마시면 뱃속에 질서가 없어 혼란이 온다. 한꺼번에 큰 잔으로 결판을 내지 않고 조그만 잔으로 차분차분 마신다. 이태백은 도토리만한 잔으로 100잔이고 200잔이고를 마셨다지 않는가? 음주 전후에 절대로 약을 복용하지 않는다. 술은 술만이 다스릴 줄 아니, 해장을 한다든지 아니면 새벽 일찍 차디찬 냉수를 몇사발 들이켠다. 될 수 있으면 단골집을 정해놓고 마신다. 정도 있고 마음도 놓이고 유사시엔 외상도 할 수 있다. 술은 현금보다는 외상으로 마시는 데 맛이 더 우러나온다는 애주가도 있다.

술과 마찬가지로 담배도 이것저것 피우는 것이 아니라 한 종류만 피우는 정절을 지킬 필요가 있다. 정 붙이기에 달려 있기 때문이다. 필터에 침을 발라가며 이빨로 잘근잘근 씹으며 피우는 사람이 있는데 꼴보기가 싫으며 위생에도 나쁘다. 연기만 빨아들였다가 미련없이 혹 내뱉어버리는 것이다. 꽁초를 즐겨하지 말아라. 새 양복에 구멍이 뚫리게 마련이고 짬밥통에서 밥알을 주워먹는 궁상맞은 꼴이 된다. 꽁초를 버릴 때는 완전히 짓밟아서 버린다든가 공중분해를 해서 버린다. 내가 피웠던 것을 남이 주워 피우는 것도 기분 나쁘지만 재생산되는 수가 있다.

이와 같이 나는 음주와 끽연을 즐겨 해왔다. 너무나 뻔한 방법이다. 음주와 끽연이 대중적이고 서민적이듯이 그것을 즐기는 방법도 난해하지 않고 쉬울 뿐이다. 괜스레 멋으로 마시고 피워서는 안된다.

『동서문화』 1969년

사나이로 태어나서

집안 사람들의 말에 의하면, 나는 이 세상에 태어날 때 그 흔한 울음소리도 한번 내질러버리지도 못한 채 이 세상에 던져진 묵묵하고 엄숙하기만 한 핏덩어리였다고 한다. 어렸을 때부터 많이 울어야지만 커서도 노래를 잘한다는 말은 요즘 세상에서도 많이들 주고받는 이야기지만, 이 세상에 태어날 때부터 나는 '침묵'이었으니까 오늘날의 내 자랑스럽지 못한 음치는 당연한 결과라고 할 수 있다. 7남매 중에서 누나 두 분과 여동생 두 명은 모두들 노래를 잘들 하지만 남성 중에서도 나는 노래라면 딱 질색을 하고 마는, 노래의 못난 놈이다. 그런 까닭에 학교시절의 음악시간이면 자연 징역살이를 하는 시간이었고, 그 음악선생은 죄없는 나의 경원의 대상이 되었었다.

시골의 군내(郡內)에서는 나의 천재성이 널리 알려진 대로 다른 모든 과목은 100점 아니면 98점 이하를 내려가본 적이 없었는데 다만 음악만은 매학기마다의 통지표에 70점 내외의 처량한 성적이어서, 욕심 많은 담임선생님은 특별히 나를 개인지도까지 시험해보았으나 내 노래 성적은 그후로도 전혀 상승치 못한 채 오늘에 이르고 말았다.

요즘도 가끔 기분 안 나쁘게 당하곤 하는 낭패이지만, 어떤 모임의 끝에 있게 마련인 돌림노래 차례가 오면 나는 고개를 푹 처박고 어찌할 바를 몰라 괜히 속으로만 속으로만 죄송하게 생각하다가 어물쩍 내 차례를 간신히 넘겨버리곤 한다. 도저히 그 순간을 넘기지 못하는 상황, 말하자면 꼭 부르지 않고는 아니되는 때는, 나는 의연히 일어서서는 양쪽 손을 허리께 너머로 가벼이 갖다대고 왼쪽 발을 반쯤 벌린 다음 눈을 슬그머니 감았다 뜨는 순간, "사나이로 태어나서 할일도 많다만 너와 나 나라 지키는 영광에 살았다. 전투와 전진 속에 맺어진 전우야 산봉우리에 해 뜨고 해가 질 적엔 부모형제 우릴 믿고 단잠을 이룬다" 하고 한바탕 불러젖히면 좌중은 갑자기 조용해진다. 군대생활에서 배운 이 노래를 일사천리로 불러젖히고 나면 나도 자부심 같은 것이 조금 일기도 한다. 이 패기 넘치고 멋이 넘치는, 그러나 요즘 세상에서는 케케묵은 군가(軍歌)라는 것도 내겐 상당히 아끼고 싶은 노래가 되고 말았다.

위의 군가는 일년에 두서너번씩 부르는 나의 18번이 되고 말았다. 저녁 느즈막하게, 귀갓길의 가쁜 숨을 잠시 가라앉히고 고갯길의 옛 성터에서 내 집을 향하여 한바탕 뽑아버리면 촛불 밑에서 나의 귀가를 고대하던 집사람이 뛰어나와 쌩긋 웃기도 한다. 평소 잘 부르지 않는 노래지만 집사람은 내 그 목소리가 대견스럽겠지만, 나는 노래를 부르다 그녀와 맞부닥치면 괜히 부끄러워지고 민망스러워진다.

내 집사람은 노래를 아주 잘하는 편이어서, 모든 면에 있어서 내가 그녀를 이기지만 노래에서만은 내가 열등의식을 갖는 것이다. 괜히 부끄러워지면서 괜히 민망해지면서도 이 노래를 부르는 이유는 간단하다. 그 하고많은 노래 중에서 가사를 완전히 외우고 곡조를 완전히 기억하는 노래는 그 군가밖에 없기 때문이다. 다른 노래는 가사도 모르고 곡조도 모르기 때문에 자연 흥얼흥얼 콧노래를 부르다가 말고 하는데 그것은 내 생김새로 보나 풍채로 보아 전혀 어울리지 않는다.

소대원들의 군가교육시간에도 그 많은 군가를 빼고 이 노래만을 가르쳤으므로 내가 죽는 날까지도 이 노래의 가사나 곡조는 잊혀지지 않을 것이다. 전선 주위의 부락민들이 고이 잠들고 있을 때 이 노래를 자장가 부르듯이 불러보면 무슨 보람 같은 것도 느낄 때가 많았다.

나의 집에는 그 흔한 트랜지스터 한 개도 없다. 옆집에서 크게 들려오는 노랫소리를 싫어하지도 않는다. 가끔 집사람이 부르는 노랫소리에 심취하지도 않고 싫어하지도 않는다. 다만 들리니까 들어주곤 할 뿐이다.

『학원』 1971년 4월호

내 문패에의 집념

어느덧 올해 들어 내 나이 서른셋이나 되고 말았다. 곰곰이 생각을 해보아도 세월이라는 것은 빨리만 흘러가고 그 세월의 빠름과 연령의 축적 속도에 비해서 재물의 축적 속도는 소걸음처럼 느리기만 해서, 사내 나이 서른셋에 이제 겨우 20만원짜리 전세방 두 칸을 빌려 네 식구가 생활을 하고 있는 형편이다. 그렇지만 그게 내게는 참 대견스러운 일이기도 한 것이다.

서울이란 곳을 홀홀 빈몸으로 흘러들어와 생활하게 된 지도 벌써 15년의 연륜을 굴리고 말았으며, 이 15년이란 세월을 살아오면서 내 집이 아닌 남의 집에 얹혀 지금까지 전전하기를 13회에 이르고 보니, 이젠 내 집을 마련하고픈 생각이 간절할 법도 한데 나는 지금도 내 집을 마련해보겠다는 땀나는 생각을 가져보지 못했으므로 내가 내 자신을 생각해보아도 어처구니없이 한심한 사내가 아닌가 의아스러울 때도 더러 있긴 있다.

혹 어디 높은 빌딩 같은 데나 가까운 산에 올라가 번잡스럽기만 한 서울 시가를 내려다보다가 문득, 서울엔 집도 많기도 많다, 평생 동안 헤아려도 못 헤아릴 것 같구나 하는 생각은 해보면서도, 나는 저 많은 집 속에서 내가 편히 안식할 수 있는 내 집은 없구나 하는 생각을 해보지는 않았다.

그만큼 나는 세상살이에 무관심하단 말인가, 초연하단 말인가? 아니면 그만큼 나는 무능력한 사내란 말인가? 그래 보따리 하나 싸들고 서울역에 도착한 날부터 오늘날까지 15년 가까운 생활을 객지에서 꾸려왔으면서도 이제 겨우 20만원짜리 전세방에 얹혀살다니 정말 지지리도 못난 녀석이구나 여길지 모르나, 아내까지 얻어 애까지 하나 낳아, 거기에다가 20만원짜리 전세방까지 세내어 어머님까지 모시고 살아가니 대견하지 않느냔 말이다.

사람이 사람답게 살기 위한 그런 주택에 관해서는 신문지상이나 기타 잡지들을 통해서 가끔씩은 읽어보기도 했지만, 나는 앞에서 말한 바와 같이 꼭 내 집을 마련해야겠다는 그 억척스러운 생각을 간절히 해보지는 못하고 그저 없는 것보다는 있는 것이 낫겠지, 하는 선에서 생각을 멈추고 말곤 한다.

아무튼 나는 우로(雨露)를 피할 수 있는 방 한 칸을 마련하고 그걸로 자족하였던 터였다.

객지에서 15년 가까운 생활을 이집 저집을 전전하면서 살아왔지만 원래 나는 인덕이란 걸 가지고 있어서인지 집주인과 다투었다든가, 의리를 상했다든가, 별스럽게도 수모를 당했다든가 하는 것은 없었고, 이사를 할 때마다 주인과 눈물바람으로 헤어질 만큼은 정을 두고 떠나는 일이 많았다. 비록 남의 집에서 살지만 내 집이나 다름없다는 마음으로 살고, 또 그만큼 내 집 같은 애정과 애착을 가지고 살았기 때문인지도 모른다.

그런데 요즘은 세상이 점점 각박해지고 삭막해지고 푸석푸석해지고 있어서인지 내 심성도 더러는 그런 세태에 점점 물들어가고 있는 것만 같아, 어떤 때는 그냥 시골 어디로 낙향을 해서 조금은 남아 있을 순수하고 시원한 인정 속에서 초옥이라도 짓고 살고 싶은 생각이 나기도 한다. 그런데 그것은 어디까지나 내 한 개인만의 생각이지 어머니나 아내의 생각일 수는 없다. 그런데, 이제 나는 내 하고픈 대로 할 수 있는 처지가 아니라 세 식구를 이끄는 어설픈 가장이 되어버린 것이다.

나는 1969년에, 그러니깐 내 나이 29세 때 앞날에 대한 아무런 설계도 없이 남들은 중대하다고 말하는 결혼이란 것을 아주 단숨에 해치웠다.

11월 중순이 조금 지난 제법 쌀쌀한 가을바람이 부는 날이었다. 나는 지금의 아내인 여인과 서울 거리를 별로 할일 없이 쏘다니고 있었는데, 예식장 앞을 지나다가 나는 문득 이 여인과 결혼을 해버리고 싶은 생각이 일어나서 몇군데의 예식장을 기웃거리다가 J예식장 사무실로 기어들어갔다. 옆의 여자도 무슨 영문인지를 모르는지 아는지 내 뒤를 따라 들어왔다. 예식장 사용계약서라는 것을 들춰 그날로부터 제일 가까운 날짜에 계약이 없는 시간을 골라잡은 것이 12월 2일 오후 1시였다. 마침 주머니에 있는 몇천원을 털어 결혼식장 사용 계약을 해버렸다. 그와 같은 행동을 지켜보던 내 옆의 여자 얼굴을 슬쩍 훔쳐보니, 그 여자도 나의 그런 당돌하고 멋쩍은 행동이 볼 만했던지 슬며시 웃음을 띠고 있었다.

그 여인과는 한 1년쯤 더 만나오던 터라 사람 됨됨이는 어느정도 알고 있었지만 양쪽 부모, 친지의 사전 양해는 없었던 것이다. 이런 행동을 두고 일생에 한 번 있는 혼사를 너무 당돌하게 그리고 장난기 있게 처리했다고 생각이 들 이도 있겠지만, 이러저러한 것을 하나하나 따지고 생각하다가 별 할일도 없이 지루한 겨울을 넘기는 것보다는 닥치는 대로 결혼을 해버리고 겨울을 포근히 지내기 위해서였는지 모른다. 그뒤 바로 청첩장을 찍어 가까운 친지들에게 돌리고 나니 이제 겨우 10일 앞으로 결혼식 날이 임박하고 있는 것이었다. 부모의 사전 허락도 없었고, 궁합·택일 같은 복잡한 수속은 더더구나 없었고 심지어는 기념품 같은 것, 혼수감 같은 것도 생각하지 않고 결혼일자를 정해버린 것이다.

예식이 끝나자 우리는 택시를 빌려 타고 북악 스카이웨이를 거쳐 세검정 자취방으로 왔다. 그때의 심정은 그토록 복잡하다던 결혼식을 여러 절차를 없애고 과감히 해치웠다는 용기와, 한 사람의 여자를 아내로 맞았다는 느긋한 감정이 전신을 휘잡고 있었을 뿐, 그저 담담하였을 뿐이지 앞으로 닥쳐올 일들은 한가지도 떠오르지 않았다.

결혼 초야는 세검정의 S여사대 뒤켠에 있는 내 자취방에서 지냈다. 1년 전쯤부터 방 두 칸을 사글세 4천원을 주고 세든 방이었다. 그러니깐 세탁도 덜 된 이불이며 옷가지며, 책장 없이 여기저기 흩어져 굴러다니는 책 나부랭이며, 19공탄을 사용하던 중고품의 난로가 있을 뿐이고, 거기에 약간의 자취 도구가 무질서하게 놓여 있는 그러한 방에서 결혼 초야를 지내기로 했다. 삼십이 다 돼서 가까스로 느닷없이 용단을 내려 결혼을 감행한 뒤, 무질서한 이 자취방에서 신혼 초야를 보내고 있다는 것을 생각하니 심각해지기는커녕 웃음까지 피식 흘러나오는 것이었다.

그런데 그 세검정 산꼭대기에 붙어 있는 자취방은 고 김관식 시인의 사랑채였다. 그분이 돌아가시기 전부터 방값 싸고 공기 좋은 이곳에서 살고 있는 터였다. 그곳까지 오르락내리락하기엔 여간 힘든 일이 아니었다. 30도쯤 경사진 이 비탈길은 한겨울철에도 땀을 뻘뻘 흘려야만 하는 가파른 길이었다. 서울 시가의 한 부분을 한눈에 내려다볼 수 있는 삼각산 한 줄기의 봉우리 밑에 자리잡고 있는 방은 도심의 소음과는 아예 담을 쌓았고, 맑은 공기는 24시간 마실 수 있고, 두꺼운 벽돌담이나 철조망 울타리 대신에 개나리꽃 울타리에 대문도 없이 밤늦게까지도 마음대로 드나들 수 있으며, 집 주위는 정원수가 여기저기 서 있고, 아침 일찍부터 우물터에는 물 긷는 소리가 들리고, 까마귀와 가끔씩은 소쩍새까지 와서 노래 불러주는 그런 곳이었다.

그런데 아내는 결혼한 뒤부터 여기서 안양에서도 몇십리 떨어진 직장까지 출퇴근을 해야만 했다. 안양에서도 더 떨어진 시흥군 벽지의 모 초등학교에서 교편을 잡고 있는, 말하자면 이른바 시골 국민학교 교사였다. 거기까지는 왕복 5시간이 넘는 시간이 걸리고 버스 역시 왕복 여섯 번씩이나 갈아타야 하는 먼 거리였다.

그런 생활을 계속하다보니 아내의 건강은 점점 더 험악해지고 있어서 황소처럼 건강을 자랑하던 그녀였지만 여자의 몸으로서는 무리긴 무리였던 모양이다. 그렇지만 별다른 방도는 없었고, 다만 황소처럼 건강해라, 쥐구멍에도 볕들 날이 있으리라고만 마음속 깊이 되뇌일 수밖에 없었다.

내가 맡아 하던 『시인』지를 그만둘 수는 없는 노릇이고, 그렇다고 양쪽 집에서 도움을 줄 만큼 양가가 넉넉한 생활을 누리는 형편도 아니고, 설사 얻어볼 돈이 있다고 하더라도 새파랗게 젊은 우리 부부의 고생을 그렇게 덜어볼 생각은 눈곱만큼도 없었다. 그래도 아내가 버니까 목구멍에 거미줄이 쳐질 일은 없을 것이고, 공기도 좋고, 여기까지 오르내리는 것은 운동도 되니 얼마나 좋은 환경이냐 하는 생각뿐이었다.

그런데 그녀의 건강은 내 마음을 따라와주지 않았고, 능히 있고도 남을 시일이 지났는데도 어린애 소식이 깜깜이었다. 병원들을 찾아가 건강진단과 기타의 진찰을 받아보았으나 아무런 결함도 없다는 것이었다. 아무런 결함도 없는데 소식이 없으니 더욱 답답할 수밖에 없었다.

그 먼 거리를 흔들리는 버스를 5시간 이상이나 타야 하므로 어린애 들어설 시간적·정신적 여유가 없을 게 아니냐 싶어 방을 옮기기로 작심했다. 우선 두 칸을 쓰던 방을 한 칸으로 줄여 거기서 남은 돈에 약간 보태어 안양천 변두리에 다닥다닥 붙은 판잣집 촌에 방 한 칸에 월 3천원씩 주기로 하고 얻었다. 없는 주제에 두 집 살림을 하기로 했던 것인데, 두 집 살림이란 월요일에서 토요일 아침까지는 둘이서 같이 안양에서 생활하고 토요일 오후부터 일요일 오후까지는 세검정에서 생활키로 한 것을 말한다.

안양의 지저분한 그 방에서 생활을 하다가 주말이면 세검정으로 와서 푹 쉬기로 했기 때문에, 나는 그 감정을 살려 세검정 2천원짜리 방 한 칸을 '별장'이라고 이름을 붙였다. 말로만 듣기엔 '별장' 살림까지 하니깐 여유있는 생활을 누리고 있다는 우스갯소리도 나올 법도 했던 것이다. 또한 우리 두 부부도 그러한 두 집 생활을, 한 곳에서는 생활, 한 곳에서는 휴양을 한다는 자부심까지도 가지고 지냈던 것이다.

그런데 역시 내 판단대로 건강은 회복되어 희한하게도 2년 만에 아내는 잉태를 했던 것이다. 먼 거리를 터덜대는 버스 속에서 하루 5시간씩 1년여를 시달렸으니 황소 같은 건강을 자랑하던 그녀였지만 애 하나 들어설 그런 건강은 아니었구나 생각하니 미안하고 안타까운 생각이 들기도 했다.

날이 가고 달이 채워져 아내도 이젠 배불뚝이가 되고, 김장철이 가까워졌다. 김장 같은 것도 생략해버렸으면 좀 좋으련만 시골서 올라오신 어머님이나 아내는 어디 내 생각과 같을 수가 있겠는가. 하루는 김장거리를 사러 셋이서 시장을 갔었다. 두 사람은 시장엘 들러 김장거리를 흥정하고 사고 할 때 가까운 대폿집에서 대포를 들이켰다. 길이 가파르기 때문에 리어카꾼의 뒤를 밀어주기 위해서 동행한 것이었다.

셋이서 밀며 가파른 길을 올라 중간쯤에 이르렀을 때 어머님께서는, "안팎에서 벌면서 이런 데에 방을 얻어 이런 고생을 하냐?" 하시니, 뒤이어 아내도 "아이구 배야" 하면서 밀던 손으로 배를 움켜쥐고 말았다. 나는 아무 소리도 안하고 한참 밀고 올라가다가 어머니에게, "시골 내려가실 때는 비행기 태워드릴게요" 했더니 "니 에미 이북으로 끌려가면 어쩌게야!" 하신다.

그때는 KAL기 납북사건이 있은 뒤라, 그 사건을 염두에 두고 하신 말씀이겠지만, 고갯길을 밀고 올라오는 도중의 여러 사정으로 보아 납북을 걱정했다기보다는 양쪽에서 벌면서 어지간히 못살고 있는 처지가 안타깝기도 하고 얄밉게도 보였기에 그런 말씀을 하신 것 같다. 자라던 때의 자식은 그렇게도 똑똑하더니, 나이 서른이 넘어서도 돈벌이도 제대로 못하는 지금의 자식을 생각하니 그런 아들이 영 불쌍하게 생각되셨던가보다.

나이 30이면 유실(有室)이요, 40이면 벼슬을 사(仕)하라는 말을 했던 옛사람들에게도 여간 미안한 것이 아니었고, 어머니나 아내에게도 사내로서 영 체면이 안 서는 처지이고, 아내의 뱃속에 들어 있는 미지의 자식에게도 미안한 생각뿐이었던 것이다.

작년 3월에 그러니간 결혼 3년 만에 첫애가 출생했다. 아내는 한 달간 산휴(産休)를 얻었기 때문에, 그 한 달간은 세검정의 별장에서 팔자 좋은 부잣집 며느리처럼 휴양할 수 있었지만 휴가가 끝나면 다시 출퇴근을 해야 하고, 안양의 그 방 한 칸 보증금까지 받아 출산비에 보태어 써버렸으니 당장에 네 식구가 기거할 방이 문제였다.

그 사이에 잡지사엘 나가고 있어서 아내와 합쳐 조그마한 적금을 든 것이 있어서, 그것을 기한도 안 차서 도중에 찾아서 방을 얻기로 했다. 나는 방을 안양에다 얻었으면 하는데 어머님과 아내가 극구 반대하신다. 이유는 술 먹고 늦게 돌아오기 일쑤고 숫제 안 들어오게 마련(안양서 다니던 때 통금 위반으로 두 번은 경찰서 신세고, 한 번은 여관 신세를 진 일이 있긴 있다)이란 것이다. 그래서 3자회담에서 결정을 본 것이 안양과 서울 복판의 중간인 대방동에다 20만원짜리 전세방 두 칸을 얻었다.

어머님께도 미안하고 아내에게도 약간은 고생시킨 것이 미안해서 10만원을 주면서 사고 싶은 것을 사라고 했더니 허름한 장롱 1개와 찬장 1개, 내 책상 한 개를 사 들여놓았다. 좁은 방에 그것들을 들여놓아 방은 비좁기만 하고 거기에다가 어린애까지 울어대니 복잡하기 이루 말할 수 없다. 사실 그 세간이라는 것을 나는 평소에도 과히 필요하지 않은 물건이라고 생각했었기 때문에 이상하게도 방은 더 비좁아 보였다.

이제 애도 꽤는 자라서 주인집 애들과 싸우는 일이 가끔 있는데 그때마다 어머니와 아내는 싸움을 말리는 편이고 나는 그대로 두라는 편으로, 생각하면 이해가 잘 안되는 태도로 셋집 살림을 하고 지내는 것이다.

집을 마련하려고 한대서 집이 마련되는 것이 아니고, 소도 언덕이 있어야 등을 비빈다고, 어디 돈이 있어야 마음에 맞는 집을 마련하지 않겠느냐 싶어 요즘은 무조건 매월 2만원씩 저금을 하고 있다. 쓰고 남은 돈을 저금할 수는 없고, 그저 저금하고 남은 돈으로 식생활을 해결하기 위해서이다.

그래 매월 2만원씩을 꼬박꼬박 저금을 한다고 해도 150만원쯤 모으려면 앞으로 6~7년은 걸리는데, 그때 나이는 벌써 40이 넘을 것이고, 그때 150만원쯤 되는 집이 쓸 만할 것인지 아닐지는 생각지도 않고 있다. 단지 매월 2만원씩만 저금을 하고 있다는 실감뿐이지, 곧 집을 마련할 것이라는 실감이 없는 것이다. 그래저래 나 같은 처지로서는 평생의 절반쯤은 남의 집에 얹혀살아야 할 것만 같고, 집이 곧 생길 것도 같은 그런 막연한 생각 속에서 지금도 남의 집에 얹혀 열심히 살고 있을 뿐이다.

요즘 서울과 부산에 사는 시민들에겐 시민세라는 것을 징수하리라는 기사를 놓고 지상에서는 다소의 논란이 일고 있는 것 같다. 앞으로 서울서 사는 사람 중에 무주택자는 고향으로 내려가도록 규정된 법률이 공포된다는 것을 상상해본다. 서울서 몇십년을 살다가 자기 집이 없어 쓸쓸히 낙향을 하는 내 모습을 생각해본다. 그래도 하나도 억울할 것이 없다고 나는 생각하고만 있을 것인가?

"달아 달아 밝은 달아, 이태백이 놀던 달아. 계수나무 박혔으니 옥도끼로 찍어내어 금도끼로 다듬어서 초가삼간 집을 짓고, 양친 부모 모셔다가 천년 만년 살고지고……"

이런 노래라도 가족과 함께 합창하면서 말이다.

1972년 발표 지면 미상

추억의 바닷가

내가 처음으로 '바다'라는 것을 대한 때는 고등학교 2학년 때의 여름이다.

나는 지리산 속에서 태어났다.

거짓말로 들릴지도 모르겠지만, 호랑이와 여우와 곰과 멧돼지와 노루와 구렁이와 살모사와 독수리와 까치 등등이 우글거리는 그런 산중에서 태어났다. 어렸을 적엔 그러한 짐승들이 하나도 무섭지가 않았다. 오히려 그런 짐승들을 하루만 보지 못해도 몹시 심심하여 그런 동물들을 만나보기 위해 깊은 산속으로 빨려들어 집과 부모를 잃고 헤매던 적이 한두 번이 아니었다. 그런 환경 속에서 태어난지라 물과는 별반 인연을 못 맺었으며, 그러므로 남들과는 달리 고2 때야 처음으로 바다를 구경했던 것이다.

나는 고1 때 몹시 큰 병을 앓고 세상이 자주 싫어졌기 때문에 환경을 한번쯤 바꿔볼 심산으로 집을 뛰쳐나와 무전여행을 떠났었다. 제주도를 가기 위해 목포에 도착하고서야 비로소 바다라는 괴물을 처음으로 보았으며, 바다라는 것을 실감할 수 있었다. 두려움과 환희로 범벅이 된 이 가슴을 도저히 감당할 수가 없었다.

제주도에서의 일이었다. 나는 한라산을 올라 백록담에서 멱을 감은 뒤 서귀포 쪽으로 하산을 하면서 매미를 양쪽 호주머니 가득히 잡아넣었었다. 날짐승이지만 왠지 사람이 가도 날지 않고 노래들만 태연히 뽑아대는 것이 하도 신기해서, 그저 잡는 것이 아니라 무슨 열매를 따듯이 매미를 따서 호주머니 가득히 담았었다.

서귀포에 도착하자마자 정방폭포에서 그놈의 매미들을 한 마리씩 한 마리씩 날려보내는 재미를 맛보았다. 그런데 어떤 놈은 내 손을 떠나자마자 한라산 쪽으로 날아가기도 하고 어떤 놈들은 그냥 바다 쪽으로 날며 까마득한 점으로 내 시야를 벗어나기도 하고, 어떤 놈은 폭포의 물방울에 날개가 젖어서 코앞에서 바닷속으로 그냥 떨어지기도 하고, 어떤 놈은 몇미터쯤 날다가 그냥 바닷속으로 떨어지기도 했다.

나는 그때 그저 재미로 그런 짓을 했지만, 한라산 쪽으로 날아간 매미는 마음에 걸리지 않았지만 저 바다 끝까지 까만 점으로 사라진 그 매미의 행방은 지금도 궁금히 여겨지고, 그냥 바닷속으로 떨어진 매미는 지금까지도 마음이 쓰리다. 바다는 아름다운 매미의 노랫소리까지 집어삼키고도 시치미를 떼고 있는 것일까? 그래 요즘도 '바다'를 떠올리기만 하면 서귀포 앞바다에서 날려주던 매미 생각이 제일 먼저 난다. 그리고 매미를 날려보내던 내 옆에서 물끄러미 내 하는 것을 바라만 보던 해녀들도 눈에 선하다. 몇마리쯤 그녀들에게 날려보낼 수 있는 기회를 마련해주지 못했던 그때의 내 용기는 퍽이나 수줍음 쪽에 가까웠던 모양이다.

하여튼 나는 그때 매미가 바닷물 위를 날면서 어떤 노래를 부르고 죽어갔는지 궁금한 중에서 제일로 궁금한 것이다.

여수 만성리 해수욕장에서의 일이다. 나는 홀로 여행을 하던 중에 여수까지 와서 대충 구경을 하고 해수욕장의 모래밭에서 피곤한 몸을 눕혔다. 새벽 두세시쯤이나 되었을까. 갑자기 주먹만한 빗방울이 쏟아지는 것이 아닌가.

처음 한 시간여쯤은 그저 참았으나, 몸은 점점 식어만 가고 이렇게 하다간 바닷물이 불어나서 나를 휩쓸어가버릴 것만 같은 두려움을 순식간에 느꼈다. 그래 참다참다 못 참고 후다닥 일어나서 뛰다가 어떤 천막이 쳐진 곳으로 쑥 들어갔다. 칠흑 같은 밤이라 도저히 전후좌우는 분간치 못하고 피곤한 몸인지라 그냥 쓰러져 자버렸다.

아침 잠결에 왁자지껄 떠드는 소리에 놀라 눈을 지그시 떴을 때, 이거 큰일이었다. 수영복 차림의 여학생들이 몸을 타월로 가린 채로 내 주위에 빙 둘러서서 이상한 동물을 구경이나 하듯이 신기하게 나를 내려다보고 있지 않는가. 그래 나도 하도 부끄러워 어떤 변명도 잊은 채 그냥 가만있을 수밖에 없었다. 열두세 명의 여학생들(여고생) 틈에 끼여서 아무런 염치도 모르고 하룻밤을 지샌 행운을 맛보았던 것이다.

그래 지금 생각하면 그땐 피차가 모두 두려운 생각이었던 것 같다. 만일 여학생들이 나를 도둑으로나 혹은 치한으로 몰아 경찰에 고발할 수도 있었을 것이었고 여학생들은 여학생들대로 웬 사내를 천막 속에 불러들여 하룻밤을 지새웠다는 주위의 눈총들을 두려워도 했을 것이다. 얼마쯤 있다가 슬그머니 그 천막 속을 빠져나왔지만, 지금 생각해도 아무런 일이 없었던 것이 다행으로 여겨진다.

하여튼 나는 오늘도 그렇지만 틈만 있으면 바닷가를 찾아나선다. 항상 말 없는 바다에게서 폭넓은 우주의 신비를 터득할 수도 있어 좋지만 그것보다는 코·입·눈 속으로 들어오는 짜릿한 바닷바람이 영 자극적이어서 바다를 좋아하게 되었다.

바다는 언제 보아도 젊고 싱싱하다. 바다를 바라보노라면 개구리 가슴만한 내 가슴은 터질 듯 부풀어오르고 짜증스러운 일상은 즐거운 일상으로만 느껴지고, 절망보다는 희망이 더더욱 많이 솟아오른다. 청신한 생명력, 살아 펄쩍펄쩍 뛰는 기쁨이 샘물처럼, 혹은 죽순처럼 솟구쳐 일어난다.

바다는 언제 보아도 출렁이고 있다. 바다를 바라보노라면 가슴 속 깊이 용기가 출렁여지고 모든 의욕이 출렁여져서 아량과 밝음으로 가슴이 열려진다.

바다는 무변하고 깊어서 그 푸르름도 무변하고 깊다. 그 푸르름과 밝음 앞에서 언제나 싱싱하고 청초한 가슴이 서려 있게 마련이고 시리도록 시원한 호흡은 쉴새없이 거칠어지기만 한다.

아침의 엷은 안개가, 저녁의 밤안개가 바다 언저리에 서리고 있을 때, 석양이 잔잔히 비껴 도는 가을날의 오후에, 뱃머리에서 돌아오는 어부들의 모습이나, 눈이 펑펑 내리는 겨울밤 어선에서 희미하게 흘러나오는 불빛이 어두운 항구를 적실 때, 그 고요하고 적막이 깃든 경건한 대자연의 엄숙함에 우리들은 머리를 숙이게 된다.

우리들이 삶에 지쳤을 때, 혹은 우울한 때나 기쁠 때, 갖가지 착잡한 감정을 지닌 채 바다 앞에 서게 된다. 그리고 그 푸른 물결에 애환을 띄워보내기도 하고 그 푸른 물결을 가슴 가득히 끌어안고 뒹굴기도 한다. 바다에서 우리는 마음의 안정과 평화를 찾기도 한다. 모순과 혼란과 낙망이 저절로 풀려지기도 한다.

바다는 생명의 근원이기도 하고 생명의 힘이 되기도 한다. 옛날 하느님께서는 세상에 벌을 내릴 때 장마를 보내어 40일간 계속 비를 퍼부어 이 세상의 추함과 악과 거짓됨을 씻어버린 홍수의 대기적을 보여주기도 했다.

바다의 출렁임은 생명력의 거리낌없는 포효이다. 바다는 항상 새롭다. 썩는 일도 없다. 다만 끊임없는 일월(日月)을 흘려보내고 있다. 바다는 가슴에 생명의 활력소를 가졌기 때문에 썩지 않고 있는 것이다.

바다는 모든 것을 받아 껴안는다. 산의 육중한 모습도, 푸른 하늘과 하늘을 갈아제치는 흰구름도, 지나가는 산새의 그림자도, 별도, 보름달도, 조각달도 다 껴안아 넓은 도량을 베풀어준다. 개천물도, 가냘프게 흘러들어오는 시냇물도, 흐린 물도 차별을 두지 않고 자기를 향하여 오는 모든 것을 반가이 품에 안아준다. 세상이 싫어 바다에 뛰어든 인간들까지 아무 말 없이 받아주고 품어준다. 말을 하면서 또한 침묵을 지키는 것이 바다이다. 모든 것을 받아주고 그들과 혼연일체가 되어서 다투지 않고 쫓아내지 않는다.

만약 이러한 바다가 없다면 우리들의 가슴은 얼마나 삭막하겠으며 만약 바다가 없었다면 얼마나 많은 가슴들이 터져버렸을까? 모든 함성을 포용하지만 오직 침묵으로 잠재우고 모든 침묵을 받아 또한 함성으로 내뱉을 줄도 아는 바다의 철학과 도(道)의 교훈은, 이 지구상의 모든 인류가 캐고 분석을 해도 그 일부마저 파헤치지 못할 것이다.

우리나라는 삼면이 바다라는 것을 누구나 알고 있다. 그러나 그러한 바다들을 한번도 못 본 국민도 많다고 한다. 바다를 다스릴 줄 아는 민족은 그 바다처럼 넓은 세력을 세계에 펼 수 있을 것이고, 바다를 두려워하고 바다를 멀리한 민족은 항상 쪼들린 가슴을 지닌 채 늘 그대로의 생활 속에서 허덕이고 말 것이다.

바다의 넓은 가슴을 바라보며 우리의 정신은 오늘도 늘 새로이 키워가야 할 일이다. 바다는 늘 우리와 함께 있고 우리의 생각은 늘 바다를 향하여 있어야 할 일이다.

바다에 대한 끝없는 향수는 우리 인간의 끊임없는 향수이다. 그 향수가 있기 때문에 오늘도 우리는 복잡한 도회지에서 그날그날 살아가면서도 온갖 짜증을 달래고 있는지도 모른다.

비행기를 타고 태평양의 상공을 날아보지 못한 나로서는 어떻게 달리 상상할 수도 없겠지만 너무나 작은 인간임을 알고 정신없이 바닷속으로 뛰어내릴 착각을 일으킬 것만 같다. 바다의 영원한 유혹에 끌리어 뜨거운 햇볕이 쨍쨍 내리쬐는 남쪽의 타이티 섬에서 야만스럽게 살다 간 화가 고갱을 이해할 만도 하다. 물감과 붓만을 가지고 모든 인간들로부터 멀리 떨어져서 자기만의 희망과 새로운 힘을 얻어 살다가 간 고갱이 얼마나 더 순수하고 얼마나 더 인간적인 삶이었겠는가?

우리는 헤밍웨이의 소설 『노인과 바다』를 기억하고 있다. 늙은 어부가 거대한 고기를 잡기는 했지만, 상어떼들의 습격을 받아 고기의 살을 모두 뜯기고는 실신 상태로 돌아오는 그 고난과 시련은 우리들에게 무엇을 암시하고 있는가. 그 노인은 바다에서만 용기가 용솟음치고 잃어버린 청춘에 대한 동경을 지니고 있다. 노인이 배의 바닥을 딛고 버티는 장면은 인간의 등에 짊어진 고난의 십자가와 동일한 것이기도 하다. 그 노인에게 있어서 바다는 큰 은혜를 베풀어주기도 하지만 좌절과 슬픔을 안겨주기도 한 존재인 것이다.

바다는 허다한 풍요와 가능성을 배태하고 있기 때문에 모성(母性)의 힘이 있다. 그 모성으로 바다는 모든 생명을 기른다. 각종의 물고기와 해초 등등 제각기의 생명과 제각기의 개성을 포용하면서 누구의 간섭도 받지 아니하고 키워낸다.

나는 어렸을 적에 시냇물에 빠져 죽었다가 살아난 경험이 있어

누구보다도 물을 싫어한다. 그러나 시냇물은 무서워하지만 바다는 웬일인지 싫지가 않다.

　요즘도 가끔 좁은 강에서 빠져죽는 익사자들을 볼 때마다 참 안됐다는 생각이 든다. 넓은 바다를 두고 하필이면 비좁은 강물에서 빠져죽게 한 운명의 신이 너무나 야박한 것이 아닌가.

　하여튼 나는 내 생명이 붙어 있는 한 바다와 친하려 한다. 내 마음속 어디에 빈자리가 날 때마다 '바다'로 꽉 채워놓고, 내가 미처 실재의 바다를 찾아가지 못한다고 하더라도 그 파도소리와 그 푸르름과 그 포용을 들으려 한다.

『아리랑』 1973년 9월호

벨벳치마의 여선생님과

　내 나이 벌써 33세, 일생의 절반쯤을 살아버린 듯하다. 그 일생의 절반쯤을 살아왔다고는 하지만 '사랑'이란 것에 대해서는 지나치게 우둔하여 아는 바가 없다. 노름꾼·사기꾼·술꾼 하듯이 요즘은 '사랑꾼'들도 상당히 많은 모양인데, 나는 사랑에 관한 한 별다른 과거를 지니지 못했다. 다만, 사랑이란 것은 남자와 여자 사이에서 벌어지는 일련의 사태들 중에서 가장 순수한 정신적인 알맹이의 어떤 것을 지칭하는 것이 아닌가 하는 보편적인 뜻풀이 정도는 알고 있다.

　길거리를 거니노라면 눈에 띄는 것들 중의 태반은 사람들이고, 그 사람들은 너나 할 것 없이 남자 아니면 여자로 구분되는데, 여자를 바라보다가 문득 나는 까마득한 소학교 시절의 벨벳치마 입은 여선생님을 내 머릿속에 떠올리곤 한다.

　나는 K시에서 약간 떨어져 있는 변두리 학교를 다녔는데, 키가 큰 댓가로 분단장은 내 차지이고, 급장도 6년을 내리 내 차지이고, 학급수석 학년수석 전교수석도 내 차지이고, 군(郡)대회 학력대회 수석도 모두 내 차지이어서 통신표에는 모두가 '갑'자뿐이고 '을'자 한 자 어디 들어갈 구멍을 허락한 적이 없는데다가, 동네에서는 물론 전학교에서도 싸움도 제일 잘했기 때문에 명실공히 문무(文

武)를 겸한 꼬마 재사였다.

그런데 5학년 때 내 반 담임선생님은 그해에 사범학교를 갓 나온 앳된 소녀 선생님이었는데 실력 면에서나 체구 면에서나 나와 거의 동등한 처지였다. 약간의 장난기에다가 학구열을 가미해서 시간마다 나는 곧잘 어려운 질문들을 던지곤 했는데, 그럴 때마다 미처 답변을 못해 창피하고 부끄러워 어찌할 바를 몰라 그 예쁜 동글동글한 두 눈을 고정시키지 못한 채 얼굴이 불그죽죽 타오르는 그 모습이 좋아서 계속 어려운 질문(내가 알기로는 쉬운)들을 던지곤 했다.

그러나 그 여선생님은 나를 싫어하지도 않았다. 공부 잘해, 싸움질 잘해, 별다른 거짓말 안해, 일 잘해, 그러므로 나를 미워할 하등의 이유도 없었을 뿐만 아니라 도리어 씩씩한 내 소년미(少年美)에 끌려가는 것도 같았다.

그 선생님이 일요 일직이라도 걸리는 날이면 집안의 농사일 심부름 따위는 걷어차버리고, 텅 빈 교무실에서 혼자 앉아 계실 그 선생님을 향해 달려가서, 급우들의 시험지 채점도 해주고, 학교의 잡무까지 돌봐주곤 했다. 우리는 간식으로 그때의 유일한 음식인 찐고구마를 사다가 주전부리를 하기도 했는데, 쏜살같이 달려가서 사오곤 했다. 조금이라도 그 여선생님 곁에 있는 것이 즐거웠기 때문이다. 그런데 그 여선생님은 그때 늘 벨벳치마를 입고 계셨는데, 그 치마 끝이 내 살의 어디에고 스칠 때 닿는 그 감촉과 가녀린 화장냄새가 나에겐 최상급의 선물이었다.

우리들은 틈만 있으면 학급일 학교일까지를 같이 해내곤 할 정도로 친근했다. 그런데 어느 여름날 방과후에 뜻하지 않은 일을 목격했다. 그 학교에는 키도 날씬한 미남 남선생님이 한 분 계셨는데, 그 남선생님이랑 여선생님이 꽃밭 깊숙이 나란히 앉아 있었다. 앉아 있는 것만 보아도 질투심 같은 것이 솟구쳐서 모래를 한움큼 집어다 뿌려버릴까, 두레박으로 우물물을 떠서 뿌리고 도망쳐버릴까 망설이며 애만 태우며 들키지 않게 엿보고 어찌할 바를 모르고 있는데, 어럽쇼, 그 감촉 좋은 벨벳치마폭으로 남자 선생님의 구두코를 살살 문질러 광을 내주고 있는 것이 아닌가! 세상이 빙빙 걷잡을 수 없이 돌아가는 것만 같고 눈에서는 노란 불이 툭툭 치기 시작해서 텅 빈 교실로 들어와서 발로 칠판을 마구 차고 발광을 했다. 아니 세상에 그 좋은 벨벳치마로 남자 구두코를 살살 닦아주고 있다니…… 헌데 그 남자 선생님은 벨벳치마를 버리는데도 말리지 않고 먼 하늘만 멀거니 바라보고만 있다니…… 나는 칠판에다가 다음과 같은 광고문을 썼다가 눈물바람으로 다시 지워버리고 집으로 와서 그 씩씩하고 건장하던 나는 저녁밥도 안 먹고 이삼 일 결석해버렸다.

"미남 선생님 ○○○는 내일 당장 다른 학교로 안 가시면 소문을 내버리겠다. ○월 ○일 조태일."

그리고 나는 얼마를 더 다니다가 K시의 중심가에 있는 제일 큰 학교로 전학을 해버렸는데, 그 이유 중의 하나는 벨벳치마와 구두코 사건이었다. 나중에 나중에 들은 소문이지만 그 구두코를 내맡기고 멀거니 하늘을 쳐다보던 미남 선생님은 군대에 입대하셨고, 그 벨벳치마 두른 여선생님은 큰 병원의 간호원이 되었다는 것이다. 그리고 씩씩하고 공부 잘하고, 뒤통수에 흉터투성이던 소년은 이런 글을 쓰는 요런 사람이 되었다.

『진주』 1974년 1월호

가을은 내 시의 어머니

　수많은 시인들이 당신을 노래하기에 인색하지 않았고, 앞으로도 인색하지 않을 것으로 확신하므로, 당신만이 간직한 그 높고 맑고 깊고 낭랑한 비밀이 한 가닥 두 가닥 벗겨져버리지나 않나 해서 격에 안 어울리는 질투까지를 품어봅니다. 그러나 당신은 나의 시이자 어머니이므로 쉽게 나를 저버리지 않을 것입니다.

　당신도 잘 기억하시리라 믿습니다만 지금으로부터 34년 전, 그러니까 1941년 9월 30일(음력으로는 8월 10일) 지리산 골짜기에서 당신은 나를 이 세상에 태어나게 했습니다.

　내가 자라는 동안에도 당신은 나에게 여러가지 선물을 내려주셨습니다. 내가 뛰어놀던 뒷산이며 앞 들판이며 심지어는 마당 어귀에까지 그 살찐 멧돼지 새끼들이며 사슴·노루·여우·이리떼들을 보내어 힘차고 평화스러운 율동을 배우게 했으며, 앞 개울가에 하늘로 치솟는 밤나무들을 주시어 그 밑에서 소나기 쏟아지듯 떨어지는 알밤으로 하여금 뒤통수가 툭 내민 내 머리를 짜릿하게 두들겨주는 자극도 맛보게 했습니다. 그뿐입니까? 온 산에 접시만한 새빨간 접시감이며 단풍이며 온갖 붉은 산열매를 열리게 하여 나로 하여금 원초적인 색채감각을 알게 하셨습니다.

　이러한 어머니이시기에 저는 한번도 당신을 미워한 적이 없으며,

따라서 될 수 있으면 당신을 닮아가려 무척 애를 쓰고 있습니다.

아시다시피 당신의 하늘이 높으매 내 키도 커서 높고, 당신이 모든 만물을 살찌게 하고 영글게 하시매 내 몸짓 또한 풍만하기 이를 데 없고, 당신의 피부 또한 까무스럽고 거칠듯이 내 머리통에 난 머리카락 역시 갈대처럼 거칠지만 그 흔해빠진 포마드기름 한번 안 바르고 당당하게 지금까지 지내오고 있습니다. 포마드를 발라 음습한 곳에서 창궐하는 독버섯처럼 다닥다닥 붙어서 자라는 비듬이 싫어서가 아닙니다. 다만 당신을 조금이라도 닮아볼까 해서입니다.

이러한 나이기에 내가 이 세상을 떠나가는 때도 당신 곁에 있을 때일 것입니다.

이 가을에 가을 사람들아.
흐르는 물 위에다가나 바람 위에다가나,

성 한번 쓰고 기침 한번 하고,
이름 첫자 한번 쓰고 기침 한번 하고,
이름 끝자 한번 쓰고 기침 한번 하고,

우리들 모가지 단풍물 들거든,
우리들 목소리 단풍불 붙거든,

곱게 이름 한번씩 부르자.
이 가을에 가을 사람들아.

이 시는 내가 10여년 전에 쓴 「이 가을에 가을 사람들아」란 시입
니다. 이 시를 삼가 내 어머니이신 가을, 당신에게 감히 바칩니다.

『샘터』 1974년 10월호

돈, 돈, 돈······ 이것이 젊은이의 우상인가?

이 지구 위에는 36억이나 되는 어마어마한 사람들이 들끓고 있는데 이중 20억에 가까운 수가 25세 이하의 젊은이들이라는 유엔 측의 통계숫자를 몇해 전 읽은 기억이 난다. 그야말로 이 지구 위에는 25세 이하의 싱싱한 젊은이들이 들끓고 있는 셈이다.

비록 그들이 양양한 인생의 앞날을 어떻게 개척하고 어떠한 행동의 결말을 짓고 자연의 일부로 되돌아갈지는 알 수 없으나, 이들 젊은이들이 장래의 인류사에 있어서 주인공이 되리라는 것은 필지의 사실이다. 비록 이들은 어리지만, 이들의 시대는 인생에 있어서 황금의 시대로 접어드는 찬란한 시기이며, 어린이 세계에서 어른의 세계로 옮겨가는 과도기이며 또한 이 시기는 인간의 전생애를 통해서 신체적으로나 정신적으로나 가장 격렬하게 성장하고 마음 설레는 불안전한 질풍노도의 시대이며, 장차 자기가 원하는 가정이나 사회, 더 나아가서는 국가를 건설하여 자기의 인격과 행복을 쌓기 위한 인생관이나 세계관을 형성하기 시작하는 시기인 것이다.

이처럼 중대한 시기의 청년층을 수식하는 데 있어서 동서고금의 현인이나 세계의 석학들은 조금도 인색하지 않았다. 대충 우리들의 귀에 익었음직한 '청년 수식'의 현란하나 조금도 과장이 아닌 것 같은 말들을 적어보자.

"만약 내가 신이었다면 나는 청춘을 인생의 종말기에 두었을 것이다" "청년에겐 비록 많은 결점이 있다고 하지만 점차 없어지게 마련이다" "혼이 깃들어 있는 청년은 쉽게 말하지 않는다" "청년의 사전 속에는 실패란 단어가 없다" "청년은 가르침을 받기보다는 자극되기를 바란다" "청년은 미래를 갖고 있다는 것만으로도 행복한 시절이다" "청년은 결코 안전주(安全株)를 사서는 안된다" "옆에서 유혹하는 사람이 없어도 청년은 자기자신에게 모반(謀反)하고 싶어한다" "청춘은 밖으로는 붉게 빛나지만 속에서는 아무것도 느끼지 못한다" "새 술은 새 부대에 담아야 한다" 등등 참으로 푸짐한 말들로 수식하고 있지만 결국 이 말들은 사랑·희망·열정·능동·불멸·순수·거역·미숙 등으로 비약시킬 수 있다. 그러므로 청년들은 증오·절망·무료·수동·멸망·속물·완숙·타협 따위의 대상물이 될 수 없는 존재인 것이다.

그런데 오늘날 이런 젊은이들에게 우상처럼 여겨지는 하나의 큰 괴물이 있는데 그것은 바로 배금사상의 철두철미함이다. 바로 이 '돈'에 대한 기막힌 애착은 기성세대들이 저질러놓은 죄과 중의 모범이기도 하지만, 청년들이 너무나 쉽게 돈과 타협한 나머지 이제는 돈의 노예가 돼버린 듯한 착각마저 든다. 청년이기 때문에 사회악에 쉽게 물들 수 있는 감수성이 예민하기는 하지만, 청년이기 때문에 여러 가능성을 눈앞에 열어놓고도 쉽게 배금주의의 노예가 되어서는 청년 기질에도 어긋난다고 볼 수 있는 것이다.

요즘의 젊은이들은 너나 할 것 없이 자기를 어떻게 지키고 키워나갈 것인지 판단과 기준마저도 희미한 채 살아가는 마당에 어떻게 사회와의 연관 속에서 자기를 성찰할 수 있겠느냐 하는 철저한 이기주의의 범람을 볼 수 있다. 그러나 자기 개인이 처해 있는 현실상황도 자기자신의 일부인 것이다. 그러므로 사회현실이 병들어가고 있다는 사실은 바로 자기자신이 병들어가고 있다는 사실과도 통할 수가 있다.

이러한 사회악은 바로 배금사상에서 싹튼 것임엔 틀림없다. 돈으로 사랑을 살 수도 있고, 돈으로 육체를 살 수도 있고, 돈으로 지식과 권력을 얻을 수 있고, 돈으로 지식과 양심을 매매할 수도 있다는 풍조는 바로 안일과 나태와 속임수를 낳고 살았는데, 우리 젊은이들이 쉽게 그러한 풍파에 휩쓸린다는 것은 앞에서 잠시 인용해 보았던 '청년 예찬'의 진리를 무색케 하고 만다.

하늘이 낮다 하고 치솟기만 하는 빌딩군이며, 사람의 생명을 아무 거리낌 없이 질주하는 자동차들의 홍수, 혼잡한 거리의 수많은 군상, 각종 회사에서 그럴싸하게 쏟아내는 규격품의 범람 속에서 우리들이 지금 크나큰 빈곤을 느끼고 사는 이유는 바로 물질이 정신을 압도하는 현상 때문인 것이다.

물질의 풍성함에 반비례해서 정신은 메마르고, 그래서 피곤하고 걷잡을 수 없는 제현상의 급변 등등으로 우리들은 영원 앞에서는 진작 무릎을 꿇고 일순간의 안일과 쾌락 앞에서 눈이 멀고 말았다. 일순의 안일과 쾌락은 이기심·타산심을 낳고 급기야는 돈의 우상화를 낳고 말았다. 인류 역사가 있어온 이래 그렇게 열심히 닦고 간직해온 인간의 지혜는 어디로 쫓겨갔는지 좀처럼 찾아보기 힘든 상태에까지 와 있는 것 같다. 하루도 그칠 날이 없는 살인·강도·강간·수뢰·사기·배신 사건들은 나와 무관한 것이 아니고 내가 저지르고 있다고 생각해보자. 그리고 이러한 일련의 사건들은 모두 돈과 유관하다고 생각해보자. 도대체 그 돈이란 무엇인가.

사람이 사람답게 살기 위해서 사회를 만들었고 사회를 만들어 살다보니까 상거래상 필요한 방편으로 일정한 약속하에 돈이란 것을 만들었던 것인데, 이 돈이 아이러니컬하게도 인간을 지배하고 인간을 모독하고 인간을 구속하고 배신하고 마는 결과를 초래했다. 그러나 돈의 위력이 아무리 거세다고 하더라도 인격이나 지식, 정의나 자유, 양심, 사랑, 학문 등등의 무형의 정신세계는 살 수 없는 것이다. 단지 인격이나 지식인 것처럼 보이는, 양심이나 사랑인 것처럼 보이는, 마치 그 외형의 '~인 것처럼'만을 사고파는 것이지 그 본질을 통째로 매매하는 것은 아니다.

그러므로 우리는 아니 특히 젊은이들은 과거부터 현재에 이르기까지 진리처럼 들리기만 하는 속담, 이를테면 "돈만 있으면 귀신도 부릴 수 있다" "돈만 있으면 개도 멍첨지" "돈만 있으면 처녀 불알도 산다" "돈이 제갈량(諸葛亮)" "돈이 장사다" "돈이 많으면 장사를 잘하고 소매가 길면 춤을 잘 춘다"는 따위에만 귀기울일 일이 아니라 "돈 모아둘 생각 말고 자식 글 가르쳐라" "돈 주고 못 살 것은 지개(志槪)"라는 말에 귀기울여 경청해야 할 것이다.

달도 차면 기울듯이 모든 지위도 한계에 달하면 기울고 금력이란 것도 한계에 도달하면 기울고 말지만, 따라서 모든 허영도 기울고 말지만, 인간의 정신세계는 어떤 것이 제아무리 꽉 차도 기우는 법이 없고 오직 지혜와 인격을 넘쳐나게 해서 세상을 믿음과 창조로 채우는 법이다. 사실 오늘의 기성세대나 젊은 세대는 과거 어느 때보다도 혜택받는 조건 속에서 살면서도 사람이 저질러서는 안 될 갖은 부조리의 범람 속에서 답답한 생활들을 하고 있다.

우리는 잠시라도 이 세상살이의 혼돈을 떠나 달팽이가 자기 껍데기 속으로 쑥 들어가듯이 우리도 잠시나마 우리가 버렸던 정신세계로 돌아가 비록 기독교인이 아니더라도 다음과 같은 성경 글귀를 음미해볼 필요가 있지 않는가.

"진실로 너희들에게 고하노니 부자는 천국에 들어가기가 힘들다. 그리고 또 고하노니 부자가 신의 나라에 들어가기보다는 낙타가 바늘구멍을 뚫고 나가는 편이 훨씬 용이하다"는 말을.

『진주』 1975년 9월호

모래·별·바람·민중

이군.

어쩌다가 이렇게 무기력한 시인이 되어버렸는지 심히 부끄러워서 얼굴을 가눌 수가 없습니다. 예전엔 편지 쓰기나 편지 받아보는 재미가 있었지만 이제는 그렇지가 못합니다. 편지 읽는 일이 이젠 무슨 고지서나 징집영장을 받아 읽는 기분이 들 때가 많습니다. 그만큼 나는 무기력해졌습니다.

이군.

왜 이렇게 젊어야 할 나이에 젊어 있지 못하고 마냥 오그라드는 삶을 살아가는지 모르겠습니다. 군의 편지를 받아 읽고 한 달 만에야 이 부질없는 글을 쓰고 있는 꼴이 아주 어색하고 부끄러워집니다. 이래서는 안되겠다고 하루에도 몇번씩 다짐을 하면서도 말입니다.

이군.

일요일입니다. 어제는 친구들과 어울려 밤늦게까지 폭음을 한 탓으로 맥이 완전히 빠진 허탈한 상태에서 이 글을 씁니다. 정신은 아직도 흐린 날씨처럼 몽롱하고 내 육신은 마치 남의 육신처럼 내 맘대로 어찌할 수도 없습니다. 일요일인지라 교회당의 종소리가 간간이 들려오고 개 짖는 소리도 심심치 않게 섞여 들려오고 있습니다. 서울 변두리에 자리잡고 있는 신흥주택가인 이곳엔 밤낮을 안 가리고 개들이 짖어쌓곤 합니다. 아주 불쾌합니다. 세상에서 제일 듣기 좋은 소리는 어린애 우는 소리, 다듬이 소리, 여자 옷 벗는 소리라고 들은 적이 있습니다. 그 세 가지 소리 중에 단 한가지 소리도 안 들리는 동네입니다. 그만큼 황량하고 음산한 곳입니다. 내가 사는 이곳뿐 아니라 서울의 어딘들 그런 소리들을 듣지 못할 것입니다.

나는 언제부터인가 매우 괴팍한 성격에 길들여지고 있는 것 같습니다. 무슨 명절날이 돌아오면 두문불출하고 책을 읽는다든지 낮잠을 즐기는 일 말입니다. 따지고 보면 그만큼 폐쇄적이고 정적인 생활습관이라고 할까요? 하여튼 명절날은 아니지만 낮잠을 실컷 자야만 몸이 풀릴 것 같은데, 고지서에 대한, 영장에 대한 어떤 행위가 뒤따라야 하는 심정으로 이 볼펜이 편리하게 구르는 대로 이 글을 쓰고 있습니다.

이군.

군이 내게 보낸 편지를 읽고 부끄러워 어찌할 바를 몰랐습니다. 무엇인가를 해보려고, 무엇인가를 힘껏 외쳐보려고 움직이고 있는 군이지만, 나는 언제부터인가 무기력한 채 이런 꼴로 지내고 있었습니다. 지금은 상당히 오래된 일이어서, 군이 보냈던 그 편지 내용이 잘은 안 떠오르지만, 그 편지를 읽고 대충 느꼈던 점은 이군이 무엇인가에 대해 상당히 답답해하고 있는 게 아니냐는 것이었습니다.

사실 1974년의 겨울은 길고 컴컴하고 지루한 터널과 다름이 없었습니다. 많은 사람들은 감옥에서 그 겨울을 보냈고, 우리들은 어떤 공포나 체념 속에서 그 암담한 터널을 걸어나왔습니다. 그 터널을 빠져나오면서 어둠의 공포에 떨기도 하고, 그 터널이 길때 지치기도 하고, 혹은 아픔에 눌려 주저앉은 채로 엉엉 울어버리기도 했습니다. 그러나 우리는 그대로 주저앉은 채로 아무도 모르게 죽어갈 수 없었기에, 그 터널의 위를 뚫고 나올 수도 없었기에, 그렇다고 해서 다시 물러설 수도 우회해서 빠져나갈 수도 없는 상황이었기에, 아프고 쑤시는 다리를 가까스로 끌며 일어나 묵묵히 걸으며 걸으며 그 터널 속을 가까스로 빠져나왔던 것입니다.

이야기가 상당한 거리를 두고 딴 데로 흘러갔습니다. 다시 그전 이야기로 되돌아갑시다. 이군의 편지를 읽고 상당 기간 부끄러워했고 멍청해져 있었다는 점은 아까 약간 비쳤습니다. 그 편지를 읽고 며칠이 지난 뒤였다고 기억합니다. 하도 답답해서 명동성당을 찾아갔었습니다. 거리에는 무수한 형제들이 있을 것이라는 확신에서였습니다. 남자 아니면 여자들로 뒤범벅이 된 서울 거리의 그러한 대중이 아니라 무엇이 일어나지 않나 하는 기대를 걸고 몰려드는 그런 다수 민중이 그리워서였습니다.

정말로 많은 형제들이 구름처럼 모여 있었습니다. 모두가 민주회복을, 인권회복을 열망하는 뜨거운 장소였습니다. 그 속에서 이군을 만났습니다. 이군도 기억하겠지만 나는 손을 내밀어 이군의 손을 맞잡았습니다. 그리고 아무 말도 안 했습니다. 가슴속으로만 우리들은 말을 하고 있었을 뿐입니다. 그런데 그렇게 서로들 마음속으로 뜨겁게 대화를 나눌 수 있었기에 거기 모인 많은 사람들이 모두가 다 예쁘고 착하게 보였습니다. 그 무엇에 대한 강렬한 그리움과 사랑과 어떤 바람으로 뒤범벅이 된 채 침묵으로 말하고 침묵으로 행동하는 그들은 우리들이 몇년째 서로 격리된 채 서로 잊고 살아온 그리운 민중이었습니다. 지금은 '민중'이란 말만 들어도 가슴이 벅차고 설렙니다. 참으로 그날은 열기가 가득했던 시간이었고 장소였습니다.

이군.

이제 편지 이야기는 그만 접어두기로 합시다. 말이 많으면 으레 행동이 뒤로 처지게 마련입니다. 행동이 뒤따르지 못한 말은 물거품에 지나지 않습니다. 앞으로 어떤 시간 어떤 장소에서 이군과 마주칠지는 모르겠으나 우리들은 그때 무슨 행동인가를 해야 합니다. 그 행동은 사랑의 실천을 말합니다. 민중끼리의 사랑의 실천은 곧 인간이 역사를 진보, 발전시키는 원동력이 되는 것입니다. 행동이 있는 곳에 발자국도 있고 그림자도 있습니다.

이군, 다음과 같은 시를 이군에게 들려주고 싶습니다. 얼마전에 쓴 나의 졸작입니다. 별과 바람 그리고 모래들을 민중의 화신으로 표현해보았습니다.

　　저 파도 우는 소리 듣고파서
　　저 넓은 가슴팍에 안기고파서
　　수많은 모래들은 밤낮으로
　　바닷가에 귀 세우고 모여앉아
　　끼리끼리 몸 비비며 반짝일 뿐!
　　헤어져 돌아올 줄 모른다.

　　저 대낮의 잠이 그리워서
　　저 가없는 푸름에 안기고파서
　　수많은 별들은 긴긴 밤을
　　달 주위에 모여 뜬눈으로 반짝일 뿐!

돌아앉아 눈감을 줄 모른다.

저 일렁이는 숲의 숨결을 듣고파서
저 깊고 푸른 고요를 일깨우고파서
수많은 바람들은
잎새에 붙어 조잘거릴 뿐!
돌아와 폭풍이 될 줄 모른다.

아직은 모래고 별이고 바람일 뿐!
헤어져 돌아올 줄 모른다
돌아앉아 눈감을 줄 모른다.
돌아와 폭풍이 될 줄 모른다.

—「모래·별·바람」 전문

　더욱 현명하고 지혜롭고 용기있는 행동이 앞서기를 두 손 비비
며 기원합니다.

1977년 발표 지면 미상

애증

감정의 여울목

사람은 누구나 한번 태어나서 한번 죽는다. 이 세상을 밉게 살았거나 곱게 살았거나 일정 기간 동안 사람들과 더불어 살다가 목숨이 다하면 이 세상을 떠나야만 한다. 자연의 섭리가 그런 것이다. 사람뿐만이 아니고 생명이 있는 모든 생물은 이 섭리를 거역할 수가 없다.

이 진리 앞에서 사람들은 누구나 숙연해지지 않을 수 없다. 죽음 앞에서는 모든 인간이 두루 가지고 있는 감정들도 죽는다. 그런데도 저마다 살아 있는 동안에 숱한 감정의 소용돌이 속에서 싸우고 헐뜯고 욕하고 미워하면서 한평생을 산다.

사람으로 태어나서 사람들은 사람답게 살다가 자기의 삶을 마감하는 경우도 있을 것이며, 짐승처럼 아니면 나무나 돌멩이처럼 무감각하게 살다가 이 세상을 마감하는 경우도 있을 것이다. 사람답게 살다가 떠난 사람들은 후세들에게 유익한 무엇인가를 남겨놓은 사람이요, 나무나 돌멩이처럼 살다 간 사람들은 아무것도 남기지 않았거나 남겼으되 후세에게 끼칠 아무런 영향도 남기지 않은 사람들일 것이다.

그런데 누구나 이 세상에 태어나서 좋은 일을 하기 싫어하는 사람들은 하나도 없을 것이다. 누구나 한번 태어난 마당에 좋은 일을 하고 싶어하지 나쁜 일을 일부러 저질러가면서 살려고는 하지 않을 것이다. 그러나 누구나 좋은 일을 하고 싶다고 해서 제 마음대로 다 해지는 것은 아니며, 누구나 나쁜 일을 하려고 한다고 해서 다 나쁜 일만을 하게 세상이 그대로 놓아주지는 않는다. 사람이 하고 싶다고 해서 다 되는 세상이라면 이 세상살이가 그렇게 아기자기하고 굴곡이 많은 희비애락이 점철되지는 않을 것이다. 따라서 소위 인생살이라는 것은 사람이 마음먹은 대로 그냥 되는 것도 아니요, 그냥 안되는 것도 아닌, 그렇다고 아무것도 할 수 없는 것도 아닌 것이다.

그러나 분명한 것은 사람들이 이 세상을 살아가면서 몇가지의 감정만은 가지고 살아간다는 점이다. 이 몇가지의 감정이란 것은 다름아니라 미움과 사랑이란 것이다. 이 두 감정은 우리가 이 세상을 살아가는 데 있어서 극히 기본이 되는 감정의 주춧돌이다.

우리들은 서로 미워하고, 미워하다가 사랑하고, 사랑하다가 금세 미워하는 반복을 거듭하면서 세상을 평화 속으로 이끌기도 하고 평화와 상극인 전쟁의 소용돌이 속으로 이끌어가기도 한다. 사실 모든 종교도 이 두 가지 기본 감정에서 출발했다고 해도 지나친 말은 아닐 것이다.

평화롭게 들리기만 하는 교회당의 종소리는 결코 사랑만을 우리들에게 울리는 것은 아니며, 심야에 울리는 절간의 목탁소리 또한 자비스러운 소리만을 우리들에게 울리는 것은 아니다. 이들 소리 속에는 반드시 미움도 들어 있을 것이고 사랑도 들어 있을 것이다. 단지 이 사랑과 미움을 통해서 영원한 세계로 우리들의 영혼을 끌어올리기 위해서 혹은 인도하기 위해서 종소리도 목탁소리도 울리는지도 모른다.

그런데 이 기본적인 미움과 사랑의 두 감정은 사람들에게만 있는 전유물이 아니라 사람 아닌 동물에게도 있다. 그러나 동물들의 감정은 사람들의 감정보다는 더 폐쇄적이고 단순하여 그런 감정들이 오래 지속되지는 못한다.

우리는 골목에서나 또 어디서든지 개들이나 닭들이 물고 짖뜯으며 싸우는 광경을 종종 보는 바이지만 이 싸움은 시간만 약간 지나면 우리들의 눈을 의심할 수밖에 없게, 언제 우리들이 싸웠느냐 싶게 그냥 풀어져서 정답게 서로 어울려 노니는 것을 본다.

이처럼 동물들의 감정은 그냥 수그러들지만 사람들의 감정은 어떻게 된 까닭인지 오래오래 지속된다. 옛날도 그렇지만 지금까지도 가문(家門) 싸움 같은 것은 몇대째 걸쳐서 계속된다. 이 싸움은 결국 미움을 빨리 사랑으로 바꾸는 기간이 길다는 이야기가 된다.

우리들의 생활에서 사람과 사람의 만남에서 미움은 짧고 사랑만이 길다면 얼마나 좋은 생활일까 생각하는 경우가 많다. 인간의 감정은 참으로 알 수 없이 복잡하다. 이 복잡함을 쉽게 풀 수 있는 사람은 성인이 되고, 이 복잡함을 빨리 풀지 못하고 그 복잡함 속에 뒤엉켜 자기 주위를 살필 수 있는 능력과 판단이 없는 사람은 남에게 지탄을 받는 악인이 된다. 그렇다고 해서 이 성인과 악인의 구분은 쉽게 되지 않는다. 모든 진리가 그렇게 쉽게 이룩되는 것이 아니고 반복에 반복을 거듭함으로써, 그러니까 어려운 우여곡절을 겪음으로써 우리에게 그 가치가 부여되는 것이리라.

십자가에 못박혀 죽은 예수도 그때는 죄인으로 취급되었으며, 지구가 돈다고 말했던 코페르니쿠스도 당시엔 죄인으로 죽임을 받았으며, 소크라테스 또한 그랬던 것이다.

아무튼 우리들이 가지고 있는 미움과 사랑의 두 감정은 자기의 마음 상태에 따라 쉽게 변하는 간살스런 마음임엔 틀림없는 것 같다. 우리들은 매일매일 이 감정의 포로가 되어서 살아가고 있다. 이 감정은 폭우로 씻어버릴 수도 없고, 휘발유를 끼얹어 태워버릴 수도 없다. 다만 이 두 감정은 죽음으로써만 극복할 수 있는 두려운 감정이다. 우리들은 이 두려운 감정을 가지고 있으면서 하나도 두려워하지 않고 살아가고 있는 것이다. 죽음을 부르지 않고는 없앨 수 없는 이 두 감정을 우리는 하루도 한시도 마음에서 떠나게 할 수 없는 상태에서, 더 자세히 말하자면 오직 이 두 감정의 반복 속에서 살아갈 뿐이다.

자기 마음이 평화롭고 정상적일 때는 남들도 그렇게 평화롭고 사랑스럽게 보이는 것이고 사람 아닌 모든 동물 심지어는 무생물을 보는 마음까지도 평화롭고 사랑스럽기만 한 것이다. 반대로 자기의 마음이 심란하고 언짢을 때는 남들도 그렇게 심란하고 언짢게 보일 뿐만 아니라 심지어 목숨이 없는 돌멩이까지도 심란하고 언짢게 보인다. 자기의 마음이 기쁠 때는 남도 그렇게 기쁘게만 보이고 자기의 기분이 나쁠 때는 남도 그렇게 기분이 나빠 보인다. 자신이 사랑스러울 땐 남도 사랑스럽고 자신이 밉살스러울 땐 남도 밉살스러워 보인다. 참으로 사람들은 이기적이고 타산적인 존재라고 아니할 수 없다.

누구한테 칭찬을 들었을 땐 그 칭찬을 남에게 해주고 싶은 충동을 어쩌지 못하여 남을 무턱대고 칭찬하느라 실없는 떠벌이가 되기도 하며, 남에게서 자기의 약점이나 꾸중을 들었을 땐 또다른 남의 약점이나 꾸중을 파고들어 실없이 미움을 사고 마는 경우도 많다.

술을 한없이 들고 난 뒤에는 속이 쓰리고 기운이 없어, 남들은 그렇게 큰 희망을 품고 맞이하는 새벽이건만 일어나기 싫어 짜증을 일삼는가 하면, 그다음부터 보이는 세상만물이 그렇게 미울 수가 없고 그렇게 보기 싫을 수가 없다. 다 자기 뜻대로 움직이는 것이건만 움직이는 자체가 다 사기를 치기 위한 것처럼 보이고, 말 한마디가 모두 자기를 해치기 위한 것으로밖에 안 보인다. 이처럼 몸이 약할 때나 게을러질 때 우리들의 마음은 미움으로 가득 채워지고, 몸이 튼튼할 때나 부지런해질 때 우리들의 마음은 한없이 여유가 충만한 사랑으로 가득 채워진다. 그만큼 사람들의 마음은 시시각각으로 변한다. 그러나 이런 마음들일지라도 포기하지 않고 한결같이 가꾸고 사랑할 때 우리들의 마음은 영원에까지 가닿을 수 있을 것이다.

미움과 사랑! 나는 평소 이 두 가지 마음의 정체를 곰곰이 따져보지만 도무지 정확히 알 수가 없다. 이 미움과 사랑의 상극된 두 마음은 분명히 우리들의 마음속에서 일어나는 것이지만 우리들의 마음 가지고는 도저히 두 가지의 감정을 어쩌지 못하고 두 감정의 포로 속에 매일매일 살아가고 있다. 이 묘한 두 감정을 그러나 사랑할 수밖에 없다. 사랑하는 방법은 간단하다. 미워하되 철저히 미워하고 사랑하되 철저히 사랑하는 방법이다. 미워하면 미워할수록 그 대상은 어느덧 사랑으로 바뀌는 순간을 맛보리라. 또한 사랑하면 사랑할수록 그 대상은 어느덧 미움으로 바뀌는 순간도 맛볼 수 있으리라.

그리해서 우리들은, 미움은 사랑에서 출발하고 사랑은 미움에서 출발한다는 간단한 진리를 터득하리라. 사랑이나 미움은 동시에 있으며 항상 앞뒤를 알 수 없는 위치에 있기도 한다. 우리들은 미움을 미워하고 사랑을 사랑하고, 미움을 사랑하고 사랑을 미워하는 과정을 수없이 반복하면서 살아가는 이름인 것이다.

세상살이가 짜증스럽고 밉살스럽다고 그냥 짜증 속에서 세상을 밉게만 살아간다면 그것은 매우 피곤한 일이며, 세상살이가 살 만하니까 그런저런 사랑으로 시종여일하게 살아간다면 그것 또한 매우 덤덤한 생활이 아닐 수 없다.

그러므로 우리들은 이 짜증스럽고 덤덤한 생활을 극복하기 위해서 때론 여행을 하기도 하고 산에 오르기도 한다. 우리들은 앉아서 라디오를 틀어놓고 혹은 텔레비전을 틀어놓고 소극적인 극복을 하기도 하며, 남의 체험으로 이룩된 기록들을 책을 통해 간접적으로 경험함으로써 그 짜증스럽고 덤덤한 자기의 삶을 극복해나가려고 애를 쓰기도 한다.

아니면 운동장에 가서 남들이 움직이며 벌이는 게임을 관망하면서 소극적인 극복을 꾀하기도 한다. 이른바 여가활동을 통해서 자기의 삶을 더더욱 기름지게 하려 한다. 남이 하는 것을 비켜서서 지켜보는 일은 아무것도 아니하고 낮잠을 자는 것보다야 훨씬 능동적이라고 할 수도 있지만, 자기자신이 직접 뛰어들어 벌이는 게임보다, 혹은 등산보다는 훨씬 소극적인 방법인 것이다.

산에 오르는 일이 피곤하다고 해서 오르지는 않고 눈앞에 두고 감상만을 즐기는 사람은 마치 앞에 차려놓은 음식이 맛있을 것 같은데 먹는 일이 귀찮아서 숟가락을 들고 그 맛만을 눈으로 감상하는 꼴과 비슷한 것이다. 그렇다고 해서 산을 오르다가 산속에서 산을 잊어버리는 어리석음을 저질러서도 바람직하지 않다. 이는 마치 맛있는 음식을 먹는 일에만 열중한 나머지 그 맛을 제대로 맛보지 못하고 배만 불리고 만 어리석음과 같다.

항상 생각과 행위는 일치할 수는 없지만 그 생각과 행위는 적극적일 때는 늘 일치할 수가 있다. 여기서 적극적이란 말은 마음이 늘 닫혀 있지 않고 늘 열려 있을 때를 말한다. 미움의 마음이건 사랑의 마음이건 우리들은 우리의 마음을 늘 새롭게 열어놓고 살아야 한다. 이 마음이 자연을 향해 열려져 있을 때 우리의 마음은 한없이 평화스러워지고 한없이 사랑스러워진다.

닫혀 있는 상태는 미움을 용서하지 않는 상태이며, 열려 있는 상태는 미움을 용서하고 영원에 가까이 다가서려는 미래지향의 상태인 것이다. 자연은 마음으로만 친할 수도 있지만 더 가까이 다가감으로써 더 가까운 위치에서 더 열렬하게 몸과 마음으로 친할 수 있다. 자연과 함께 노닌다는 일은 항상 자기의 마음을 열어놓음으로써만 가능하다.

도회지에는 자연이 별로 없다. 있다 하더라도 인위적인 것이 대부분이다. 이 자연이 없는 도시생활을 계속하다보면 마음이 닫혀지고, 닫혀짐으로써 마음은 용서할 줄 모르는 딱딱하고 도시적이어서 생명이 다한 마음으로 굳어지고 만다. 우리들은 이 딱딱하고 저주스런 몸과 마음을 본래의 상태대로 조금이라도 더 가깝게 하기 위해서 산을 찾는다. 다시 말하면 자연을 찾는 것이다. 자기자신의 마음을 구해보자는 안타까운 마음에서 자연을 찾는다.

그러나 산에 가보면 이것은 산이 아니고 도회지에서 흘러들어온 쓰레기 인간시장 같은 착각을 일으키기도 한다. 모두들 아직은 마음이 닫혀져 있기 때문이다. 그렇게 자기자신을 이해하지 못하고, 그렇게 자기자신을 자신도 모르게 자학하고 있다는 것은 참으로 슬픈 일이다. 마음이 열리기는커녕 눈도 귀도 코도 닫혀질 것만 같다.

우리는 도시생활에서 많은 것을 잃고 살아간다. 자연의 한 일부에 지나지 않는 인간들이 그 전부인 자연을 빼앗기며 산다는 일은 두렵고도 서글프고 안타깝고도 원통한 일이다. 자연을 빼앗겼다는 말은 스스로 자연을 죽임으로써 그만큼 사람의 마음이 거칠어지고 닳아져서 여유가 없는 마음들을 가지고 산다는 말이 된다. 여유가 없는 마음에서는 미움을 사랑으로 끌어올릴 수 있는 힘이 없으며 한치의 앞도 내다볼 수 없는 조급함만을 지녔다는 말이 되기도 한다.

그래서 우리들은 자연을 자기 마음에 간직하고자 산에 오르는 것이다. 그런데 도시생활에서 쌓인 거칠고 메마른 마음들을 고스란히 산속에 묻어두기는커녕 오히려 산에 가서 거칠고 메마른 마음들을 하나 더 묻혀오는 어리석음을 저지르는 수가 더러 있다.

도시생활에서 진절머리가 나도록 우리들을 괴롭혔던, 그래서 우리들의 마음을 금속성이 아니고서는 어떠한 소리로도 움직일 수 없도록 만들어버린 라디오를 쩡쩡 울리면서, 그것도 작은 것이 아닌 007가방만한 큰 라디오를 무슨 생명의 은인인 양 소중하게 옆구리에 끼고 오르는 사람들을 간혹 보자면 아침에 먹은 음식들이 뱃속에서 요동을 치고 구역질이 나옴을 참을 수가 없다. 귀를 막고 그 앞을 재빨리 지나쳐 얼마간 안심을 하고 가노라면 앞에서 또 라디오 소리가 내 마음을 들쑤시고 온 산골짝을 들쑤신다. 하는 수 없이 그 라디오 소리를 피해 다른 산길을 더듬어 찾을 수밖에 없다.

산에는 좋은 소리가 얼마든지 있다. 들어도 들어도 싫증이 나지 않고 오히려 들을수록 그리워서 더 듣고 싶어지는 소리들이 수없이 많다. 새소리며 작은 풀벌레소리, 바람소리, 물 흐르는 소리도 좋은 소리려니와, 구름 흘러가는 소리, 풀잎들이 알게 모르게 자기 몸을 서걱이는 소리, 혹은 모처럼 산에 와서 자연과 친하고 싶어서 그 고된 팔다리를 움직이는 소리, 하나의 자연물이라도 놓치지 않고 친해보려고 굴리는 그 눈동자 소리를 들을 줄 알아야 마음이 열려 있는 인간이 아니겠는가? 그런 좋은 소리들을 귓속 가득히 담아와서, 피곤한 도시생활을 하면서 며칠이고 그것을 다시 한 소리 한 소리 흘려가면서 생활을 하면 피곤하지 않을 것이다.

라디오를 들고 산에 오르는 사람에게 죽어서도 무덤까지 가지고 갈 것인지 한번 물어보고 싶은 충동을 느끼기도 하지만, 산에까지 와서 미운 마음들을 잠재우지 못한다면 그것도 나의 수양 부족이 될 것 같아서 다만 참고 마는 경우가 많다. 사실 라디오에서 흘러나오는 소리들은 거의가 우리들의 마음을 살찌게 하는 것들로 채워져 있지는 않다. 자세히 듣고 뜯어보면 라디오에서 흘러나오는 소리들이란 것은 우리들의 감각을 마비시키고 우리들의 마음을 메마르게 하는 것들이 상당하다는 점을 알아야 할 것이다. 그 피곤하고 소름끼치는 금속성의 소리들을 산에까지 몰고 올 이유는 없는 것이다.

그러나 그러한 행위들을 두고 마음대로 미워할 권리는 없다. 다자기 잘난 맛에 산다고들 하지 않는가. 그들은 아직 그런 마음들을 돌이켜볼 기회도 제대로 찾지 못하고 숨가쁘게 이 세상을 살아올 수밖에 없는 사람들이 아니겠는가. 구름 흘러가는 소리, 풀잎들 서걱이는 소리, 눈동자 굴리는 소리보다는 아직도 그들은 도회지의 아수라장 같은 소음들인 자동차 빽빽거리는 소리, 망치 두들기는 소리, 싸우는 소리, 그 소리들을 다스리기 위한 순찰차의 빽빽거리는 소리들이 별 수 없이 그리운지도 모르는 일이다. 그들이 돌아가야 할, 돌아가서 살아야 할 바로 삶의 현장의 소리이기 때문이다. 그러나 이러한 소음을 능히 이겨내는 사람만이 마음과 마음으로 통하는 서로의 그립고 다정한 소리들을 들을 수 있으리라.

산에서 또 한가지 볼 수 있는 일들의 하나가 화장하고 산에 오르는 여자들이다. 산에 오르자면 어떠한 냉혈한 사람이라도 땀이 흐르게 마련인데, 얼굴에 바르는 화장들, 이를테면 입술의 루즈며 눈썹과 속눈썹의 아이섀도우, 아이라인 같은 것이 흘러내리지 않고는 배기지 못하는 법인데, 산에까지 와서 얼굴을 치장할 이유가 어디 있겠는가.

화장은 남에게 이쁘게 보이기 위해서 하는 치장술이다. 그런데 산에서 누구에게 잘 보이게 한단 말인가. 나무더러 보라고? 숲더러 보라고? 새더러 보라고? 천만의 말씀이다. 돼지 얼굴처럼 시커멓게 범벅이 된 그런 얼굴들을 산천초목인들 차마 눈뜨고 보겠으며 산새들인들 차마 눈뜨고 어찌 볼 것인가? 땀에 범벅이 되어서 흐르는 눈 가장자리의 눈물 같은 구정물은 참회의 눈물은 더더구나 아니다.

어쩌다보니 산에서 흔히 볼 수 있는 몇가지를 예로 들었지만 우리들의 마음을 우리 스스로가 가꿔가야 한다. 누가 자기의 마음도 가꾸지 못한 처지에 남의 마음을 가꾸어줄 것인가.

항상 마음을 너그럽게 가져야 한다고 말하지만 너그럽게 가꾸기란 그리 쉬운 일이 아니다. 우리가 여가를 즐길 때도, 직장에서 일을 할 때도, 출퇴근의 만원버스 속에서도 우리들은 항상 자기의 마음들을 가꿔서 열어놓아야 한다. 마음을 열어놓고 살아가는 사람만이 앞으로의 행복을 꿈꿀 수 있으며 마음을 열어놓고 늘 새로운 것을 경이롭게 받아들이는 사람만이 지루하지 않은 삶을 약속받을 수 있다.

자기의 부모나 형제간을, 자기의 아내나 자기의 남편을, 항상 새롭게 느끼는 사람만이 이 세상이 그렇게 팍팍하여 쓸모가 없는 것이 아님을 느낄 것이다. 돈이 많다고 해서, 권력이 세다고 해서 그 사람의 마음이 풍요하고 평화스러운 것은 아니다. 오직 남을 이해하고 사랑하고 아끼고 남의 일을 자기 일처럼 생각하는 마음 즉 모성애가 가득 찬 마음만이 진정코 평화로우며 풍요한 것이다.

이 세상이 어머니 같은 마음들로 가득하다면 우리가 사랑과 미움을 거론하지 않고도 능히 제대로 살아가는 데 보람을 느끼리라. 세상에 종말이 오더라도, 종말이 와서 모든 권력과 금력이 사라지고 미움과 질투가 사라지더라도 모성애는 사라지지 않을 것이다. 이해와 관용, 포용과 자비, 자기희생과 자기반성만이 이 세상의 모든 악을 추방할 수 있으리라. 이런 요소를 선천적으로 간직하고 있는 것은 남자보다는 여자, 아버지보다는 어머니이다.

나는 평소 아무리 밉살스럽고 아무리 무기력한 나날을 보내다가도 어머니의 조용하시고 늘 자식에게 관심을 저버리지 않는 모습을 보면 마음이 착 가라앉는 것을 느낀다. 친구간에 다투었거나 누구로 하여금 금방 손해를 보고 배반을 당했을 때도 어머니만 머리에 떠올리면 그런 것쯤은 삽시간에 진정이 된다.

어머니의 마음은 한없이 맑고 보드랍고 깊어서 열려 있는 마음이지만 좀체로 헤아리기가 쉽지 않다. 그러나 헤아리기가 깊고 깊다 해서 어머니의 마음 곁에 이르기가 어려운 것만은 아니다. 늘 우리들의 마음 가까이 있되 늘 우리들의 마음 한가운데 있는 어머니들의 마음을 두고, 온갖 미움들을 이기고 선 사랑스러움의 극치라고 말할 수 있으리라.

나는 15년 남짓 시를 써왔지만 어머니에 대한 소재로는 겨우 두 편만을 썼을 뿐이다. 이는 어머니의 사랑이 그만큼 깊고 맑아서 내

어둡고 둔한 펜으로는 감히 그런 어머니의 마음을, 어머니의 정체를 더듬기가 힘들었기 때문이다. 이런 어머니의 사랑은 쉽게 이룩된 것은 결코 아니다. 갖은 수모와 갖은 육체적 괴로운 노동, 갖은 미움들을 말없이 이기고 또 용서함으로써 이룩된 피땀어린 결과인 것이다. 나는 항상 이런 어머니들을 두고 사는 우리들이 여간 영광스러운 것이 아니라고 생각한다.

열일곱에 시집오셔
일곱 자식 뿌리시고
서른일곱에
남편 손수 흙에 묻으신 뒤,

스무 해 동안을
보따리 머리에 이시고
이남 땅 온 고을을
당신 손금인 양 뚝심으로 누비시고
훤히 익히시더니,

육십 고개 넘기시고도
일곱 자식 어찌 사나
옛 솜씨 아슬아슬 밝히시며
흩어진 자식 찾아
방방곡곡을 누비시는 분.

에미도 모르는 소리 끄적여서

어디다 쓰느냐 돈 나온다더냐
시 쓰는 것 겨우겨우 꾸짖으시고,

돌아앉아 침침한 눈 비비시며
주름진 맨손바닥으로
손주놈의 코를 행행 훔쳐주시는 분.

—「어머니」 전문

　이런 분은 결코 나의 어머니 한 사람뿐만이 아니고 우리 모두의 어머니들이란 것을 말해주고 싶다.

　결국 미움이란 것에 대해서 쓰다보니 어머니 이야기까지 이 글이 뛰어들고 말았다. 모든 감정의 근원인 미움과 사랑이 결정되어 하나의 화석이 된 것이 영원한 어머니의 상이 아니겠는가.

　한번도 한시도 우리의 마음속에서 어머니라는 이름이 사라지지 않듯이 우리들의 마음속에서 사랑과 미움이라는 두 상극된 감정은 사라지지 않고 있는 것이다. 이 감정이 사라지면 이는 이미 인간이라고 말할 수 없듯이 이 어머니란 상이 우리 마음에서 지워진다면 이미 우리는 인간이 아니라고 감히 말할 수 있으리라.

1977년 발표 지면 미상

억불산에서 띄우는 엽서

박형! 모든 일에 남보다 진지하고 남보다 항상 열심인 박형. 올 여름 피서는 어디서 어떻게 지내고 있는지 궁금하구려. 살아가기가 역겹고 짜증스럽기만 한데 피서는 무슨 피서냐고 두 눈을 부릅뜨고 나를 꾸짖을 것만 같아서 이 글을 쓰기가 매우 망설여지오. 그러나 박형. 나는 원래 박형이나 다름없이 사치스럽거나 자신을 꽉 닫아놓고 살아가는 인간이 아니라는 점을 잘 알고 있죠?

박형! 사실 나는 올 여름만큼은 번거로움을 피해 피서고 뭐고 다 잊어버리고 그냥 방 안에 틀어박혀 그동안 밀렸던 글이나 쓰고 책이나 읽을까 해서, 집사람과 아이들 세 놈을 어디론가 보내놓고 혼자 집을 지키고 있자니까, 서울이 무엇이 그렇게도 좋아서 청승맞게 홀로 앉아 집을 지키고 있느냐는 생각이 갑자기 떠올라 여기저기 전화질을 하기 시작했었소. 마침 전남 장흥의 억불산으로 피서를 간다는 분들이 있어 나 좀 끼워달라고 졸랐더니 쾌히 허락을 하더구먼. 어찌나 고맙고, 또 올 여름의 피서는 그럴싸하겠구나 싶어 주섬주섬 짐을 챙겨 여기까지 묻어와버렸소.

일행은 나까지 네 명인데, 한 분은 이돈명 변호사, 또 한 분은 독림가(篤林家) 손석연 옹, 그리고 한 분은 산에서 알게 된 김모씨 등이오. 한 분은 나하고 엇비슷한 나이이지만 두 분은 모두 고희를 얼마 안 둔 옹(翁)들이오. 하필이면 옹들과 동행이냐고 주책없는 녀석이라고 생각할지 모르지만 모두 나보다는 건장하고 생각하는 바가 한창 젊은이들을 앞지르는 분들이오.

박형. 독립가인 손옹은 바로 황폐했던 이 억불산을 갖은 고초를 다 겪으며 오늘의 푸른 산으로 일궈놓은 장본인이오. 우리만한 나이 때, 그러니까 1960년 40대 초반에 황무지였던 이곳 50여만 평의 벌거숭이 산에 수십만 그루의 편백과 삼나무를 심어 오늘의 장엄한 결과를 우리들에게 보여주고 있소. 특히 이 억불산 입구에 들어서자마자 나를 꼼짝 못하게 하는 "푸른산 밑에 가난은 없다"는 글귀를 곰곰이 생각해보니 내가 걸어왔던 그리고 추구해왔던 것들은 과연 내 이웃을 위해 인류를 위해 얼마만큼의 양식이 되어줄 것인가를 다시 한번 반성케 했소.

박형. 손옹께서 직접 앞장을 서 우리 일행에게 조림지역을 일일이 안내하는 데만 무려 두 시간 이상이나 걸렸다오. 절대로 흥분하지 않고 앞으로의 계획을 차분차분 설명하시는 모습 앞에서 나는 한줌의 재에 불과했소.

여기서 하룻밤을 묵고는 완도의 보길도, 진도, 해남을 거쳐 서울로 되돌아간다오. 처음부터 끼여서, 혹은 묻어서 따라온 이 육체와 영혼은 두 옹들의 뒤만 따라다니게 될 것 같소. 박형. 끼여서, 묻어서 지내는 이 여름의 피서는 나에겐 무엇과도 바꿀 수 없는 체험이 될 것 같소. 박형.

『삶과 꿈』 1986년 9월호

침묵과 염불, 아버지와 나

아버지는 늘 부지런하셨고 말씀이 아주 적은 편이었다. 새벽 네 시쯤 일어나 엄동설한이든 복더위든 간에 마루에 가부좌를 틀고서 목탁을 두들기며 염불을 하셨다. 어떤 때는 뒷산에 올라가 목탁을 두들기며 염불을 하시기도 했다. 어지럽고 원통한 세상을 잊기 위해서였는지, 아니면 그 세상을 이겨내기 위해서였는지 지금까지도 짐작이 가지 않는다. 수행에만 부지런하셨던 게 아니라 집안일에도 부지런하셨다. 손수 똥통을 지는 등 논밭일을 한시도 쉴새 없이 하셨다. 저녁이면 책을 읽거나 침을 퉤퉤 튀겨가며 짚신을 삼기도 했다. 『추구』『사자소학』『명심보감』 등의 한서를 직접 창호지에 붓글씨로 써서 나를 가르치기도 했다. 그러면서도 일상사에 대해선 나에겐 한마디의 말씀도 들려주지 않으셨다. 무섭기만 했다. 아버지 생전에 나는 아버지더러 아버지라고 불러본 적이 없다. 말없는 아버지 앞에서 역시 말없는 자식이었다.

여순사건이 터져 온 고을이 쑥밭이 되어도 살아남는 비결을 자식들에게 가르쳐주지도 않았다. 오직 혼자서 염불을 하시고 목탁을 두들기고 일만 하셨다. 죽을 고비를 몇번씩이나 맞으면서도 입을 열지 않았다. 그냥 바삐 움직일 뿐이어서 침묵의 덩어리가 움직이는 것만 같았다. 여순사건의 와중에서 더이상 견디다 못해 광주로 피신했다. 세간은 모두 고스란히 두고 처자식만 주렁주렁 달고 맨몸으로 말이다.

아버지는 광주에서 더욱 부지런하셨다. 목탁을 두들기고 염불을 하고 논밭의 일에 시간가는 줄 모르고, 집 안에서는 닭이며 돼지를 치셨다. 어린 나이였지만 나는 늘 아버지와 함께 일을 하였다. 친구들은 일찍 학교에 가는데 나는 논에서 아버지와 함께 두레질을 해야 했다. 새벽부터 이천 두레 혹은 삼천 두레씩이나 물을 퍼올려야 했다. 친구들의 등교길을 부러워하며 짜증이 나서 정신을 팔면 두레끈을 갑자기 늦추거나 잡아당겨 나를 봇물에 빠뜨리기도 했다. 입은 항상 다물고서 말이다. 오후 늦게는 양동시장의 싸전을 서성거리며 닭모이를 쓸어와야 했다. 신새벽 무등산에 올라가 땔나무를 해서 광천동까지 끌고 와야 했다. 사시사철 나는 퇴비나 벼를 져나르는 등짐꾼이 되어야 했다. 초등학생으로서 말이다. 어쩌다가 골목에서 친구들과 싸움을 하다가 내가 밑에 깔리면 똥통을 지고 가다가 조대로 나를 후려치기도 했다. 물론 입을 꽉 다물고서.

6·25 때였다. 사람들이 봇짐을 싸고 피난가는 것을 보고 원두막을 지키다가 나는 집으로 한걸음에 달려왔다.

집안 식구들은 한 사람도 안 보였다. 마당가의 우물을 내려다보았다. 아, 아버지는 재봉틀 의자에 앉아서 염주를 굴리며 묵상에 잠긴 채 우물 속에서 "태일아, 오치(지금의 전남대학 뒤쪽 마을)로 피난가거라" 하셨다. 나는 듣고 뛰었다. 아버지를 남겨놓은 채.

아버지는 일제 때 대학을 나와 스님이 되셨는데, 부지런히 일하는 대처승이었고 말씀은 거의 하지 않으셨다. 7남매 중 나만 대학을 나왔다. 7남매 중 내가 아버지의 모습과 가장 많이 닮았다고 식구들은 말한다. 아버지를 닮아서인지 나는 지금도 새벽 다섯시면 어떤 일이 있어도 일어난다. 별로 말이 없기로도 아버지를 닮았다. 부지런하기로는 아버지를 따르지 못한다.

아버지께서 이 파란만장한 세상을 뜨신 지도 벌써 40년 가까이 된다. 나는 지금도 어려운 상황에 닥치면 아버지의 모습을 제일 먼저 떠올리곤 한다.

『예향』 1988년 4월호

그날의 함성, 내가 겪은 4·19

고등학교 2학년 때였다. 광주의 4월은 몹시 화창했다. 거기에다가 내가 다니고 있던 광주고등학교 교정에는 벚꽃이 흐드러지게 피어 있었다. 그 꽃잎들만큼이나 밝고 맑고 화사했고 뜨거웠던 우리들의 마음속은 독재타도의 결의로 뜨거웠다.

수업이 시작되기 전부터 술렁대기 시작했다. 선생님들의 눈빛은 상당히 당황스러워 보였으며 걸음걸이는 몹시 무거워 보였다. 나는 그날 집에서 아침밥을 두 그릇이나 비우고 나왔다. 광천동에서 공설운동장(지금의 무등경기장)을 지나 철길을 따라 등교하는 길에도 "태일아, 요즘 세상이 시끄럽다더라. 무슨 일이 일어나더라도 앞장서지 말고 중간에나 꽁지에 붙어라, 잉!" 하시던 어머님의 말씀이 잊혀지지 않고 귓가를 맴돌았다. 일제와 여순사건과 6·25를 몸서리치게 겪으셨던 어머님의 이 말씀은 우리나라 모든 어머님들이 자식들에게 하는 말씀과 같은 것일 것이다.

둘째시간이 막 시작되려는 순간이었다.

땡땡땡, 땡땡땡땡땡땡땡땡땡땡땡땡……

무엇이 그리도 급했던가. 난생 처음으로 들어보는, 연타하는 종소리는 우리들에게 숨쉴 시간도 주지 않고 생각할 시간도 주지 않고 온 교정을 뒤덮고 있었다. 올 것이 왔구나. 우리들은 종소리를 향해 와아! 와아! 와아! 와아! 함성을 내지르며 순식간에 뛰쳐나갔다. 동중학생까지 뒤섞인 학생들은 2천여명쯤 되어보였다. 누군가가 손마이크로 외쳤다.

"우리 피끓는 젊은 학도는 더이상 참을 수 없습니다. 이 악독한 자유당 정권을 우리 힘으로 무너뜨립시다! 무엇이 두렵습니까? 끝까지 싸워 광주학생운동의 전통과 참뜻을 이어받읍시다! 자, 나갑시다! 싸웁시다! 도청 앞으로!"

말이 채 끝나기도 전에 우리들은 "가자! 가자! 도청 앞으로!" "이승만은 물러가라" "김주열을 살려내라"며 순식간에 굳게 닫힌 교문을 박차고 계림로를 노도처럼 휩쓸며 도청 쪽으로 진군했다. 스크럼을 짜고 소리소리 외쳐대는 동무들이 그렇게도 믿음직스럽고 대견스럽고 예쁠 수가 없었다.

도청으로 가는 길목엔 전남여고가 위치하고 있었는데 우리들은 우군을 한 사람이라도 더 늘리기 위해 전남여고 담벼락에 붙어 "교실을 박차고 나오라!" "선생님들 밀쳐버리고 나오라!"고 소리소리 질러댔다. 그때였다. 앞뒤에서 싸이렌 소리가 요란하더니 새빨간 소방차에서 물벼락을 뿜고 있는 것이었다. 차라리 물보라였다. 나아가다 밀리고, 밀리다 나아가고, 나아가다 밀리다가 나는 담벼락을 뛰어넘었다. 그런데, 그런데 말이다. 간장을 담가놓은 장독에 빠지고 말았다. 집주인인 듯한 한 아주머니가 잽싸게 달려와 나의 손목을 끌고 방으로 데려가 아들의 옷인 듯한 평상복으로 갈아입히고 숨겨줬다. 아우성이 조금 가라앉자 "아주머니 고맙습니다"라는 말을 남기고 그 집을 뛰쳐나왔다.

데모대들은 잡혀가고 흩어져 골목은 몹시도 적막했다. 운동장엔 쫓겨온 학생들이 또 웅성거리고 있었다. 다들 교복을 입고 있었는데 나만은 몸에 맞지 않는 복장을 하고 있었다. 난처한 생각이 들기도 했다.

4·19가 끝나고 며칠이 지났다. 중학교에 다니던 내 남동생이 가출을 했다. 아우성을 보태던 그 중학생은 오늘까지도 소식이 없다. 그 나이 지금은 40대 중반, 생사를 알 수가 없다. 어머님은 지금도 착하기만 했던 막내아들 생각에 눈시울을 적시며 사신다.

『한국문학』 1988년 4월호

국회의원은 이런 사람을 뽑아야 한다

민주화시대의 국회의원, 더이상 '정상배'이어서는 안된다

민중의 고양된 정치의식 따라오지 못하는 보수정객들

나는 선거권을 가진 이후로 한번도 기권하지 않고 줄곧 투표권을 행사해왔다. 그런데 국회의원은 내가 찍은 후보자가 전원 당선이 되었는데 대통령 선거에서는 네 번씩이나 투표권을 행사했는데도 단 한번의 당선도 없었다. 그러므로 나는 대통령선거에 관한한 할 말이 없겠고, 국회의원 선거에 대해서는 백프로 적중했으므로 말할 자격이 있겠다.

지난해 대통령선거 이후로 63퍼쎈트가 넘는 다수 유권자들은 지금까지도 정치적 패배주의 또는 허무주의의 늪에 빠져 생기를 잃고 있는 것처럼 보이는데, 이들은 이번 총선을 통해 그 늪에서 빠져나와야만 자신들의 정신건강이나 사회와 국가를 위해서도 바람직한 일이 아니겠는가. 따라서 이번 총선에 어떤 인물들이 어떤 정견을 가지고 납처럼 무겁게 가라앉아 있는 패배의식과 허무의식을 씻어줘서 국민들을 선도할 것인가 하는 문제에 따라서 새 국면이 창출될 수 있을 것이다. 이제까지 우리나라의 국회는 권력자의 자기기반 확충을 위해서 급조한 외생정당인 여당과 인물중심으로 이합집산을 거듭하는 야당으로 가까스로 초라하게 유지돼왔

다는 자체부터가 모순이었다. 정강정책의 제시도 비전도 없이 보수 대 보수의 아귀다툼을 지속하여 민중운동의 실상을 제대로 파악하거나 선도하지도 못했다. 오히려 그러한 민중의식을 타매하거나 거부해왔다는 사실을 우리는 잘 알고 있는 터이다. 자생정당이 아니었기 때문이다.

이번 총선은 바로 이러한 구습을 따르는 세력과, 새로운 진보적 정치세력을 중심으로 한 재야의 참신한 인물들의 대결로 압축되어 우리 정치사의 새로운 방향전환을 위한 일대 결전이 예견되고 있다. 이러한 예견은 우리들이 민중의 정치의식의 선도성을 인식하고 있는 데에서 기인하는 것이고, 현재의 보수정객들이 고양된 민중의 정치의식을 따라가지 못한 식상함에서 새로운 정치운동의 틀을 형성하려는 그들에게 눈을 돌리는 데에 기인한 것이다.

적어도 국회의원이라 하면 자기를 뽑아준 지역구 내의 이러한 위상을 합법공간인 국회에서 철저히 선도해낼 수 있어야 하며, 민중생존권문제·지역개발문제·노동문제 등 모든 현안 문제들을 정확하게 인식하고 실천해내야 하며, 더 나아가서는 보수 대 보수의 정치구도를 보수 대 진보로 변화시켜 국회 밖의 선도성에 따라가는 처지가 아니라 견인해내는 모습으로 발전시켜야 할 것이다.

터놓고 하는 얘기지만 국회의원에 대한 인상이 우습게 알려져 있는 지가 이미 오래이다. 정상배니 정치꾼이니 하는 부정적인 모습으로 보이고 있음은 그래도 괜찮은 편이고, 심한 경우에는 사기꾼이나 거짓말쟁이로까지 지칭되기도 한다. 『논어』에는 '정치(政治)'의 '정(政)'이라는 글자를 '정(正)'이라고 풀이하였다. 정치란 바로 바르게 다스린다는 뜻인데 오늘날 이 땅에서의 '정치'라는 단어는 정직이나 바르다는 뜻과는 너무나 거리가 멀어져 있음도 사실이다. 그러나 국회의원은 정치하는 사람이므로 오늘날 정치라는 용어의 퇴색 때문에 국회의원이 정치와 함께 질타의 대상이 되어서는 안되겠다. 사회와 국가가 있는 한 통치권은 불가피하게 존재하며 사회와 국가를 통제할 법은 제정되어야 하므로 국회는 꼭 있어야만 한다. 국회가 있는 한 국회의원은 선출해야 하는데 그동안 우리는 우리가 참으로 원하고 바라는 국회의원을 제대로 선출할 기회를 가지지 못했던 것이 이 나라의 불행이자 우리 모두의 불행이었다. 그동안 세상의 여론이나 지역구민의 민심과는 관계없이 수단과 방법을 가리지 않고 수전노처럼 돈이나 벌던 사람이 어느 날 갑자기 보수정당에 많은 돈을 헌납하고 출마하면 선택할 여지도 없이 투표하여 당선시킬 수밖에 딴 도리가 없었다.

이젠 그러한 작태는 청산되어야 할 때가 오고 있다. 가까운 조선왕조시대만 하더라도 정치와 학문은 언제나 떨어질 수 없는 입장에 있었다. 학문이 완숙한 학자들이 높은 벼슬에 오르게 마련이었다. 역사에 대한 통찰력을 지녔고 세상에 깊은 원리를 터득하여 인간의 아픔과 갈등을 해결할 능력을 지닌 인사들이 정치를 담당했음은 당연한 일이 아니었겠는가. 그러나 황금만능의 세태가 되면서 오늘날의 정치는 바로 돈 있는 사람의 전유물이 되었고, 세상은 타락했고, 정치는 양식 있는 사람들이 타기하는 기피물이 되어버린 것이다. 그러므로 학자나 학문이 깊은 지식인이 아니더라도 최소한 아래와 같은 점에 깊은 인식과 자기 소견을 가진 사람이 국회에 진출해야 한다는 생각을 갖게 된다.

첫째, 합리적인 사고를 지닌 사람이어야 하겠다. 합리적인 사고란 보편적인 인간이면 누구나 지닐 수 있는 보편타당성 있는 서민적 정서와 일치하는 사고이므로 서민대중과 동일한 지성의 사고

일 수밖에 없다. 즉 상식이 통하는 사람이라는 말과 일치하는 내용이다.

둘째, 기본적인 교양과 주체성이 확고한 신념을 지닌 사람이어야 하겠다. 인간에 대한, 역사에 대한, 사회에 대한, 자기 나름대로의 세계관이 확립되어 역사를 발전시킬 수 있는 미래지향적인 가치관을 지녀야 한다는 말이다. 남을 위하고 이웃과 함께 살면서 밝고 올바른 세상의 건설을 위해서 개인적인 이익이나 욕구는 접어둘 수 있는 이타심이 강한 인격의 소유자여야 한다는 말이다.

셋째, 한 사회가 안고 있는 중요한 해결점에 대하여 나름대로의 방법을 제시할 능력이 있어야 하겠다. 오늘날 가장 크게 문제되고 있는 교육문제·경제적 빈부격차문제·청소년문제·노사간의 문제·농민문제 등에 대하여 깊은 이해를 지니고 있고, 그런 데서 노정되는 문제점을 해결하겠다는 자기대로의 방안을 지녀야 한다는 말이다.

넷째, 국가 장래에 대한 차원 높은 비전이 있어야 하겠다. 분단의 극복을 통한 통일에의 갈망과 다양한 국제사회에서 외세를 벗어나 자주적 국가 건설에 대한 안목이 투철해야 한다는 말이다.

다섯째, 대중문화의 건전한 발전으로 주체성이 견고한 민중·민족문화 창달의 높은 식견이 있어야 하겠다. 전통문화의 올바른 전수로 새로운 문화의 창조를 이룩해야 할 오늘의 싯점을 명확히 인식하고 인간의 질과 내용을 풍부히 하고 윤택한 정서를 함양할 문화창조에의 기본적 이해가 있어야 하겠다는 말이다.

여섯째, 오랜 독재정치와 정보 및 공작정치의 마수에서 벗어나지 못하는 우리의 현실에서는 지조와 신념이 뚜렷한 사람이어야 하겠다. 지역구민의 뜻이나 국민의 바람에 아랑곳하지 않고 정당을 바꾸거나 사리사욕에 넘어가 변절하는 국회의원이 되어서는 안되겠다는 말이다. 예컨대 국민의 뜻은 소선거구제였는데 끝까지 자신의 당선만을 위해 길들여진 중선거구제를 원했던 사람들이 이에 속한다.

하향식의 인물공천이 아니라 밑으로부터의 추천을 해야

최소한 이상과 같은 몇가지 기본조건을 구비한 인물이 국회의원이 되어야 국민들의 마음도 편하고 나라도 굳건해질 것이다. 이러한 인사들을 뽑기 위해서는 국회의원 선출과정에 대해 골똘히 생각할 필요가 있겠다. 대의정치를 표방하는 현대적 의회민주주의 사회에서 국회의원이 가지는 역할이나 기능은 대단한 것이다. 말로만 선거라 하면서 선택의 폭이 국한되어 있는 낙하산식 후보 공천의 문제는 여야 가릴 것 없이 즉각 시정되어야 할 일이다. 주민자치 원리의 민주주의 개념이나 자기의 대표를 자기 스스로 뽑아야 한다는 민주개념으로 보더라도 국민이나 해당 지역의 유권자들이 원하는 후보가 출마하는 과정이 이룩되어야 하겠다. 국회의원이 지녀야 할 앞의 사항들을 구비한 인사를 선출할 수 있는 전제조건은 바로 그러한 요소를 구비한 인사의 출마가 가능할 수 있어야 한다.

최근 중앙지의 각 신문에서 특기할 만한 1단짜리 기사를 접하고 나의 이러한 생각을 다시 한번 확인할 수가 있었는데 그 기사는 "광주에서는 여러 계층의 대표들이 모여 민주후보로 박석○, 이기○, 정동○, 정상○씨 등 네 명을 뽑아 중앙당으로 우송했다"는 내용이었다. 이른바 '민주후보 추대위원회'를 구성하여 그 위원회에서 정당이나 정당의 총재에게 이러한 사람들을 후보로 공천해달라는 밑으로부터의 주장이었다. 그동안 그 지역에 살면서 그 지역의 보편적 정서에 부합하고 그 지역 시민을 대표할 만한 자격이 있는 사람으로 박석○씨 등의 네 명을 추천했다는 사실보도는 참으로 민주화시대에 걸맞은 정치행태의 하나가 아니겠는가. 그 지역에 사는 사람들만이 가장 정확하게 그 지역주민들의 대표적 인물이 누구인가를 알 수 있다. 그런 의미에서 광주시민들의 주장은 정당하고도 올바르게 한국정치사에 획기적인 일을 시도했다고 할 수 있겠다. 비록 이 지역뿐만 아니라 전지역에서 여야 가릴 것 없이 이러한 '밑으로부터의 추천'을 받은 인사들이 이번 총선에서 많이 선출되어 국민들의 타는 마음, 타는 목을 적셔주기를 바란다.

『주부생활』 1988년 4월호

가을에 오시는 어머니

신동엽 시인은 자연의 세계를 원수성(源數性)세계, 차수성(次數性)세계, 귀수성(歸數性)세계로 나누어 인간의 삶도 이러한 세계의 순환원리에 따른다고 했다. 바다를 예로 이 말의 뜻을 설명해보면 이렇다. 잔잔한 바다 그 자체는 원수성세계요, 태풍이 불어 성난 파도가 이는 세계는 차수성세계요, 그 파도가 잠잠해지는 세계는 귀수성세계이다. 대지 그 자체는 원수성세계요, 지각을 뚫고 싹이 지상으로 나와 자라서 온갖 풍파 속에서도 그 푸르름을 뽐내기도 하고 시달리기도 하는 세계는 차수성세계요, 때가 되어 그 영광과 시련을 열매로 맺고 영글어 대지라는 품속으로 다시 돌아가는 세계는 귀수성세계이다. 따라서 사계절 중의 가을은 바로 귀수성세계인 것이다.

우리는 자연의 순환 속에서 조용히 사라질 수밖에 없고 다시 돌아오기 위해 돌아가려는 싯점에 있다. 가을을 어김없이 맞이한 것이다. 그렇다고 서두를 이유는 없다. 차수성세계에서의 영광과 시련도 그리고 허물까지도 하나하나 챙겨서 풍요로운 짐가방을 꾸릴 때다. 남을 이해하고 용서하는 마음으로, 기도하는 마음으로, 기다리는 마음으로 충만되어 있는 조용한 설렘이 이는 계절이다.

나는 가을이 되면 제일 먼저 어머니를 기다린다. 팔도강산에 흩어져 뿌리내려 살고 있는 우리 형제들이 조금씩 송금해드린 용돈을 꼬박꼬박 모아서 선영의 근처에다가 밭뙈기를 사놓고 사시사철 틈나는 대로 선영의 산일과 어머니께서 영원히 주무실 가묘를 돌보시며 그 밭뙈기에다 사람이 먹을 수 있는 온갖 푸성귀와 곡물을 조금씩 고루고루 심어 가꾸신다.

일찍 홀몸이 되어 갖은 고생을 겪으며 우리 칠남매를 가꾸었듯이 조용히 속으론 우시고 겉으론 웃으시면서, 팔순을 바로 앞에 둔 꼬부랑허리로 궂은 하늘 맑은 하늘 받치며 타고난 솜씨로 정성껏 가꾸신다. 가을이 되면 어머니는 어김없이 팔도강산에 흩어져 있는 자식들을 찾아나선다. 손수 가꾸신 고추로 고춧가루를 빻고, 들깨기름·참기름을 짜고, 콩나물콩·메주콩을 구분하고, 선영 근방의 산속에서 뜯은 온갖 산나물을 말려 자식들 식솔만큼 요량해서 꾸린 다음, 손에 들고 머리에 이고 위태롭게만 보이는 노구를 이끌면서도 이 가을의 총화인 양 여왕인 양 오시는 어머니를 기다린다. 황금반지를 끼고, 황금비녀를 머리에 꽂고 오시는 어머니다.

어머니는 10여년 동안 나의 삼남매를 도맡아 기르셨다. 직업상 안팎으로 집을 비워야 하는 차남 내외의 생활이 안쓰러웠는지 어머니는 손주들을 시골로 데려가서 기르기도 하셨는데, 어머니의 노고에 조금이라도 보답해드리기 위해 집사람과 아이들과 모두 함께 의논해서, 백일잔치나 돌잔치 때 친지로부터 받은 금붙이들을 하나도 빠짐없이 녹여서 만들어드린 황금팔찌며 황금비녀인 것이다. 황금의 계절이라는 가을에 황금의 곡식과 양념을 고루고루 챙겨서 자식들을 찾는 어머니는 역시 황금으로 치장하시고 황금 같은 풍요로운 마음을 지니고 허위허위 오신다. 이 가을에 오신다. 어머니가 우리 가족의 중심에 계시는 가을엔 짜증이나 미움이나 갈등 같은 것은 없다. 오직 이해와 너그러움과 겸허한 마음이 충만해 있을 뿐이다.

가을은 흐르는 물처럼 부는 바람처럼 막힘이 없는 자연스런 계절이다. 가을은 홀로 떠나는 외로움의 계절이 아니라 함께하는 만남의 계절이다. 가을은 다투며 앞서가는 계절이 아니라 서로 양보하며 느릿느릿 뒤에서 오는 계절이다. 가을은 흔히 말하듯 입을 다무는 계절이 아니라 벌겋게 달아오른 목소리로 이웃들의 이름을 불러주며 서로 찾아주는 계절이다. 나에게 가을은 시를 많이 쓰게 하고 지껄이게 하고 소원했던 삼라만상과 함께 어울리게 하는 성숙한 계절이다. 정성스럽고 푸짐한 먹을거리를 머리에 이거나 손에 들고 대문 앞에서 오십이 다 된 둘째아들을 향해 "태일아, 에미 왔다. 짐 받아라" 하시며 나타나실 어머니 모습을 떠올리며, 아이들에게 할머니께 인사드리는 방법을 다시 한번 깨우쳐줘야 할 것 같다. 가을은 자식들을 찾아나서는 어머니의 마음이 이 강산에 가득 차고 넘치는 계절이다.

『안녕하십니까』 1988년 9월호

애처로운 아이들에게 만점을

가을하늘이 높고 푸르다. 높고 푸른 곳에서 불어오는 바람은 맑기도 하지만 소슬하다. 따분한 일상생활을 벗어나 잠시라도 이런 바람을 맞으며 높은 하늘과 아득한 땅이 맞닿아 있는 저 지평선을 향해 한껏 내닫고 싶다. 지루하게만 느껴지는 생활을 박차고 뛰쳐나와 잠시나마 해방되고 싶은 충동을 억누를 수 없다. 중년이 된 나이인데도 이러할진대, 하물며 변화 있는 생활을 갈망하는 발랄한 성장기의 청소년들 마음은 어떻겠는가.

10여년 전 나는 이제 겨우 철이 들기 시작한 세 아이들을 데리고 고향을 찾은 적이 있었다. 30여년간 고향을 떠나 국민학교와 중학교와 고등학교와 대학교를 타향에서 마치고 떠돌다가 아내를 얻고 세 자녀까지 얻었으니 한번쯤 고향을 방문해서 내가 어렸을 적 자랐던 산천경개를 보여주고 싶어서였다. 고층건물과 시멘트 벽과 거무튀튀한 아스팔트길과 그 위를 총알처럼 달리는 자동차와 소음과 공해와, 그리고 온갖 이기심과 경쟁과 불신으로 숨통이 막히는 도시를 벗어나 고향을 향해 달리는 차 안에서 세 아이들은 연신 신기하다는 눈빛으로 차창 밖을 내다보며 쉴새없이 지껄이고 쉴새없이 질문을 던지면서 우리 내외를 몹시 괴롭히기 시작했다. 들판에 심어놓은 모를 가리키며 무슨 풀이냐고 물었으며, 들판에 드문드문 보이는 원두막을 가리키며 무슨 동물이 사는 집이냐고 묻기도 하고, 들판에서 우장을 걸치고 일하는 농부들을 보고 무슨 거지들이 저렇게 많냐고 묻기도 했다. 나는 아내의 얼굴을 훔쳐보면서 속으로 한없이 슬퍼했다. 농부의 자식으로 태어나서 중·고등학교 시절까지 농사일을 하며 공부를 했던 우리들 세대에서 불과 한 세대를 거치는 동안, 벼를 무슨 풀이냐고 묻고 원두막은 어떤 동물이 사는 집이냐고 묻고 농부들을 거지라고 하는 이놈들을 꼬집어버리고 싶었으나, 애들 탓만이 아니고 바로 우리들 세대의 잘못이라고 반성하며 꾹 참았다. 그래서 그 이후로는 기회가 닿는 대로 고향이거나 시골 어디든지 애들을 데리고 다녔다.

그런데 이 애들이 점점 자라서 중학교를 가고 고등학교를 들어가더니 이제는 부모의 뜻대로 따르지를 않는다. 방학이 되거나 연휴를 맞아 도시를 떠나 어디어디를 가자고 제안을 하면 모두 반대를 한다. 각자 행동하겠다는 것이다. 취미대로 놀고 공부를 하겠다는 것이다. 그래서 평소 가정에서나마 고향의 이야기와 시골의 풍습 등을 이야기해주기도 하지만 실제로 눈으로 보지 않는 말만의 설명이 그리 효과를 볼 리가 없다. 뿐만 아니라 안팎이 직장에 나가야 하는 우리로서는 늘 생활에 쫓기다보니 말만의 이야기도 쉬운 일이 아니다.

아이들과 대화를 한다거나 함께 지내는 시간이 거의 없으니 부모와 자식 사이에 오손도손 오가는 정 깊은 이야기를 나눌 수도 없다. 가정의 예절이라든가 가훈 그리고 집안의 내력 등을 소상히 가르쳐줄 기회는 더더욱 없는 것이다. 그래서 가끔 마주앉을 기회가 있을 때도 아이들에게 한다는 말이 고작 "책 많이 읽고 공부 열심히 해라"는 정도다. 내가 어렸을 적 부모에게 귀가 아프도록 들었던 소리는 "일 부지런히 해라. 일하지 않는 놈은 굶긴다"였다. 한 세대가 바뀌면서 부모의 관심사는 '일'에서 '공부'로 바뀌었으니 오늘의 아이들이 할 일은 '공부하는 일'이 되고 말았다.

흔히들 "인간은 살기 위해서 먹느냐, 먹기 위해서 사느냐"는 물음을 심심찮게 던지기도 한다. 물론 인간답게 살기 위해서 먹는 것이다. 그렇다면 요즘 학생들은 부모를 향해서 사회를 향해서 어떠한 물음을 속으로 던지고 있겠는가. "학생은 살기 위해서 공부를 하느냐, 공부를 위해서 사느냐"고 묻고 있을 것이다. 물론 살기 위해서, 살아남기 위해서 공부를 하는 것이지 공부를 위해서 사는 것은 아닐 테지만 공부에 진절머리가 난 학생들은 능히 이런 질문을 던질 수도 있는 것이다. 여기서 '살기 위해서'는 혼자 살기 위해서가 아니라 모든 사람과 더불어 함께 인간다운 삶을 살기 위해서다.

무릇 모든 종교나 학문이나 과학이나 예술은 결국 인간을 위해 존재하는 것이지 인간이 종교나 학문이나 과학이나 예술 그 자체를 위해서 존재하는 것은 아니다. 그런데 왜들 이리 야단들이냐? 공부 아니면 인간이 끝장난다는 사고방식 때문에 급기야는 많은 학생들이 자살이라는 극한의 길을 택하고 있지 않은가. 인간의 삶을 위해서 있는 '공부'라는 것이 인간의 죽음을 부른다면 지금 당장이라도 그 '공부'를 때려치우는 것이 인간을 살리는 길일 수도 있다.

나는 요즘 집에서 애들과 마주치면 '공부'하라는 말은 일절 하지 않는다. 그 대신 슬슬 웃어주면서 "오늘 재미있게 지냈느냐? 학교에서는 재미있는 일이 있었느냐?"고 묻는 것이 고작이다. 나의 큰애는 이제 고1이다. 아침 일곱시에 무거운 가방을 한쪽 어깨에, 도시락 두 개를 또 한쪽 어깨에 메고 집을 나서면 저녁 열시 반이 넘어야 집에 돌아온다. 돌아와서는 부엌에 들어가 무엇인가를 찾아먹고 공부를 하다가 자정이 넘어서야 자는 모양이다.

소를 몰고 나가 꼴을 한짐 베어놓고 소를 나무에 매어놓은 채 태안사가 있는 동리산의 울울창창한 숲속을 쏘다니면서 노루·멧돼지·사슴·여우·토끼 등 온갖 산짐승들과 동무 삼아 뛰어놀다가 날이 저물어 집에 오면 저녁을 먹고 식구들과 둘러앉아 새끼를 꼰다든가 짚신을 삼는 일을 옆에서 거들거나 어머니의 베틀 일을 돕는다든가 아버지가 목탁을 치며 하시는 염불을 들으며 잠자기 전에 대충대충 숙제를 끝내고 잠자리에 들던 일, 학교 갔다가 오면 책가방을 마루에 팽개쳐놓고 논에 나가 못줄을 잡아준다든가, 아니면 일손이 딸리는 듯 싶으면 바짓가랑이를 걷어올리고 논으로 뛰어들어 모를 심는다든가, 때가 되면 잽싸게 집으로 돌아와 새참을 나른다든가, 두레질을 한다든가, 상머슴처럼 볏짚을 지게에 지는 등짐을 한다든가, 추수가 끝나면 밤이나 머루·다래를 따러 온 산을 헤맨다든가, 겨울이 되면 흰 눈밭을 헤치며 토끼몰이를 해서 몇마리씩 산토끼를 잡는다든가 하면서 자랐던 나와 아이들을 비교해보면 참으로 애처로운 생각이 들기도 한다. 나는 실컷 일하고 실컷 논 다음에 숙제 정도 하는 공부를 하면서 사춘기를 보냈는데, 지금의 아이는 일과 놀이의 구분이 완벽하게 배제된 채 공부만을 하고 있으니 애처롭다는 말이다. 내 아이만의 일은 분명 아니다. 앞으로 이 나라와 이 민족을 담당할 아이들이 반쪽만의 만족을 위해 반쪽만의 성공을 위해 절름발이 생활 속에서 성장을 한다면, 끝내는 전부를 잃어버리는 결과를 초래할 수도 있는 것이다.

물론 옛날과 지금의 생활패턴이 판이하게 다르다는 점을 알고 있다. 그러나 생활패턴이 다르다고 해서 인간의 가치관이나 성장하는 방법까지 판이하게 달라진 것은 아니다. 애처로운 아이들을 풀어주자. 인간답게 성장하도록, 자유롭게 인생관이나 세계관이 성숙되고 확립되도록 웬만한 통제나 간섭으로부터 풀어주자. 교육은 학교에서만 이루어지지 않는다. 학교와 가정과 사회에서 똑같은 비중으로 이루어지는 것이다. 그러므로 학교에서의 보충수업을 대폭 줄이거나 아예 폐지해서 아이들을 가정으로 일찍 되돌려보내는 일이 바람직하다. 원래 보충수업은 학습 결손이나 학습 부진 학생들을 위해 있는 것이다. 다시 말하면 부족한 부분을 보완하여 학생간의 실력 차이를 줄이고 학습 낙오자가 없도록 하기 위한 제도이다. 그러나 한마디로 보충수업은 상급학교 진학만을 위해서 실시되고 있는 듯하며, 또한 청소년문제가 사회적으로 확대되자 아이들을 폐쇄되고 안전해 보이는 학교라는 공간에 묶어두기 위해서 실시하고 있는 것이 아닌가 싶다. 지금의 보충수업은 고득점 전략을 위해 획일적으로 국어·영어·수학만을 치중해서 다루고 있으며, 보충수업을 시작할 때부터 학생들의 의사를 충분히 존중하지 않았기 때문에 많은 문제점을 안고 있다. 사람들이 한결같이 주장하는 문제점들은 다음과 같은 것들이다.

첫째로는 입시 위주로만 실시하기 때문에 청소년시절에 반드시 갖추어야 할 정서는 뒷전으로 밀려난 채 주체적인 자아를 잃어버리며 건강까지도 망치기 일쑤다. 두번째로는 선생님들에게는 어려운 교육환경 위에 보충수업이라는 업무까지 겹쳐서 진정한 교육은커녕 사제간의 인간적 교환도 힘든 상태며, 셋째로는 성적이 좋은 학생을 위주로 해서 실시되고 있으므로 실력이 부족한 아이들에게는 열등감과 소외감까지 안겨주고 있는 실정이다.

정서가 없다는 말은 인간이 목석과 같다는 말이다. 희노애락애오욕은 인간의 칠정이다. 기쁠 때 기뻐하고 화날 때 화를 내고 슬플 때 슬퍼하고 즐거울 때 즐거워하고 좋을 때 사랑을 하고 싫을 때 싫어하고 욕망이 있을 때 채우려고 하는 것이 바로 평범한 인간들이 갖는 정서들이다. 주체적인 자아를 잃어버리면 자기의 삶을 포기한 채 항상 남을 따라다니는 노예의 근성을 갖게 된다. 또한 건강을 잃는다는 것은 모든 것을 다 잃어버린다는 말이다. 흔히 말하지 않는가. 재물을 잃는 것은 적게 잃는 것이요, 명예를 잃는 것은 많이 잃는 것이며, 건강을 잃는 것은 모두를 잃는 것이라고. 또한 선생님은 지식만을 전달하는 기계와 다름없는 기능보다는 서로의 인격을 존중하며 충전시켜주는 기능을 더욱 소중히 여겨야 한다. 교육현장은 열등감과 소외감을 조장하는 것이 아니라 이런 열등감과 소외감을 말끔히 씻어내는 장소가 되어야 한다. 한 사람 혹은 몇사람의 천재교육도 중요하겠으나 열등감과 소외감 때문에 학교를 기피하는 현상이 일어나서는 안된다.

살아서 많은 화제를 남겼던 김관식 시인은 모든 학생들을 끔찍이 사랑하는 선생이었다. 그중에서도 항상 성적이 형편없는 학생들에 대한 관심은 뜨거웠다고 한다. 한번은 반에서 매번 꼴찌를 면치 못하는 한 학생에게 느닷없이 국어 점수를 95점이나 주었다고 한다. 집에서나 학교에서나 날마다 공부 못한다고 지청구만 듣던 그 학생은 '못난 나를 인정해주는 선생님도 계시는구나' 하며 감격한 나머지, 처음으로 좋은 점수를 맞고 난 그 학생은 주먹세계에서도 손을 떼고 모범학생이 되었다고 한다. 난생 처음으로 성취욕을 맛보았으며 인간대접을 받았던 그 학생이 김관식 시인이 작고했을 때 가장 깊고 크고 슬프게 통곡하는 모습을 나는 옆에서 지켜보았다.

주눅이 들어 있는 우리의 청소년들에게 95점이 아니라 공평하게 백점씩을 안겨주자. 전국의 모든 학생에게 단 한 번만이라도 좋으니 전과목에 걸쳐 백점씩을 안겨주자. 나라를 위해서 인간을 위해서 실의에 빠져 있는 모든 중생들에게 만점을 안겨주자.

『해인』 1988년 10월호

복성거사와 일해거사

'거사(居士)'란 불교식으로 풀이하자면 출가하지 않은 속인으로
서 불교의 법명을 가진 반승반속인(半僧半俗人)을 말한다. 유교식으
로는 도덕과 학예가 깊고 훌륭하면서도 벼슬길에 나서지 않고 초
야에 숨어사는 선비를 일컬으며, 속어로 풀이하자면 아무 일도 하
지 않은 채 빈둥빈둥 거드름이나 피우면서 놀고 지내는 이른바 백
수건달을 말한다.

그런데 단순히 불교식으로 그 의미를 풀이한다 해도, 그것이 누
구의 법명이었고 누구에 의해서 그 법명이 붙여졌는가에 따라서
그 뜻이 사뭇 달라지기도 한다.

복성거사(卜姓居士)는 원효(元曉)대사가 스스로를 낮춰 자신이 붙
인 겸손한 법명이다. '복(卜)'자는 '하(下)'자의 거추장스러운 부분
을 떼어버린 글자로서 '밑의 밑(下之下)'이란 뜻이란다. 원효대사
는 이처럼 자신을 낮출 대로 낮추며 자질구레한 명리를 떠나 대승
의 길을 걸어 크게 깨달은 스님이었다.

그가 당나라로 유학을 가기 위해 의상(義湘)과 함께 바닷가에 이
르렀으나, 배편이 끊기고 날마저 저물어 하룻밤 지낼 곳을 찾아 헤
매다가 움집을 발견하고 거기에서 묵게 되었다. 잠을 자다가 목이
말라 마실 것을 찾았다. 손에 잡히는 바가지가 있어 입을 대고 단

숨에 그 물을 다 마셨다. 시원하고 맛이 있었다. 아침에 깨어보니 그 움집은 옛무덤 속이었고, 엊저녁 마신 물은 해골바가지에 고여 있던 시체 썩은 물이었다. 오장이 뒤집히고 구역질이 나서 모두 토해버렸다.

그리고 문득 깨달았다. 깨끗하고 깨끗하지 않은 것〔淨不淨〕, 좋고 좋지 않은 것〔好不好〕, 착하고 착하지 않은 것〔善不善〕의 가치판단은 자신의 마음으로부터 우러나는 것이지 객체 그 자체는 깨끗함도 더러움도, 좋은 것도 나쁜 것도 아니라는 사실을 깨달은 것이다. 모든 것은 내 탓이지 남의 탓이 아니라는 깨달음이다. 크게 깨달은 원효는 당나라 가는 것을 그만두고 돌아오고 말았다고 한다. 크게 깨달았는데 당나라에 가서 무엇을 더 깨닫겠느냐는 생각이 들었기 때문이었으리라.

'일해거사(日海居士)'는 전두환씨의 법명이다. 백담사에서 수천명의 불자(?)들을 모아놓고 진신사리 봉정식과 함께 법문식을 갖고 불교의 큰스님이란 분이 그를 가리켜 '민주주의의 어머니'라고 치켜세우면서 붙여준 법명이다. 그 법명의 크기는 우리 속인들이 보기엔 '바다'에서 '태양'에 이르는, 상상을 초월한 무지막지하게 큰 이름이다.

이 큰 법명을 사양치 않고 받아들인 본인은 또 얼마나 큰 마음을 지닌 인물인가. 요즘 매일 전국 방방곡곡에서 불러모은 1천여명의 불자들 앞에서 자기의 큰 마음을 열어 설법을 한다는 보도들이다. 주지스님이나 앉는 높은 법대나 아니면 보료를 높게 깔고 앉아 "울화가 치밀고 분통이 터지면 확 뛰쳐나가 네댓 사람 손을 보고 싶어진다"고 말하면, 부창부수라 이여사도 적극 동조하면서 고개를 끄떡인다고 한다. "당신 말이 맞으니 손볼 사람은 우리가 죽기 전에 손을 보자"며 맞장구를 친다고 한다. '손을 본다'는 말은 원래 잘 다듬어 만든다는 뜻이겠지만, 폭력집단에서는 '작살내어 사지를 못쓰게 만들어버린다'는 뜻으로 쓰인다는 것쯤은 우리들이 다 아는 사실이다.

같은 '거사' 돌림이지만 '복성거사'는 하룻밤 사이에 크게 깨달은 과거의 '거사'였지만 현재까지 우리 곁에 살아 있는 '거사'다. 그 법명의 크기가 무지무지한 현재의 '일해거사'는 백일기도를 했어도 도무지 깨달은 것이 없으니 불행한 일이 아닐 수 없다. 과거의 죄를 뉘우치지 않으면 미래에서도 죄악을 저지를 텐데……

1989년 발표 지면 미상

늦가을 단상

나는 새벽잠에는 서툴러서 남들보다 일찍 일어나는 편이다. 먼동이 트기 전에 바로 머리맡에 앉아 있는 옥녀봉을 오르든지 아니면 논둑길을 거니는 것으로 하루 일과를 시작한다.

모든 것을 베풀면서도 생색을 내어 자만하지 않고 침묵으로 일관하는 그 천지간에 살면서 유독 인간만은 늘 그렇게 시끄러운지 모르겠다. 학생들에게 민주적인 참교육을 하려고 애쓰는 선생님들과 당국 사이, 추곡수매가를 놓고 농민과 정부 사이, 쇠고기를 놓고 소비자와 재벌 사이, 망국적 과소비 풍조를 놓고 특수층과 서민 사이가 여간 시끄러운 것이 아니다.

입은 비뚤어졌어도 말만은 바로 하자면 나는 선생님들의 편이고 농민들의 편이고 소비자의 편이고 서민들의 편이다.

농민문제만 하더라도 그렇다. 정부는 물가동요나 재정압박 등을 이유로 들어 올해 추곡수매가를 통일벼 11퍼센트, 일반벼는 12퍼센트로 책정했다 한다. 당국은 물가안정과 재정압박을 내세웠지만, 농민들은 그들의 생존을 내세우고 있다. 농촌의 절대수입원인 추곡수매가를 적정수준에서 농민이 납득하도록 보장했어야 하는데 그렇지 못해 농민들의 바람은 물거품처럼 사라져, 마지막 힘을 쓰면서 한숨지으며 허덕이고 있다.

예로부터 자식 죽는 꼴은 보아도 곡식 타는 꼴은 못 보는 것이 농민들의 심정이라 했다. 이는 곡식과 함께 흙에 뿌리를 내리고 사는 농민들의 마음이 얼마나 지극한 것인가를 잘 나타내주는 말이다. 그래서 항상 마음〔心〕속으로 땅〔田〕만을 생각〔思〕하면서 살아온 것이 농민이고 사람이 아니었던가.

가을〔秋〕은 벼이삭〔禾〕이 불〔火〕처럼 타오르는 계절이다. 그래서 가을은 예로부터 풍요로움을 의미했다. 그래 벼〔禾〕를 입〔口〕에 넣어야 평화〔和〕로운 법인데, 피땀 흘려 농사를 잘 짓고도 제값을 받지 못해 입에 먹을 것을 넣지 못한다면 원성이 높아져 세상은 자꾸 시끄러워지는 것이 아니겠는가.

그런데도 농민들은 벌거벗어 쓸쓸한 나무〔木〕와 똑같은 처지임을 스스로 깨닫고 그저 눈〔目〕으로만 쳐다보며 자신의 아픈 마음〔心〕만을 달래며, 다음 해의 추수철을 기약없이 기다리며 살아갈 궁리〔想〕를 해야 하는가. 소를 길러라 하면 길렀고, 돼지를 길러라 하면 길렀고, 닭을 길러라 하면 길러온 농민이다. 그러나 그 결과의 책임은 대부분 농민들이 짊어져야만 했던 것이 그간의 농정이 아니었던가.

풍년이 들어도 걱정, 흉년이 들어도 걱정을 해야 하는 농민들이다. 밀가루 장사를 하면 바람이 불고, 소금 장사를 하면 비가 오는 격이 되었다고, 아니 '복 없는 노처녀는 봉놋방에 누워도 꼭 고자 옆에 가 눕는다'는 속담을 되뇌면서 그들은 지금 먼동이 트지도 않았는데 쓸쓸한 늦가을의 논둑길을 걷고 있는지도 모른다.

나는 논둑길을 걷다가 피우던 담뱃불을 끄고 천〔千〕마디 말을 입〔口〕으로 뱉는다는 혀〔舌〕를 놀려, 시끄러운 세상을 보고도 역시 침묵을 지키고 있는 천지를 향해 조심스럽게 입을 열었다.

"이래도 괜찮은 건가요?"

"......"

역시 입을 다물고 있는 하늘과 땅이었다.

1989년 발표 지면 미상

나가라 다 나가라

　중·고등학교에서 학생들의 성적평가는 대개 객관적인 사지선다형 방식을 쓰고 있어 학생들의 사고방식이 단순화·기계화되고 있다는 우려를 많이 하고 있다. 이런 이야기도 있다. 어떤 학생이 부모의 뜻대로 좋은 대학을 가게 되어서 그 애에게 "맛있는 거 사줄까? 영화 구경 시켜줄까? 선물을 사줄까? 하고 물었더니 대답을 못하고 끙끙거리고만 있길래, "너 왜 싫냐? 대답을 왜 안하지?" 하고 물으니, 대답하기를 "문제가 틀렸어요! 답항이 네 개여야 하는데 세 개뿐이잖아요!" 했다고 한다. 네 개 중에서 골라야만 하는 습관에 젖어 있었는데 세 개 항만 제시하는 상황 변화에 적응하지 못하는 절름발이 교육방법을 적절히 풍자·비판한 경우라 하겠다.

　그뿐인가. 사지선다형 출제방식 때문에 아주 훌륭한 문장이 이 나라 이 사회에서 창작되었다는 사실은 우리들에게 많은 교훈을 일깨워주고 있다. 그 문장이란 바로 "나가라 다 나가라"이다. 지금은 답항이 ① ② ③ ④의 아라비아숫자로 바뀌었으나 얼마전까지만 해도 가, 나, 다, 라의 순 우리나라 글자로 되어 있었다. 영·수 공부에 진저리가 났거나, 하기 싫은 과목은 아예 포기한 수험생들이 문제를 읽어보지도 않고 '나가라 다 나가라'의 순서대로 동그라미를 치며 만들어낸 단지 7음절로 된 문장이다. 이 문장은 비록 수

험생들의 요행심리에서 만들어졌다고 생각할 수도 있겠으나, 오죽 답답했으면, 오죽 강박관념에 짓눌려 있었으면 이런 외침으로 사회에 항거했겠는가 하는 생각이 든다.

며칠 전에 대학입시 압박감 때문에 고3 학생이 한강에 투신자살한 사건이 일어나 큰 충격을 주었다. 반에서 반장까지 맡고 있는 온순하면서도 적극적인 성격에다가 성적도 상위권에 드는 이른바 모범학생이었다. 그 모범학생이 남긴 유서에는 "부모님의 권유로 명문대에 가고 싶었으나 시험을 치를수록 자신감을 잃었다" "이렇게 죽은 친구들을 이제는 이해할 수 있다" "선생님들의 목소리가 지옥에서 부르는 소리 같았고, 친구들이 감정도 개성도 없이 묵묵히 순종하는 모습이 싫다"는 구절들이 들어 있었다고 한다.

이러한 내용들은 현행 대입제도와 교육환경이 얼마나 획일적이고 비인간적인가를 잘 드러내주고 있다. 이 절규는 한 사람의 절규가 아니라 대입을 앞두고 있는 거의 대부분의 수험생들이 한결같이 머릿속에 가슴속에 지니고 다니는 시한폭탄 같은 절규라 해도 틀린 말은 아닐 것이다. 이렇듯 명문대학에 들어가야만 한다는 심리적 압박감, 친한 친구들과 정겨운 대화 한마디 나눌 시간적 여유 없이 감정도 개성도 인격도 정서도 내팽개친 채 톱니처럼 꽉 짜여 있는 교육환경 속에서 지식전수를 위해 순종해야만 하는 학생들에게는 지식전달에만 신경을 쓰는 선생님들의 목소리는 지옥의 목소리로만 들릴 것이다.

입시 압박감 때문에 귀한 목숨을 끊어버린 학생들의 숫자가 한 해 평균 100여명에 달한다고 한다. 금년의 통계는 아직 나와 있지 않으나 통계에 따르면 재작년엔 60여명, 작년엔 130여명에 육박했다고 하니 1년 사이에 두 배로 늘어났다는 말인데, 앞으로 이런 현상이 가속화되지 않으리라고 누가 감히 장담할 수 있겠는가.

그래 그들은 스스로 목숨을 끊으면서 자신들의 처지에 대해 무관심으로 일관했던 사회를 향해서, 제 잘난 맛에 흥청망청 과소비를 즐기며 세상을 온통 정신없게 만드는 부류를 향해서 "나가라 다 나가라"고 외쳤는지도 모른다.

1989년 발표 지면 미상

정치구호는 구호일 뿐인가

계강자(季康子)가 공자에게 정치에 대하여 물으니 공자는 "정(政)은 정(正)이다. 그대가 솔선해서 몸을 바르게 가지면 누가 감히 바르게 행동하지 않겠는가"라고 했다. 이 말은 정치행위는 바르게 행하고 정의를 따른다는 것이며, 정직해야 하고, 그른 것을 바르게 고치는 것이며, 국민을 바르게 인도한다는 뜻이다. 정치하는 사람이 솔선수범하여 바른 것을 찾고 바르게 행하고 바르게 다스리면 국민은 절로 흥이 나서 감화되지 않을 수 없을 것이다. 또한 공자는 정치의 요체를 수기안민(修己安民)이라 했다. 먼저 스스로 몸을 닦아서 백성을 편안하게 하라는 뜻이다.

그런데 우리의 정치는 어떠한가. 우리의 현대정치사를 돌아보면 이런 조용하고 평범한 진리와는 거리가 먼 이른바 시끄럽고 그럴싸한 정치구호가 시대마다 어지럽게 난무했음을 볼 수 있다. 해방 이후 이승만 시대의 정치구호는 "뭉치면 살고 흩어지면 죽는다"였다. 결과는 반민특위를 해산시켜 부일·친일세력이 뻔뻔스럽게도 권력구조의 핵심적 자리에 앉게 되어 민족정기는 흐려지고 말았으며 독재와 외세와 분단의 결과를 낳고 말았다. 긴말 할 것 없이 국민에 대한 속임수였고 실수였다. "뭉치면 죽고 흩어지면 산다"고 했으면 친일파들이 그렇게까지 득세하지 못했을 것 아닌가.

박정희시대의 정치구호는 "구악을 일소한다"는 것이었다. 결과는 신악이 창궐하던 시기였다. 헌법을 마음대로 뜯어고쳐 삼선개헌을 하고, 그것도 부족해서 유신헌법을 선포하여 국민을 벌벌 떨게 하였으며, 그것도 또 부족해서 긴급조치를 발동하여 국민들에게 보지도 말고 듣지도 말고 말하지도 말라는 정치에 대한 허무감을 조장시킨 삼무주의를 낳았다. 또한 이 시대의 대표적인 신악은 아무래도 지역감정을 만들어내어 심화시켰다는 점일 것이다.

전두환 시대의 정치구호는 "정의사회 구현"이었다. 과연 정의를 이룩했던 시대였던가. 출발부터 시비(12)에 시비(12)가 꼬리를 물었다. 이 시대는 이승과 저승이 도무지 구분이 안되던 시대로 무고한 사람이 많이 죽어가던 시대였다.

광주민중항쟁 때는 수천명이 다치거나 죽었다. 의령에서는 한 마을 사람들이 어느 경찰관의 총기난동으로 거의 모두 죽어갔다. 아웅산 사건이 있었고, 소련 영공에서의 KAL기 추락사건, 김현희 사건, 그리고 제주도 상공에서는 수십명의 장병이 목숨을 잃었었다. 뿐인가. 의문사도 많았고 가히 '열사의 시대'라고 일컬을 만큼 50여명 가까운 학생이나 노동자들이 분신, 투신, 할복사했지 않았던가. 이승을 뜬 사람들이 많았던 시대였다. 부정부패는 어떠했는가. 일일이 열거할 필요 없이 독자들의 헤아림에 맡기는 편이 속 편할 것 같다. '정의사회 구현' 시대가 아니라 '악덕사회 구현' 시대였으며 '전씨 일가의 전성시대'였다고 규정짓는다면 필자의 지나친 편견일까.

6공시대의 정치구호는 "보통사람의 시대"였다. 보통사람의 생각과 느낌이 그대로 정치에 반영되는 시대가 '보통사람의 시대'다. 무리없이 민주화가 달성되고 5공비리가 청산되고 광주민주화운동의 정정당당한 평가와 배상으로서의 해결이 '보통사람의 시대'에 걸맞은 것들이다. 그런데 대통령선거 때의 공약들이 가시적으로 나타나지 않고 있다. 답답할 뿐이다. 악법은 그대로 살아 있다. 5공비리도 그대로 살아 있다. 살아 있는데도 거의 청산되었다고 정권 담당자들은 강변하고 있다. 보통사람의 상식에 어긋나는 일들이 도처에서 발호하고 있다.

보통사람의 생각과 일치하지 않는 사회는 특별한 사회다. 특별한 사람의 시대는 거짓말이 득세하는 시대다. 만약 5공이 청산되지 않는다면, 그러니까 6공이 5공을 따른다면 후세사람들은 '6공 한다'는 말을 만들어낼 것이다. '6공 한다'는 '약속을 안 지킨다' '후라이 깐다' '노가리 푼다' '구라친다', 즉 '거짓말한다'의 신생어이다. 아니 지금 항간에는 '6공 한다'는 말이 서서히 세력을 얻어가고 있다. 언어는 시대의 산물이 아니던가.

1989년 발표 지면 미상

언론인에게 바란다

　새해에는 활기찬 언론의 시대가 전개되기를 간절히 바라면서 평소 본인이 언론인에게 바랐던 몇가지를 말하고자 한다.

　첫째로는 국민의 힘을 과소평가하지 말라는 부탁이다. 언론인은 국민의 힘의 편에 서서 진실을 알려야 한다. 그것이 언론인의 기본적 임무이다. 권력보다 항상 앞서가고 영원하고 힘센 것이 국민의 힘인데, 얄팍한 권력의 편에 서서 국민을 기만하는 행위는 새해에는 없어지기를 바란다.

　두번째는 양심적인 언론인은 영리만을 추구하는 언론기업이나 그에 추종하는 간부들과 유착해서는 절대로 안된다는 점을 강조하고 싶다. 언론기업은 권력과 유착하여 일시적인 영리추구를 꾀함을 속성으로 지니고 있다. 언론기업은 언론인의 자유를 될 수 있으면 제한하려 한다. 전언론인들은 이들 악덕 언론사주들과 유착할 것이 아니라 분연히 맞서 단결된 힘을 과시함으로써 언론의 공익성에 충실해야 한다. 우리는 기억하고 있다. 1975년의 동아·조선의 언론인 대학살과 1980년의 언론 학살도 독재정권과 언론기업의 합작품이었음을. 요즘 밝혀지고 있듯이 보안사에서 300여명의 언론인을 해직 요구했으나 언론기업은 한술 더 떠서 900명이 넘는 언론인을 쫓아냈다. 이는 언론사주들의 비도덕적·비역사적인 행위였다. 영리를 위한 언론은 언론의 공익을 침해하는 것이므로 전언론인은 단결하여 이러한 행태를 과감히 분쇄하는 데 주저할 필요가 없다.

세번째로는 언론인은 민족의 양심과 세계의 양심이 원하는 대로 행동해야 한다. 칠흑 같았던 유신시대와 80년대를 거치면서 국민들의 알고자 하는 원초적인 양심에 얼마만큼 기여했느냐는 물음에 입을 다물 수밖에 없을 것이다. 진실을 알리기는커녕 진실을 은폐하는 수작에 놀아나지는 않았는지 깊이 반성을 해볼 일이다. 언론인은 못된 권력자의 심부름꾼이 아니라 국민의 심부름꾼, 다시 말하면 민의의 반영자가 되어야 한다. 민의의 반영자가 곧 양심 있는 언론인이다. 언론은 4부의 권력이란 말이 있다. 일방통행을 강요하는 독재권력이 아니라 정의를 외치고 진실을 추구하고 양심을 지켜 키우는 권력을 말함이리라.

언론은 당대사회에 대하여 소금과 같은 구실을 해야 한다는 말은 낡은 명제가 아니라 지금 이 시대에도 유효한 명제이다. 소금의 역할은 언론의 상품화를 막는 데도 기여해야 한다. 찰나적인 대중들의 기호나 흥미에 맞춰 사탕발림의 언론으로 떨어져서는 안된다. 이미 발생했던 사건에 대해서 떠들어대기보다는 문제 발생 요인들에 대해 앞서 진단해보고 사전에 예방할 수 있는 선견지명도 이 시대 언론인들이 가져야 한다. 새해에는 이 사회에서 일어나는 모든 일들이 조금도 깎이거나 보태지지 않고 사실대로 국민들이 접할 수 있기를 기대해본다.

『한국문학』 1989년 1월호

작품의 고향, 곡성

나는 1941년 9월 30일 전남 곡성군 죽곡면 원달리에서 8남매 중 네번째로 태어났다. 나의 고향에 관한 이야기는 서너번의 기회를 통해서 글로 발표한 적이 있고 20여편의 시를 통해서 고향의 정서나 유년기의 성장과정을 형상화한 적도 있다.

다 아시겠지만 서울생활의 연말연시는 눈코 뜰 새 없이 바쁘다. 개인적인 일도 많지만 공적인 성격의 일도 많아서 어지간한 일은 사양도 하고 피해버리기도 한다. 서울생활은 연말연시가 아니더라도 항상 쫓기는 생활을 한다. 도대체 정신적인 여유를 주지 않는 생활이다. 그렇지만 터놓고 이야기하자면 서울생활 30여년이 가까워오지만 하루도 내 고향 곡성땅을 잊어본 적이 없다. 즐거울 때나 슬플 때나 괴로울 때나, 아니면 한편의 시를 쓰면서도 고향의 정서는 항상 내 머릿속이나 가슴속에서 꿈틀거린다. 생의 고향이며 작품의 고향이 바로 그곳이기 때문이다. 우리 인생이 태어나면서 고향에서 출발하듯이 내 중요한 문학행위의 출발점도 고향이다. 눈코 뜰 새 없이 바쁜 일정을 원만히 해내기 위해서는 항상 나에게 여유를 가지고 살 수 있는 지혜를 가르쳐준 고향을 잠깐 다녀오는 것도 바람직한 것 같아 고향 방문길에 나섰다.

먼저 곡성읍에 있는 곡성군청을 들러 곡성군의 『마을 유래지』

한권을 얻어들고 섬진강 방향으로 차를 휘몰았다. 우리나라 9대
강 안에 드는 강이며 은어회로 유명한 섬진강을 왼쪽에 끼고 구례
와 순천 방향으로 한참을 달리다보면 보성에서 발원하여 승주를
거쳐 곡성군의 남부지대를 관류하는 압록강(일명 보성강)과 섬진
강이 다정하게 만나는 압록유원지가 있다. 이 근처에는 압록국민
학교가 오붓이 자리잡고 있으며 섬진강 건너편에 위치한 고달면
을 오가는 나룻배가 보이기도 한다.

　우리 일행은 여기서 잠시 차를 멈췄다. 은어철이 아니어서 은어
회를 못 먹는 것이 못내 아쉬웠지만 구멍가게에 들러 소주와 마른
안주를 샀다. 이 압록유원지는 세 개의 다리가 있다. 하나는 순
천·구례로 가는 신식다리이고, 하나는 철교이고, 하나는 1926년
에 만들어진 압록교로서 이 다리는 근래에 거의 사용하지 않는 다
리다.

　여기서부터 태안사까지는 12킬로미터라고 표지판에 씌어져 있
다. 압록강을 왼쪽으로 끼고 20여분 비포장도로를 달리다보면 태
안교가 나온다. 40년 전 이 곡성땅을 두고 광주로 피난길에 오를
때까지만 해도 다리는 없었고 나룻배를 타고 건너서 피난해야만
했다. 태안교를 건너 조금 걷다보면 왼쪽으로 유봉마을이 있다.
『마을 유래지』에 따르면 지형이 봉황새가 새끼를 품고 있는 형국
과 같다 하여 '유봉(留鳳)'이라 부르게 되었다 한다.

피난의 몸서리 밴 신작로

　그 윗마을이 동계마을이다. 마을 앞에 맑은 시냇물이 사시사철

흐르고 주변에 오동나무가 무성하다 해서 동계(桐溪)마을이란다. 이번 고향 방문을 75세 노모에게 말씀드렸더니 꼭 이 동계마을을 찾아가서 동네 어른들을 찾아뵈라고 하신다. 특히 태안사에서 소개되어 피난와서 살던 이씨네 집을 찾아보라 간곡히 주문하신다. 바로 그 집이 이한열 열사의 조부와 부친이 사셨다는 집이란다. 나는 이 노모의 말씀을 듣고 한동안 정신을 잃었다. 1987년 민주화 투쟁이 전국적으로 가열차게 전개되던 때에 목숨을 잃었던, 아니 목숨을 민주화의 제단에 바쳤던 이한열 열사와 내가 인연이 있다니! 무슨 인연이란 말인가. 이한열 열사가 시를 잘 썼다는 사실은 세상에 널리 알려져 있다. 그의 장례식에 참석하여 하도 슬프고 분통하고 안타까워서 장례행렬을 무작정 따라 광주까지 왔다가 자정을 넘겨 망월동에 안장될 때까지 나는 얼마나 많이 가슴을 치며 울며불며 했었던가.

그 집을 찾아냈다.

어렴풋이 집의 구조가 떠올랐다. 행랑채는 뜯어내고 거기에 시멘트집을 지었는데 본채는 그대로였다. 이열사의 부친인 이병섭씨는 타처로 이사를 했고 이열사의 사촌형인 이시열씨가 나를 맞았다. 필자하고는 같은 또래로서 얼굴이 전혀 기억이 없는데, 어렸을 적 골목길에서 혹은 부엌에서 소꿉장난 치던 기억은 난다고 했다. 그러니까 이열사는 그 무렵 태어나지 않고, 그 부친이던 이병섭씨가 곡성농고에 다녔는데 일주일에 한 번씩 집에 다니러오던 기억이 조금씩 떠올랐다. 이시열씨는 본채 옆에 있는 돌담으로 나를 안내했다. 그 돌담 너머에 돌우물이 있는데 40여년이 지난 지금에도 거기서 물을 떠먹던 기억이 생생하다. 우리 집안이 태안사에서 살다가 밤손님이 극성을 부려 생명이 위태로울 때 이곳 동계마

266

을까지 소개시켰는데 바로 이 집에서 몇개월씩 살다가 태안사 쪽이 좀 안전하다 싶으면 다시 들어가고 다시 불안하면 소개되어 이곳까지 오곤 했던 곳이다.

30년 만에 찾은 고향

이 동네 이장인 양현식씨와 이시열씨는 나보다는 한두살 아래지만 금방 친해져서 나는 말을 먼저 놓았다. 우리들은 이시열씨 집에서 담근 청색빛이 고운 매화주를 주고받으며 어렸을 적 그 공포의 순간을 이야기도 했지만 즐겁기만 했다. 인심은 예나 지금이나 후하기만 했다. 이시열씨의 아내는 곶감을 한보따리나 싸주셨다.

이시열씨는 타이탄 트럭을 소유하고 있었는데 그걸 타고 동계국민학교로 왔다. 이 학교는 내가 2학년 때까지 다니던 학교였다. 10여년 전에 왔을 때는 옛날 그대로의 목조건물이었는데 지금은 현대식 콘크리트 건물로 말끔히 단장되어 있었다.

1977년 아버지의 유언대로 고향을 떠난 지 30년 만에 고향땅을 밟게 되었다. 30년이란 세월은 무엇을 뜻하고 있는지 모르겠지만 여순사건 때 죽을 고비를 몇번씩이나 넘기고서 세간살이 모두 팽개쳐두고 7남매(내 바로 동생은 한살때 죽었다)를 이끌고 압록강을 건너 압록을 거쳐 섬진강을 따라 광주로 피난하지 않으면 안되었던 쓰라린 경험 때문에 이 사회가 안정되는 시기를 1970년대 후반쯤으로 보셨단 말인가. 그러나 1970년대 후반은 알고 있다시피 유신독재체제가 막바지 발악을 하던 시기가 아니었던가? 그러고 보면 30년이란 말은 한 세대를 의미하는 것 같다. 강산이 세 번씩이나 변하면 사람의 마음도 평정이 되는, 말하자면 한 세대가 지나면 그 앞전 세대의 모든 것을 잊어버리는 시간이 되는 것이다.

아무튼 10여년 전에 처음으로 고향을 찾을 때 나는 내 처와 세 아이들과 동행하였다. 그런데 우장을 쓰고 논밭에서 일하는 고향의 농부들을 보면서 "아빠! 거지가 왜 이렇게 많아?" 하는 것이었다. 모든 것을 삭막한 도시 속에서만 보아왔기 때문에 농사를 어떻게 무엇으로 언제 짓는지를 알 리가 없는 아이들을 보면서 나는 속으로 교육의 잘못을 뼛속 깊이 반성했다.

그때 방문을 기념으로 몇백권의 아동도서들을 기증했었다. 한 십년 계획으로 그 일을 지속하고 싶었으나 연락두절로 중단되었다가 이번 방문으로 다시 그 일을 하겠다고 약속을 했다. 내가 이 동계국민학교에 다닐 때 한 분단에 한 권씩만 교과서가 나왔다. 그걸 집에 가져가는 차례가 오면 내용이 신기하고 아까워서 밤을 새워 외우기도 하고 문종이에 옮겨놓기도 했던 기억이 생생하다. 요즘이야 한 학생에 한 권씩의 책은 돌아가겠지만 교양도서는 이 시골에서는 여간 보기 어려운 것이 아니리라.

흔적 없이 사라진 김피쟁이

10여년 전에 보냈던 책들이 간이도서관에 잘 정리 비치되어 있었다. 학교에서 아이들과 기념촬영을 끝내고 내가 태어난 곳을 찾아 타이탄 트럭과 광주일보의 승용차를 나누어 타고 태안사 입구를 갔다. 오른쪽으로 삼송마을을 두고 지나다보면 태안사 입구 못 가서 김피쟁이란 곳이 있는데 마을의 흔적은 완전히 찾아볼 수 없다. 그 건너마을이 원달리, 일명 건모마을이라고 한다.

  산골마을로서 농토가 협소하여 풀[毛]을 뜯어 말려[乾]서 우장 (雨裝) 등을 만들어 팔아 생계를 유지했던 마을이라 해서 건모(乾 毛)마을이란 이름이 붙었다고 한다. 태안사 입구 신숭겸(申崇謙) 장군 비각을 채 못 가서 왼쪽의 산등성이 밑에 덕석만한 논배미가 있고 바로 그 위에 오래된 감나무가 한 그루 있는데 바로 거기가 내가 태어났던 곳이다. 여순사건 때 집이 타버렸기 때문에 지금은 흔적조차 없지만 감나무가 그때의 사연을 쓸쓸하게 말해주고 있었다. 지금 이 땅이 누구의 땅인지 모르지만 나의 일행에게 그 말을 넌지시 던졌다. 기껏해야 100평 정도의 버려진 땅이 아닌가. 1941년에 여기서 태어나서 세 살 때 태안사로 이사를 했다고 하는데 이때의 기억은 전혀 없다. 그러나 태안사에서 동계국민학교까지 등하교를 했기 때문에 이쪽의 지리는 훤히 기억하고 있다.

  태안사 입구에서 태안사까지는 2~3킬로미터쯤 되는데 좌우 양쪽으로 원시림을 껴안고 흐르는 동리천은 맑기만 하다. 학교 다닐 때 멱을 많이 감던 곳이다. 남녀 학생들이 벌거벗고 함께 동리천에서 멱을 감으면서 고기를 잡던 기억이 눈에 선하다. 손더듬으로 바위틈에서 게를 잡던 일도 생각난다. 멱을 감다가 소에 빠져 허우적거리는 나를 어떤 나뭇꾼 아저씨가 구해준 적도 있는데 집에 와서 어머님께 회초리로 종아리를 맞으면서 울던 기억도 생생하다.

  동리천을 끼고 꼬불꼬불 난 길을 걷다보면 해탈교니 반야교니 하는 작은 다리들이 있다. 이 다리를 건너 거의 막바지에 도달하면 능파각이 있다. 능파각을 지나 5분쯤 오르면 태안사가 있다. 태안사 바로 밑에 자그마한 촌락이 있었는데 여순 때 불타고 6·25 때 불타버려 지금은 마을의 흔적을 찾을 수가 없다. 그러나 내가 태어났던 태안사 입구의 집들이 없어지고 감나무만 덩그마니 남아 있 듯이 내가 5~6년 가까이 살았던 이곳도 집들은 없어지고 감나무만 남아 있다.

예나 지금이나 감은 열려 있구나. 내 집 앞의 논들은 흔적도 없고 거기에 호국관이 들어서 있고 오른쪽으로는 하늘을 찌를 듯이 충혼탑이 서 있다. 주차장 시설도 되어 있다. 그 옆으로는 인공연못이 새로 만들어져 있다. 이 호국관 관리인 박문규씨를 만났다. 자초지종을 얘기했더니 대충은 알고 있었고 나에 대해서도 약간은 알고 있었다. 우리들은 주차장 모서리에 털썩 주저앉아 사온 소주로 목을 적시며 서로 떠들며 이야기를 나눴다. 나는 이때부터 속으로 울고 있었다. 내가 태어났던 집이나 5~6년 살았던 집들은 40여년을 지나며 흔적을 감췄는데 아직도 감나무 위에 걸려 있는 몇개의 감들이 나를 울게 했다. 우리 식구들의 목숨을 연명시켜주던 논다락들은 다 없어지고 거기에 호국관이 들어서고 충혼탑이 솟아 있고 여기를 찾는 사람들의 편의를 위해 훌륭한 주차장까지 완비되어 있으니, 나는 고향에서 이제는 떠나야 한다는 말인가. 태곳적 그대로 내 고향을 이 나라에서 영원히 간직하면서 괴로울 때나 슬플 때나 되돌아보던 고향은 이제 어수선하기만 한 관광객들로 가득 차고 조국순례단들로 법석을 떨 것인가. 일찍 돌아가신 대처승이었던 선친 생각이 떠오른다.

모든 소리들 죽은 듯 잠든
전남 곡성군 죽곡면 원달 1리

구산의 하나인 동리산 속

태안사의 중으로
서른다섯 나이에 열일곱 나이 처녀를 얻어

깊은 산골의 바람이나 구름
멧돼지나 노루 사슴 곰 따위
혹은 호랑이 이리 날짐승들과 함께
오손도손 놀며 살아라고
칠남매를 낳으시고

난세를 느꼈는지
산 넘고 물 건너 마을 돌며
젊은이들 모아 야학하시느라
처자식을 돌보지 않고

여순사건 때는
죽을 고비 수십 번 넘기시더니
땅뙈기 세간살이 고스란히 놓아둔 채
처자식 주렁주렁 달고
새벽에 고향을 버리시던 아버지.

삼십년을 떠돌다
고향 찾아드니 아버지 모습이며 음성
동리산에 가득한 듯하나

눈에 들어오는 것

폐허뿐이네 적막뿐이네.

— 졸시 「원달리의 아버지」 전문

위의 시는 아버지의 유언대로 고향 떠난 지 30년 만인 1977년 찾아왔을 때의 느낌을 쓴 시다. 그런데 마지막 연 "눈에 들어오는 것/폐허뿐이네 적막뿐이네"는 오늘의 상황과는 전혀 딴판이 되고 말았다. 인공연못이 들어서고 충혼탑이 솟아 있고 호국관이 들어서 있고 주차장이 들어서 있는 지금, 이곳은 행락철이 되면 어떤 도시의 소음보다 더할 것이다.

나는 위의 졸시를 속으로 외우면서도 술기운에 몸둘 바를 몰랐다. 앞으로 이곳을 다시 찾을 것인가 말 것인가. 유년기의 내 고향은 과연 이 지상에 영원히 없어지고 말 것인가.

『예향』 1989년 2월호

광주사람이 바라는 것
광주문제 해결을 위하여

1. 광주의 5월은 끝나지 않았다

광주를 떠나 30년 가까이 서울서 살다가, 금년 3월 다시 광주로 내려온 지 8개월 가까이 됐지만 아직은 어설픈 생활을 하고 있다. 고향이면서 고향이 아닌 것 같은, 고향이 아닌 것 같은 생각이 들다가도 와락 광주를 한 품안에 껴안고 싶은 충동이 하루에도 몇번씩이나 일어난다. 그 어설픈 생활 속에서도 광주를 품안에 껴안고 싶은 충동을 느낀다는 것은 광주에 대해서 그동안 너무 입을 다물고 있었다는 죄책감 때문이 아닌가 싶다.

바쁜 생활이지만 『씨올의 소리』가 내 입을 열 기회를 줬으므로 '광주사람'으로서 '광주의 말'을 하겠는데, 이 '광주의 말'이 '광주의 말'로 끝나지 않고 '한겨레의 말'로, 더 나아가서 '전인류의 말'로 보편화되기를 바란다.

결론부터 말하자면 광주의 5월은 끝나지 않았다는 사실이다. 저 1980년 5월의 광주, 그날 금남로에서 충장로에서 중앙로에서 광주천변에서 땅을 울려 하늘을 진동케 했던 절규는 무엇이었는가. 천년만년 침묵으로 누워 있는 무등산이 육중한 몸을 뒤척이면서 일어났던 사연은 무엇이었는가. 광주바닥에 뿌려지던 붉은 피는 무슨 글자를 새기기 위해서였는가. 그것은 바로 '반외세 민족자주, 반독재 민주평화, 반분단 민족통일'이라는 글자가 아니었던가. 이 것이 바로 우리 민족이 반세기 가까이 한결같이 바라던 염원이 아 니던가.

그러나 이같은 염원이 지금까지 한가지도 이룩되지 않고 난마처럼 얽히고설키어 「오월의 노래」는 지금까지도 잠잠해지지 않고 우리들의 산천을 우리들의 핏줄을 울음으로 흐르고 있다.

> 꽃잎처럼 금남로에
> 뿌려진 너의 붉은 피
> 두부처럼 잘리워진
> 어여쁜 너의 젖가슴
> 5월 그날이 다시 오면
> 우리 가슴에 붉은 피 솟네
>
> 왜 쏘았지 왜 찔렀지
> 트럭에 싣고 어디 갔지
> 망월동에 부릅뜬 눈
> 수천의 핏발 서려 있네
> 5월 그날이 다시 오면
> 우리 가슴에 붉은 피 솟네

그날 맨가슴으로 총검의 숲을 헤치며 절규했던 자주와 민주와 통일은 아무런 화답도 없이 공안정국 적막강산 속에 누워버렸고, 무참하게 쓰러져간 민주영령들의 피맺힌 한만이 구천을 떠돌고 있다.

10년이면 강산도 변한다고 한다. 그러나 광주의 아픔과 상처는 10여년이 가까워지도록 변해서 아물기는커녕 아픔은 더해지고 상처는 더 도지기만 한다. 이 땅의 민주나 자주나 통일에의 전망은 매우 어두워만 간다는 말이다.

어떻게 해서 민족사의 한복판에 솟아 찬연히 빛나야 할 저 5월의 정신이 정치 담당자들의 몽매로 하여 가려져야 하는가. 혹시 반민족·반민주·반통일 세력들은 광주를 혐오와 좌절의 도시로 호도하고 역사의 뒤안길로 내팽개치려 하지는 않는지 묻고 싶다.

민족의 위업에 기꺼이 신명을 바치며 더불어 살아갈 수밖에 없는 민족구성원에게 호소했던 그때 영령들의 고결한 뜻이 살아 있는 한 우리 민족구성원은 결코 좌절하지 않고 그 뜻을 꽃피워 열매를 맺을 것이다.

2. 광주항쟁의 올바른 인식과 위상

어떠한 현상이든 그것은 그 나름대로 알맞는 위상에 놓인 때라야 비로소 그 가치가 빛난다. 그러므로 광주민중의 오월항쟁도 올바른 역사적 평가와 함께 제자리에 놓일 때 굴절이나 왜곡됨이 없이 정당한 모습으로 위치할 수 있을 것이다. 전두환씨의 5공 시절 엄두도 낼 수 없이 철저히 봉쇄되었던 광주문제가 노정권의 6공이 출범하면서 해결 의지를 표명하고, 그 진상규명과 치유책을 들고 나왔지만 2년여가 지나도록 혼미를 거듭하고 있는 까닭도 광주민중항쟁의 역사적 위상이 바르게 정립되지 않았기 때문이 아닌가 하는 생각이다.

그러므로 광주민중항쟁의 역사적 위상을 올바르게 정립하는 일은 광주문제 해결의 선결요건이라 하겠다. 그러나 이 역사적 위상은 그 누구의 주관에 따른 것도 아니요, 권력을 지닌 위정자의 힘에 의한 것도 아니요, 이에 따라 격상되거나 격하되는 것도 아니다. 민주시민의 애국적 장거를 '난동'이나 '불순분자의 짓'으로 부른다고 해서 그것이 난동이 되는 것도 아니요, 더더욱 반민주세력의 반동적 난동을 의거라 일컫는다고 해서 이것이 역사 속에서 '의거'로 빛나는 것도 아니다. 어떤 운동의 역사적 위상은 그 성격과 규모, 형태, 열기, 결과 등등의 질적 내용에 의해 객관적으로 규정되기 때문이다.

이러한 관점에서 볼 때 광주민중항쟁이 우리 민족의 민중운동사의 정상에 우뚝 자리잡는 것은 당연한 일이다. 왜냐하면 그 항쟁은 이 땅의 자주와 민주를, 더 나아가서는 민족의 통일을 열망하는 애국적인 의거였다는 점과 민중의 잠재력과 정신도덕적 풍모를 여실히 드러내 한국사회 변혁에 획기적인 전환점이 되었다는 점에서다.

1980년 5월, 광주민중항쟁이 일어나자 전두환과 그 일당은 공수특전단을 투입해 끔찍하고 잔인한 수법으로 진압했다. 그 명분은 '폭도들의 난동' '불순세력들의 내란'이라는 것이었다. 이 명분은 이들의 권좌를 오랫동안 지탱시켜왔다. 이것은 광주민중에겐 더할 수 없는 모독이었고 이 투쟁의 의로운 성격을 매도, 왜곡한 처사였다. 앞서 지적한 바와 같이 역사적 운동의 성격과 그 자리매김은 그 누구의 주관적 의사에 따라서 모습을 달리하는 것이 아니다. 그것은 운동 참여의 주체세력과 운동의 형태, 변혁과제로 삼은 질

276

적 내용에 의하여 객관적으로 규명되는 것이다. 따라서 광주민중 항쟁도 이러한 시각에서 조명되어 그 모습을 정립하는 것은 당연 하다. 그렇다면 1980년 광주민중항쟁은 어떠한 성격을 지닌 운동 이었을까. 그것은 자주·민주·통일을 위한 민중의 애국적 운동이 었다.

1979년 10월 박정희 유신독재가 무너지고 이에 따라 그동안 숨 통을 죄어왔던 자유와 민주에 대한 민중들의 열망은 전례없이 달 아올랐고, 그 열망을 성취하기 위해 행동은 적극적으로 표면화되 었다. 그러나 이러한 민중들의 열망을 꺾으며 전두환과 그를 추종 하는 유신잔당 세력들은 다시금 새로운 독재의 아성을 구축하고 민주세력을 가혹하게 탄압하였으니 광주민중항쟁은 바로 이렇듯 엄혹한 현실을 정면 부정하고 일어선 것이었다. 그리고 광주민중 항쟁은 단순히 반독재 민주를 위한 싸움에 그친 것이 아니라 분단 된 이 나라의 민족통일을 위한 항쟁이었다고 볼 수 있다. 이승만 독재와 마찬가지로 박정희의 유신독재도 민중의 자유와 권리를 봉쇄한 억압독재인 동시에 민족의 통일을 가로막고 선 분단독재 였고 전두환 세력 역시 마찬가지였기 때문이다.

또한 광주민중항쟁은 각계각층이 광범위하게 참여한 대규모적 항쟁이었고, 항쟁기간중에 민중자치가 훌륭하게 실현되었을 뿐만 아니라, 이 항쟁을 분수령으로 하여 반미운동이 보다 적극적이고 심도있게 벌어졌다는 점에서도 한국민중운동사에 획기적인 의미 를 갖는다고 하겠다. 이 항쟁을 통해서 한국민중의 숭미의식이 반 미의식으로 전환하면서 한국민중운동이 자주·민주·통일이라는 궤도에 들어서게 된 것이다.

간략하게나마 광주민중항쟁의 올바른 역사적 정립을 위해서 이

항쟁에 대한 인식을 다시금 더듬어보았다. 이처럼 이 땅의 자주와 민주와 통일을 염원했던 광주민중항쟁의 상처가 지금까지 아물지 않은 이유는 어디에 있는가.

3. 아픔으로 몸부림치는 광주 그 10여년

6공화국 정부는 대통령선거 과정에서 극명하게 드러난 지역감정을 해소하고 광주문제를 해결하기 위해 각계 인사들로 구성된 '민주화합추진위원회'를 발족시켰었다. 여기에서 광주문제의 발생에 대한 유감을 나타내고, 피해자들에 대한 보상을 위해 구체적인 치유책들을 들고 나왔는데, 문제의 근원적인 해결이라 할 수 있는 진상조사 및 책임자 처벌과 특별법 부재로, 정확한 진상규명과 철저한 책임자 처벌을 요구하는 광주시민들의 주장과는 어긋나 별다른 결과 없이 끝나고 말았다.

아울러 그동안 철저하게 가려졌던 5·18의 진상이 청문회를 통해 다소 밝혀졌으나, 뿌리를 제쳐둔 채 지엽적인 것만이 그 모습을 드러냈을 뿐 오히려 진상을 희석시켰다는 비판의 소리와 함께 광주시민들의 바람으로부터 빗나가고 말았다. 이런 와중에서 문익환 목사, 서경원 의원, 황석영 작가의 방북사건, 임수경씨의 평양축전 참가를 빌미 삼아 정치권에는 공안의 회오리가 몰아쳐 광주문제가 뒷전으로 밀려난 듯이 보였지만 이에 대한 해결을 염원하는 광주시민의 목소리는 한결같기만 하다.

지난 8월 7일자 『전남일보』가 실시하여 발표한 「광주문제 해결」 정도에 대한 인식의 여론조사에 따르면, '진상규명도 제대로 되지 않았다'는 응답이 45.4%로 나타났고, '진상규명은 어느정도 됐으나 책임자 처벌문제에 대해서 전혀 진전이 없다'가 47.2%로 나타나 부정적인 시각을 여실히 드러내고 있다. 또한 이처럼 광주문제 해결이 늦어지고 있는 이유를 현집권층의 해결 노력 부족 (42.4%)과 현집권층 밑에서는 기본적으로 해결이 불가능하다 (48.7%)는 점으로 보아 현집권층에 대한 불신의 골이 매우 깊어 있음을 보여주고 있다.

같은 일간지 8월 22일자 '광주문제' 시민여론 조사분석에 의해서도 응답자의 93%가 문제해결에 부정적인 시각을 보여주었으며, 현재 우리 사회에서 가장 시급히 해결해야 할 당면문제로 '광주문제'를 손꼽았다. 즉 광주문제는 정치권이 결코 피할 수 없는 '넘어야만 하는 산'이며 특정지역으로서 광주문제가 아닌 전국민적 차원에서 그 돌파구가 마련되어야 한다고 보고 있는 것이다. 이 여론조사 결과 철저한 진상규명과 적절한 수준의 책임자 처벌, 역사적으로 정당한 평가를 내용으로 하는 명예회복, 가해자 쪽의 잘못을 인정하고 피해에 대한 배상 등을 통해 문제해결이 이루어져야 한다는 게 광주시민들의 집약된 의견으로 나타났다.

그렇다. 이 '광주문제' 해결을 위해서는 무엇보다도 광주사태의 진상부터 바로 규명해야 할 것이다. 지금까지 광주민중항쟁은 광주사태 유발에 책임있는 자들에 의해 그 진상이 심히 은폐되고 왜곡되어 그 항쟁에 참여한 사람들은 여전히 정신적·육체적 고통을 당하고 있다. 항쟁에 참여했던 교사들은 '죄인'이라는 낙인을 지우지 못한 채 교단에 섰고 '전과자 스승'이라는 오명을 씻기 위해 누차 명예회복을 당국에 호소했으나 결코 성의있는 대답을 들을 수는 없었다.

광주문제 해결에 대한 절박성이 첨예한 정치적 문제로 등장하고 이에 대한 해결 없이는 그 어떠한 민주주의도 표방할 수 없기에, 노정권도 출범하자마자 '민주화합추진위원회'를 구성하지 않았던가. 이로 하여금 '광주문제 해결' 방안을 발표케 했지만 문제의 본질적인 치유라기보다는 하나의 호도책으로, 그 진상을 철저히 규명하여 피해자에게는 배상을, 가해자에게는 처벌을 바라던 민중의 요청을 거부하였다.

　이것이 발표되자 광주시민들은 물론 야당 및 민주단체들은 "현정권은 광주사태를 치유할 아무런 자격이 없다" "광주사태를 근본적으로 해결하기 위해서는 그 진상을 명확히 규명하고 그에 따른 책임자에 대해서는 응분의 처벌이 선행되어야 한다"고 주장했고, "진상규명의 핵심 부분이 밝혀지지 않은 기만적인 해소책"이라고 광주의 재야단체들은 맹렬히 비난했다.

　따지고 보면 가해자가 가해 사실에 대해 '진상규명'을 운운하는 그 자체가 아이러니라 아니할 수 없다. 결코 노정권은 '광주문제'와 무관할 수가 없기 때문이다. 현정부에 대한 불신의 골이 '광주문제 해결'에서는 더욱 극명하게 나타나는 까닭도 바로 여기에 있다.

　그러므로 광주사태의 진상규명은 민주·민족세력의 힘을 규합하여 진상규명을 위한 민간기구를 만들어 그 작업을 주도해야 할 것이다. 치유책도 아픔을 당한 자의 입장에서 나와야 하고, 용서와 화해도 이들을 통해서만이 가능하지 않겠는가. 광주민주항쟁 참여자들과 거기에서 희생된 유가족들을 기본으로 하여, 사회 각계각층의 민주인사들을 망라한 민간기구의 주도하에 광주사태의 진상이 올바르게 규명될 것으로 본다. 또한 항쟁의 참여자들에게는 '선동자' '폭도' '국사범' 등으로 낙인찍힌 이 오명들을 씻어내고 그 성격에 상응할 명예가 부여되어야 하며, 항쟁과정에서 희생된 이들에게는 의사나 열사의 호칭과 함께 그에 합당한 예우가 있어야 한다. 부상자들과 희생자 유가족들에게는 국가적 차원의 배상이 이루어져야겠고, 광주학살의 책임자를 가려내어 그에 응당한 처벌을 하고, 국군의 작전권을 행사한 미국에 대해서도 그 책임을 물어야 하는 것이 자주독립국가의 국민이 행사해야 할 권리가 아니겠는가.

4. 광주문제의 진정한 해결을 위하여

지난 9월에 광주·전남지역 재야민주단체(17개 단체)에서는 '광주문제 해결에 대한 우리의 입장'이라는 견해를 발표한 바 있다. 이 입장 표명이 바로 광주문제 해결을 위한 광주사람들의 의견이라고 할 수 있겠다.

최근 광주문제 해결에 대한 자세에 깊은 우려를 표명하고, 성역 없는 5공청산을 공약한 노정권이 공안정국을 통해 5공 회귀를 획책하고 있음을 규탄하고 있다. 5공청산과 광주문제 해결 없이는 그 어떤 정치적 민주화와 사회안정도 이룩할 수 없다는 국민의 의지를 잘 드러내고 있다. 광주문제의 올바른 해결을 통해 진정한 민족대화합을 통한 국가발전을 이루자는 주장은 이 땅에 살고 있는 대다수 국민들의 바람이 아니겠는가. 몇가지 주장들을 요약하면 다음과 같다.

첫째, 광주학살의 철저한 진상규명을 위해 전직 두 대통령은 직접 공개증언을 조속히 실행해야 한다는 점이다. 지금까지 광주특위는 진상을 제대로 규명하지 못했으며, 더구나 군관계 자료의 대부분은 은폐되었거나 조작된 것이었기 때문에 두 전직 대통령의 증언은 무조건 직접 공개 형태로 이루어지기를 광주사람들은 간절히 요구하고 있는 것이다.

둘째, 전두환·정호용을 비롯한 광주학살 책임자의 사법적 처리 없이 광주문제는 해결할 수 없다는 점이다. 국가권력을 찬탈키 위해 수많은 광주시민을 학살한 책임자를 철저히 가려내어 사법적 처리를 함으로써 특정세력에 대한 정치보복이나 한풀이가 아니라 민족정기를 바로잡아야 한다는 민족사적 요구이기 때문이다.

셋째, 광주항쟁을 국가전복의 내란으로 규정했던 군사재판을 조건 없이 파기하여 광주시민의 명예를 회복하고 피해자들에 대한 보상을 국가에서 일률적으로 배상해야 한다는 점이다. 광주학살로 찢겨진 상처를 치유하기 위해서는 군사재판을 파기하고 이에 기초하여 사망자, 행방불명자, 부상 후 사망자, 구속자, 면직자, 재산피해자 등에 대한 국가적 배상이 일률적으로 시행되어야 한다는 점이 광주시민의 염원이다.

넷째, 미국은 광주학살의 개입 여부의 정확한 해명과 동시에 한국민에 사과해야 한다는 점이다. 미국은 광주학살 개입 여부를 묻는 광주특위의 질문에 대한 답변에서 광주학살은 전두환·노태우·정호용 등의 정치군부에 의해 자행된 만행으로 규정하면서, 계엄해제와 민주화를 요구하는 광주시민을 공수부대가 잔인한 과잉진압의 방법으로 학살했다며 자국은 이에 대한 책임이 없다고 밝혔었다. 그러나 1980년 5월에 취했던 일련의 조치들에 대해 한국의 대다수 국민들은 의구심을 갖고 있으므로 성의있는 답변을 요구하며 동시에 한국민에게 사과할 것을 강력히 촉구하고 있다.

다섯째, 성역 없는 5공청산과 광주문제 해결을 공약한 노태우 정권은 앞의 요구들을 받아들이지 않고 올바른 해결을 회피한다면 존립근거를 부여받을 수 없다는 점이다. 노태우 정권이 5공비리와 광주학살에 무관하다고 믿는 사람이 과연 몇사람이 되겠는가. 노태우 정권은 지난 대통령선거와 총선에서 성역 없는 5공청산과 광주문제의 해결을 일관되게 공약했었다. 따라서 노정권은 광주문제 관련 피해자들을 대상으로 하는 일체의 음성적 분열책동을 중단해야 할 것이다. 노정권은 공안정국의 소용돌이를 몰고와서 5공회귀를 획책하고 광주문제를 교활한 방법으로 은폐하려하고 있다. 광주시민들은 이러한 일련의 미봉책을 단호히 분쇄할것을 분명히 밝히고 있다. 또한 광주문제는 단순히 지역문제가 아니라 이 나라의 정치·사회·경제의 제반 모순과 질곡을 극복하려는 몸부림이었음을 깊이 인식하여 노정권의 5공 회귀를 저지하고광주문제 해결을 위한 의지를 굳건하게 결집해줄 것을 호소하고있다.

5. 광주항쟁 정신의 계승을 위하여

광주의 5월정신을 흐르는 세월 속에나 묻어버리기에는 오늘 이땅의 현실은 너무나 엄혹스럽다.

민주·자주·통일·자유를 염원하는 이 땅의 민중들은 9년 전의좌절과 절망을 딛고 일어서고 있지만, 여전히 산 너머 산이요 강건너 강인 현실이다. 9년 전 그때 광주의 민중들이 절규했던 것은군정과 독재가 아니라 참다운 민주민권이었다. 억압적인 권위주의를 타파하고 언론·집회·출판·결사의 자유가 보장된 민주제도였다. 그동안 사회·정치·경제·문화 등으로부터 소외당했던 모든 사람들에게 인간다운 삶을 누릴 수 있는 제반 여건을 창출하는 것이었다.

그러나 항쟁 이후 이러한 염원을 안은 민중들에게 주어진 것은 민정이 아니라 군정이었고, 민주 대신에 독재였다. 수많은 민주인사들이 감옥을 향해 줄을 잇고 있는 것이 이 땅의 현실이다. 민족의 가슴을 가로지른 분단의 벽은 더 두텁게 높아만 지고 대화와 신뢰의 문은 좁혀지기만 한다. 이 모든 현상들이 민족과 역사 앞에 기꺼이 목숨을 바쳤던 광주영령들에게는 어떻게 비쳐질 것인가.

이 가공할 현실이 이 땅에 주둔군을 보내고 있는 미국과 어찌 무관하겠는가. 지난 1980년 5월 광주에서 미국이 보여주었던 일련의 행위들은 민중이 등을 돌린 군사독재정권에 대해 계속 종주권을 행사하겠다는 속셈이 아니었던가. 다른 나라에 대해서는 군사기지 사용료를 물면서도 유독 한반도에서만은 오히려 주한미군의 유지비를 해마다 12억 달러씩 받아냈으며, 1987년에는 19억 달러나 받아냈다. 날로 압력을 가하는 수입개방으로 그들의 잉여상품 시장을 더욱 기승을 부리며 넓혀가고 있다. 이리하여 미국은 한국에서 지배적 지위를 가일층 강화하고 있으니, 한국에 대한 미국의 지배적 지위의 강화는 곧 반민족적이며 반민주적이며 반통일적인 독제체제의 강화를 의미하는 것이라 하겠다.

오늘날 한국에는 1천여개의 각종 핵무기와 도처에 군사기지가 설치되어 있다. 이것은 한국에 대한 미국의 군사적 지배의 기본수단으로 항시 전쟁의 위험을 조성하는 요인이다. 그러므로 한국에 대한 미국의 지배를 종식시키고 전쟁의 위험을 제거하기 위해서는 반전반핵운동을 적극 전개해야 할 것이다. 이런 운동이 바로 광주항쟁 정신을 계승하는 정신인 것이다.

갈수록 목을 조여오는 경제적 압력 앞에서 우리 민족경제를 보호육성하고 민중의 생존권을 지켜나가는 일도 광주정신의 계승인 것이다. 우리가 미국에 대해서 또 어떤 제국주의 앞에서 발가벗을 그 무엇이 남아 있다는 말인가. 이런 운동 등을 통해 강대국의 지배를 떨쳐낸 민족적 자주권은 반드시 실현되어야 하며, 5월의 고결한 정신은 반독재 민주화투쟁과 함께 민족통일운동으로 줄기차게 뻗어나갈 것이다.

그 언제까지 1980년 5월의 광주가 이 척박한 땅에 그대로 누워 있어야만 하는가. 그날 총칼을 들었던 자들은 이제 민족의 양심 앞에 무릎을 꿇고 참회의 눈물을 흘려 이 척박한 땅을 흥건히 적셔야 하지 않겠는가.

찔리고 찌른 자가 화해를 하고, 위정자들은 이 화해의 정신과 사랑을 본받아서 깨끗한 정치를 하고 이 땅의 진정한 반외세 민족자주화와, 반독재 민주화, 그리고 반분단 통일화를 향해 민중들과 함께 어깨동무를 하며 나아가는 것이 곧 광주정신의 계승인 것이며 광주문제 해결의 끝인 것이다.

『씨올의 소리』 1989년 11·12월호

겨울에 자라는 동심

누가 겨울을 싫어할까? 겨울은 때때로 우리네 어른들조차 어린 아이로 돌아가게 만든다. 그리고 거기에는 가난하지만 정겨운 모습으로 그려지는 고향의 풍경들이 있다. 첫눈이 내리는 날은 아이들이나 어른 할 것 없이 좋아하는 모습을 볼 수 있다. 각박한 세상의 세파에 시달리면서 겨우살이를 걱정하는 사람들의 마음 한구석에도 그 첫눈을 반겨 맞이하는 여유스러움과 따뜻한 정감이 있을진대 철부지 어린아이들의 마음이야 말할 필요도 없을 것이다. 그들은 기쁨에 찬 환호성을 지르며 그 눈을 맞이한다. 뭇서리가 하얗게 내려앉은 것을 보고는 눈이 왔노라고 좋아했다가 금세 실망을 했던 어릴 적의 그때는 세상의 모든 일들이 왜 그리 신바람나게만 느껴졌던지. 특히나 겨울은 더욱 그러했었다.

아침에 눈을 부비고 나면 간밤에 내린 눈으로 세상은 바뀌어져 있었고 경탄스러움으로 입이 벌어진 나는 마루 위에서 까치발을 해대며 더 먼 곳까지 바라보려고 기를 썼다. 세상이 아름다웠기 때문이다. 부엌 아궁이에서는 불꽃이 화룡거리며 타오르고 마당의 이곳저곳을 뛰어다니다가 오줌발에 김을 모락모락 내며 녹아들어가는 눈의 모양이나 돌담장 틈새로 삐죽하게 나와 있는 쥐의 꼬리를 보는 일이 얼마나 신기했으며, 하루 진종일 동무들과 놀 일을 생각하는 것만으로도 그날 아침은 신이 났다.

펄펄 뛰어놀기를 좋아하는 우리에겐 겨울이 더없이 좋은 계절이었다. 날씨가 제법 푸근하고 햇빛이 잘 드는 날이거나 매서운 바람이 살갗을 에는 혹독한 날씨거나 아무런 상관 없이 땀을 내며 그 겨울 속을 누비고 다녔다. 콧물이 흐르고 손발이 얼어붙어도 바람이 잘 타는 언덕 위를 달음박질치거나 연을 날리고 얼음 지치기를 해댔다. 그럴 때는 어른들로부터 걱정을 듣기가 일쑤였다. 언 손을 화롯가로 이끌어가시던 어머니, 방 안은 따뜻했지만 조금 지나면 몸에서 좀이 쑤셔 견디기가 어려워졌다. 추울수록 바깥에서 뛰어놀아야 제맛이 나기 때문이다.

오히려 햇빛이 잘 쬐는 날에는 얌전하게 쪼그려앉아 있을 수 있었다. 여물을 쑤려고 잘게 썰어놓은 짚더미 위에 참새떼들이 모여드는 모습을 보며 그것을 잡을 궁리에 골몰하다가, 산으로 고구마를 구워먹으러 올라가곤 했다. 그것은 일종의 은밀한 모의였다. 성냥이 귀한 때였으니만큼 우리들 손에 넣기도 쉬운 일이 아니었으나 지금이나 마찬가지로 불장난은 금기사항의 제1호였으니까. 눈 위에 나 있는 짐승들의 발자국이며, 연기가 잘 나지 않는 땔감을 주워모으고 조바심하며 구워먹던 고구마의 그 맛! 지금 생각하면 그 시절의 겨울은 기백과 강인함으로 신명이 났던 것 같다. 요즘과 같이 따뜻하고 좋은 방한복이 어디 있었겠는가. 그 겨울 혹한 속에서도 움츠림없이 더욱 씩씩하고 가슴이 따뜻했으니 말이다.

길고긴 겨울밤은 동네 어른들이 마실을 와서 정담을 나누었다. 날고구마를 깎아먹고, 저녁때 먹다 남은 팥죽이나 재워둔 고욤열매를 돌리며 마을의 걱정스런 얘기, 농사나 혼담, 그 누구의 환갑잔치 등, 나는 그 옆에서 어른들의 세상에는 우리들 것보다 더 복잡하고 어려운 것이 많다고 생각했다. 석유등잔불이 가물거리고 문풍지를 울리고 가는 겨울바람 소리를 들으면서 나는 사람들이 따뜻하다는 것을 느끼기도 했다.

겨울―그것은 내 유년의 가장 따스한 기억의 부분이다. 지금의 아이들도 우리 때와 마찬가지로 겨울을 좋아라고 뛰어놀겠지만 어떠한 모습으로 겨울과 씨름을 하며 친하게 지내는지……

그 시절의 겨울은 아스라이 멀기만 하지만 중년이 된 이제는 겨울이 아니어도 내 머리 위에는 흰 눈발이 내리기 시작했다. 평소 과작인 내가 이 계절에 가장 많이 시를 쓰는 까닭도 이런 어린시절의 따뜻한 추억을 되살리기 위한 몸부림인지도 모른다.

『예향』1990년 11월호

어느 양상군자의 쪽지

"선배님, 제발 대문 좀 단속하고 사세요. 보는 사람이 영 불안합니다."

며칠 전 우리집에 놀러온 후배가 나를 향해 내뱉은 말이다. 보통 어른 키의 반이 채 될까 말까 하는 형식적인 담장에 통나무를 대충대충 켜서 엮은 대문이 매달려 있긴 하지만, 그 흔하되 괴상망측한 개폐장치 하나 안 붙어 있어 약간의 바람에도 열렸다 닫혔다 하는 그야말로 천연의 자동대문을 보고 하는 말이다.

가만히 생각해보면 예나 지금이나 마냥 그대로인 우리집 대문을 자주 드나드는 그 후배의 불안감은 오늘의 세태 속에서 당연하리라 본다. 그것도 세칭 부촌이라 불리는 '강남'에 아직도 그런 담장에 그런 대문을 달고, 세상이야 어떻든 자기 방식대로 살아가는 선배의 고집스럽고 약간은 고지식한 사고방식이 조금 위태위태해서 내뱉은 말이리라.

나는 원래 첩첩산중에서 태어나, 인성이 대부분 형성된다고 할 수 있는 유년생활을 그런 환경에서 자랐다. 내가 살던 집에도 울타리나 사립문은 있었지만 그것들은 사람들을 차단하기 위해 있었던 것이 아니라 산짐승들의 침범을 막기 위한 것들이었다.

어찌어찌하다 서울까지 밀려와서 30여년을 사는 동안 대여섯

번의 이사를 했는데, 집을 구할 때마다 될 수 있으면 울타리가 아예 없거나 대문이 허술한 집만을 골라 이사를 하곤 했다. 그런 데가 방값도 싸고 조금은 자유스럽고 이웃 사이의 정도 도타웠기 때문이었다.

신혼살림도 그런 곳에다 차렸다. 지금은 개발제한구역으로 묶여 그 집터의 흔적조차 쉽게 찾아볼 수 없게 되었지만, 상명대학 뒤쪽의 세검정 산꼭대기 너머에 있던, 당시 김관식 시인의 무허가 집 방 한칸을 얻어 신혼살림을 시작했다.

대문은커녕 울타리도 없는 그런 집이어서 마음도 편하고 모든 것이 편리했다. 밤늦게까지 술을 마시고 담장을 뛰어넘을 필요도, 초인종 같은 것을 눌러 곤하게 잠에 떨어져 있는 신부를 짜증스럽게 깨울 필요도 없었다. 당당하게 걸어가서 무방비로 되어 있는 방문을 살짝 밀치고 들어가 사알짝 신부 곁에 누워버리면 그만이었다.

참 자유스러운 생활이었다. 그런 분위기 때문이었는지 답답한 일상생활에서 찌들 대로 찌든 동료문인들, 후배문인들은 물론 자유분방하게 살아가는 구자운·박봉우·천상병·신경림 등의 선배 문인들도 자주 드나들어 심심한 날이 별로 없었던 것 같다.

안양에서 판잣집의 방 한칸을 얻어 살 때였다. 여기도 세검정에서와 마찬가지로 담장이나 대문이 없었다. 골목이 뜰이요, 대문이 바로 방문이었던 그런 곳에 어느날 도둑이 들긴 들었는데, 없어진 물건은 없고 오히려 신선한 감동을 안겨주는 쪽지를 남기고 간 적이 있다.

"제발 좀 잘 사시오!"

느낌표까지 제법 솔직하게 찍어놓은 것으로 보아 가져갈 것이 없어 많이 서운했던 것 같지만 사생결단을 하고 들어온 것 같지는 않았다. 일기장을 포함 수부룩하게 쌓여 있는 책더미, 반 되 가량의 쌀과 보리가 섞인 봉지, 잠옷 두 벌, 숟가락, 젓가락, 그리고 밥상으로 사용하는 사과궤짝 등, 이것들을 보고 그는 우리 내외가 사는 꼬락서니를 안타깝게 생각했으리라.

옛날에도 아래적(我來賊)이 있었다고 한다. 도둑이 들어와 챙길 것 다 챙기고, "내가 왔다 가는도다! 다음에 내가 또 올 테니, 오늘 것보다 더 좋은 것, 더 많이 준비해놓으시라" 아마도 이런 뜻이 담겨 있을 '아래(我來)'란 글씨를 남겨놓고 갔었는데, 이런 당당하고 여유있는 도둑을 일컬어 아래적(我來賊)이라 했다던가.

옛날 우리 동양에서는 도둑을 점잖게 양상군자(梁上君子)라 불렀다. '대들보 위의 군자', 참 멋지고 여유있는 표현이어서 서로 적대감을 느낄 수 없는 호칭이다. 학식과 지혜와 덕행이 높거나 벼슬이 높은 사람에게 붙여질 수 있는 최상급의 호칭을 털리는 쪽에서 털어가는 사람에게 붙일 수 있는 여유가 오늘날 사는 우리들에게 그 무엇인가를 곰곰이 생각게 한다.

털리는 쪽에서가 아니라 털어가는 쪽에서 스스로 신분을 격상시켜 양반행세를 했던 경우가 있다. 어느날 도둑이 들어와 마루 밑에 숨어 있는 것을 안 주인이 긴 막대로 "이 도둑놈! 이 도둑놈!" 하면서 마루 밑을 쑤셔대니까, 이리저리 피하던 도둑이 참다못해 "어허, 장난치곤 너무 심하군, 멈춰라! 눈 상하겠다" 하니 주인이 "내가 언제 도둑놈하고 장난 친다더냐?"며 받고, 도둑 왈 "나를 왜 도둑양반이라고 부르지 않느냐? 너는 상놈으로 이렇듯 양반을 능욕했으므로 벌을 받아 마땅하리라" 어쩌고 하면서 마루 밑에서 기어나와 양반걸음으로 유유히 사라졌다던가. 어쨌든 터는 쪽이나 털리는 쪽이나 모두 해학적인 여유가 있어 좋다.

오늘날 '범죄와의 전쟁'이라는 살벌하고 인정머리없는 최후의 언어를 선포하고 있지만, 그리고 이의 수단으로 물리력을 동원하고 최고형을 안길 수 있는 법들을 손질하고 있지만 이른바 강력사건들은 끊이지 않고 있는 것이 오늘 이 사회의 현실이다. '범죄와의 전쟁'이 몇십년 몇백년이 걸렸노라고 행여 후대의 역사교과서에 실릴까 참으로 걱정된다.

"법령이 날로 강화되면 될수록 도적은 많아진다(法令滋彰 盜賊多有)"라는 명언을 다같이 생각해볼 때다. "제발 좀 잘 사시오!"라는 양상군자의 충고로 내가 그래도 오늘날 이만큼이라도 살게 됐다는 점을 고백하면서, "양상군자, 제발 인명만은 건드리지 마시오!"라는 쪽지를 건네주고 싶다.

『월간중앙』 1991년 2월호

광주에 살면서

한 30년 가까이 서울서 뿌리 드러내놓고 깃발처럼 펄럭이다가 광주를 다시 찾아온 지도 3년째로 접어든다.

1980년, 기억도 되살리고 싶지 않은 그 엄청난 역사의 소용돌이를 비켜서서 겪었던 나로서는 큰 부채를 짊어지고 하루하루를 살아갈 수밖에 없다. 슬픔이 컸기에 분노가 뜨거웠기에, 광주에 와서 말없이 엎드려 있는 무등산을 똑바로 바라볼 수도 없었다. 매일 새벽같이 일어나서 종일토록 벌판을 쏘다녀보았지만, 이 슬픔과 분노를 아직도 삭이지 못하고 살아가고 있다.

홀로 망월동을 몇번씩이나 찾아갔건만 그때마다 살아 꿈틀대는 무덤 앞에서 할 말을 잃고 되돌아온곤 했다. 이 세상이 이 땅덩어리가 모조리 망월동만 같다고 생각하면서 살아가는 편이 속편하다고 느낄 때가 한두 번이 아니었다.

숨길 것이 뭐 있겠는가. 뿌리째 본질을 드러내놓고 어두운 세상을 향해 빛을 마구 쏟아내는 광주를 가슴속 깊이 끌어안고 나는 하루하루를 보내고 있다.

평소 광주를 소재로 시 쓰기를 자제해왔던 까닭은 아직 광주의 5월이 끝나지 않았기 때문이다. 왜 끝나지 않았는가. 이 물음의 답변을 무등산은 아직도 입을 다문 채 대답하지 않고 있기 때문이다.

왜 끝나지 않았는가. 들판들은 오늘도 뒤척이면서 입을 다문 채 대답하지 않고 있기 때문이다. 왜 끝나지 않았는가. 아직 민주화가 까마득하기 때문이다. 왜 끝나지 않았는가. 사회 곳곳에 부조리가 창궐하기 때문이다. 왜 끝나지 않았는가. 아직도 우리 민족이 합쳐지지 않았기 때문이다.

광주를 소재로 한 시들이 한 만편만 씌어진다면 무등산은, 광주천은, 망월동은 그때서야 마침내 입을 열 것인가. 5월이 되면 돌멩이들도 풀잎들도 모조리 한몸으로 어우러져 한판 춤을 추지만 좀처럼 어둠은 가시지 않는다. 그래서 광주는, 아니 온 국토는, 온 세계는 모조리 망월동인가.

『문학정신』 1991년 5월호

사투리와 한국병

지난 14대 대통령선거 때 어느 당 후보는 특유의 사투리를 써가면서 '한국병(病)'들을 치유하겠다는 공약을 내세우며 전국을 누볐다. 그리고 그 후보는 당선되었다. 그런데 그가 치유하겠다는 수많은 한국병 중에 꼭 끼어야 할 중병이 한가지 빠져 있었는데 그것은 그 후보뿐만 아니라 바로 이 글을 쓰는 나나 많은 지식인들, 공직자들이 걸려 있는 '사투리병'이다.

국어사전의 풀이에 따르면 사투리란 한 나라의 말 또는 한 계통의 말이 그 쓰이는 지역이나 계층에 따라서 그 뜻이나 소리 또는 어법 등이 표준말과는 다른 말이다. 따라서 모든 나라들은 국가와 민족의 번영을 위해 지역이나 계층에 따라 각기 다른 말들을 통일하여 표준화하고 있다. 그것이 곧 그 나라의 국어다.

우리나라만 해도 그렇다. 우리나라에서도 '한글맞춤법'과 '표준어 규정'을 제정하여 시행하고 있다. 이 '표준어 규정' 제1장 총칙 1항에는 "표준어는 교양있는 사람들이 두루 쓰는 현대 서울말로 정함을 원칙으로 한다"고 분명히 규정하고 있다. 이 규정의 참뜻은 표준어는 국민 모두가 거부감 없이 두루 쓸 수 있게 만든 공용어(교육어·문화어)이므로 공적인 자리에서는 반드시 표준어를 써야 하며, 이 표준어를 써야만 교양있는 사람이라는 뜻일 것이다.

뒤집어 말하면 공용어인 이 표준어를 쓰지 못하면(않는다면) 교양
도 없고 책임도 없는 국민이며 공직자란 뜻일 것이다.

그런데도 우리의 사정은 어떤가. 집 안에서 늘 보고 듣는 텔레
비전이나 차 안에서 무시로 듣는 라디오의 전파를 타고 꽝꽝거리
는 목소리를 듣노라면 짜증스러움을 넘어 서글픈 생각이 들 때가
한두번이 아니다. 전국 방방곡곡을 들쑤시며 난무하는 일방적인
사투리 때문이다. 특히 어조, 억양, 어법 등에서 심하게 귀가 거슬
리는 사투리 때문이다. 그 목소리가 오락프로이거나 연속극에서
나오는 인물들의 목소리라면 상관할 바가 못된다.

그러나 국가의 최고통치자인 대통령이나 그 지위고하를 막론한
공직자, 특히 정부의 대변인이나 정당의 대변인 또는 총무 등의 당
직자, 대중전파 매체에서 진행을 맡은 이, 거의 단골손님으로 등장
하는 인사들의 시도 때도 없이 내뱉는 사투리들은 우리 국민들을
짜증스럽게 한다.

그래서 얼마전 방송위원회에서는 텔레비전이나 라디오에 출연
하는 인사들 중에 심한 사투리를 쓰는 인사들은 출연을 막아달라
고 각 방송사에 권고했다는 신문기사를 읽은 적이 있다. 퍽 다행한
권고였지만 이는 어디까지나 권고에 그치는 사항이지 규제사항은
아니다. 그러면 어떻게 해야 하는가.

모든 공직자나 출연자들은 표준말을 쓰기 위해 피나는 노력을
해야 한다. 사투리를 거리낌없이 쓰는 사람들은 자신이 공인이라
는 사실, 자신이 아무렇게나 쓰는 말이 전파를 타고 방방곡곡을 들
쑤신다는 사실, 그리하여 마침내 나라의 주체인 국민들의 올바른
국어생활을 잘못 인도하고 더 나아가서 국민정서가 화합으로 가
지 않고 갈등과 대립으로 간다는 사실을 안다면 모든 지식인이나

공직자들은 다투어 표준말 쓰기를 게을리해서는 안될 것이다.

구약성서의 창세기 첫 대목에 "태초에 말씀이 계셨다"는 구절이 있다. 말씀으로 우주를 창조했다는 뜻일 것이다. 인류역사의 시작이 말로 밝았음을 시사한 대목이다. 일체의 혼돈에 질서를 부여했다는 뜻일 것이다. 구태여 신한국을 창조하겠다는 말은 지금의 한국이 심히 어지럽다는 뜻일 것이다. 이 어지러운 혼돈상태의 한국을 질서화하기 위해서는 무엇보다도 참다운 국어, 즉 표준말이 이 땅에 넘쳐야 할 것이다.

30여년간 어느 특정 지역의 사투리가 표준말인 양 일방적으로 전파를 탔다면 이 또한 한국뱅(병)이 아니고 어느 나라의 뱅(병)이란 말인가. 어떤 제도의 어떤 누가 사투리를 쓰게 하는가. 또 누가 사투리를 쓰는가. 국민 모두가 곰곰이 가려보고 따져보아 반성해야 할 일이다.

『무등일보』 1993년 2월 16일자

오렌지족과 돈의 문화

요즘 한창 사람들의 입에 심심찮게 오르내리는 이른바 오렌지족의 정체는 무엇인가. 한 손으로는 최고급 외제 승용차의 핸들을 잡고, 한 손으로는 날마다 바뀌는 여자들을 끼고 다니는 그들의 한 달치 용돈은 적게는 300만~400만원, 많게는 700만~800만원에 이른다고 한다. 서울의 압구정동 쪽에는 그들만이 즐길 수 있는 특별한 공간이 마련되어 있다는데, 가령 일본음식을 파는 식당에 들어서면 완벽한 일본풍으로 실내를 꾸며놓고 기모노를 입은 아름다운 한국산 미녀들이 온갖 시중을 들며 이국땅의 정취를 물씬 풍겨준다고 한다.

요즘에는 그들의 아류격인 금귤족(낑깡족)이라는 것까지 생겨나서 뱁새가 황새를 따라가는 처지로 오렌지족을 흉내내느라 금귤족의 가랑이가 몹시 아파서 곤혹스럽다고 한다.

그런데 이런 족속들이 압구정동에서만 서식하는 게 아니라, 필자도 직접 눈으로 보았지만 신촌의 대학가나 이태원에서도 빠른 속도로 번식해가고 있단다. 이제 그들이 이곳 광주를 포함한 전국의 대도시에서도 그 번식력을 과시할 날도 멀지 않았으리라. 왜냐하면 자식들에게 그 많은 용돈을 덥석덥석 집어주는 것을 자식 사랑인 양 여기는 졸부들이 있고, 또한 세상물정 모르고 찰나적인 향락에 젊음을 내맡기는 청소년들이 이 땅에는 많기 때문이다. 그런데 이런 족속들이 어느날 갑자기 하늘에서 떨어진 것도 아니요, 땅밑에서 불쑥 솟아난 것도 아니리라. 그들은 기성세대의 어느 풍속을 태반(胎盤)으로 삼아 생겨났으리라.

가장 맑고 순수한 시기로 상징되는 이들의 푸른 문화가 어째서 돈의 향락에 더럽혀진 것일까. 물론 동서고금을 통하여 이런 쾌락 지상주의적 현상들이 있어왔던 것은 사실이다. 그러나 그것은 이미 청년기의 열정과 내일을 향한 질주를 거쳐 서서히 안주하는 장년층의 문화가 보여준 한 모습이었을 뿐, 자신의 삶과 세계를 위해 열심히 뛰는 청년의 문화는 아니었던 것이다.

과거 유교이념으로 세상의 사물을 바라보고 가치를 판단하던 조선시대의 지배계급인 양반들은 좀체로 돈을 품안에 넣고 다니지 않았을뿐더러 제 스스로 돈을 주거나 받거나 헤아리는 일을 하지 않았다고 하는데, 정신세계의 가치를 최고의 것으로 여기던 그때, 물질경시 사상의 한 단면이라고 볼 수 있겠다. 그러나 개화기를 거치면서 개항이 되고, 일제의 침략이 시작되고 미군정을 거치면서 자본의 힘을 앞세운 서구 물질문명이 거세게 들이닥쳤다. 따라서 유교적 가치관은 물질만능 자본주의 세계관에 맞추어졌다. 자본을 무기로 진군해온 서구의 문화는 생활의 편리함과 안락함으로 우리를 길들이고 오늘의 인스턴트 상품들은 우리들의 생각과 감성마저 일회용화해버렸다.

물질만능주의·황금만능주의·배금주의 등 돈이면 귀신도 부리고, 돈만 있으면 개도 멍첨지가 되고, 돈만 있으면 호랑이 눈썹도 빼오고, 돈만 있으면 처녀불알도 사고, 돈이 없으면 적막강산이고 돈이 있으면 금수강산이고, 부자 하나가 세 동네를 망친다는 우리네 속담을 구태여 떠올리지 않더라도 우리는 사회 곳곳에서 이 돈의 전지전능한 힘에 두려움은 말할 것도 없고 무력감까지 갖게 된 형편이어서, 사람의 모든 삶과 의미를 돈으로 환산해버리는 것이 요즘의 세태임을 누구도 부정하지 못할 것이다.

그렇다면 우리들의 입과 귀를 들락거리는 이 오렌지족들의 돈놀음 또한 이런 세태의 온상에서 싹튼 것이 아니라 할 수 있겠는가. 이런 족속들의 행태가 졸부들의 행태와 똑같은 외관과 속성을 갖는 것도 바로 이러한 까닭에서이다. 지금 우리 사회 오렌지족의 문화(?)는 결코 문화의 속성인 보편성이나 규범, 지향성을 지닌 신세대의 집단문화라고 할 수 없고 졸부문화(?)에 뿌리를 둔 하위문화일 뿐이다.

노동의 댓가가 아닌 불로소득으로 벼락부자가 된 사람들이 보여주는 것은 초호화판 생활과 향락 추구, 부동산 투기에다 외화 도피, 입시부정, '이성(異性) 사냥' 따위다. 이러한 부모들 밑에서 자라나는 그 자식들이 신세대 향락주의라는 오렌지족이 되지 않는다면 그게 오히려 이상할 일이 아니겠는가.

과연 우리들의 자녀들은 어떤 길을 가고 있는지, 또한 우리들 자신은 자녀들에게 어떤 사회를 물려주어야 할지 모두가 다시 한번 생각할 때인 것 같다. 보통으로 심각한 사태가 아니다.

『무등일보』 1993년 3월 10일자

멋갈스러운 삶과 멋갈 없는 삶

30여년 전 국어학 강의시간에 '멋'의 어원에 대하여 배운 적이 있다. 지금까지 '멋' 하면 그때 배웠던 '멋'의 본래적인 의미가 떠오르는데, 이 '멋'은 우리의 혀로 느끼는 미각을 뜻하는 '맛'에서 비롯된 말이다.

국어사전을 펼쳐보더라도 '멋'은 '세련되고 풍채있는 몸매'라는 풀이 말고도 '아주 멀쑥하고 풍치있는 맛' 또는 '온갖 사물의 진미'라고 풀이되어 있다. 따라서 이 '멋'은 늘 먹고 마시는 음식물, 즉 우리의 생존에서 가장 기본적이고 필수적인 먹는 일에서 생겨났기에, 이 '멋'의 의미는 '맛'과 더불어 우리에게 늘 친근하고 소박한 것으로 와닿는다. 한자에서 아름다울 미(美)자는 양고기〔羊〕를 많이〔大〕 먹는다는 데서 생겨난 글자이다. 그러므로 '멋'은 '맛'이요, '아름다움'이다.

예로부터 우리 조상들은 먹는 일에 야박하거나 인색함이 없는 분들이었다. 이 말은 분수에 넘치게 먹고 마시는 일을 즐겼다는 뜻이 아니라 서로 나누는 것에 여유가 있었다는 뜻이다. 우리 조상들은 먹거리가 풍족하지 못했다. 초근목피라든가 보릿고개라는 말이나, 뚱딴지(돼지감자)·강아지풀·피·감자 따위를 일컫는 구황작물이라는 말을 보더라도 우리는 그때의 실상을 엿볼 수 있다. 그러나 가지고 있는 것만큼은 서로 나누어 먹는 일에 인색하지 않았다. 먹거리는 항상 부족했지만 마음만은 넉넉하여 "콩 한쪽도 쪼개서 나누어먹는다"는 말을 후손에게 남겨놓지 않았는가. 한쪽이 아니라 그 반쪽의 반쪽까지도 나누어 먹는 이 나눔은 다름아닌 마음의 여유에서 생기는 것이다. 이 마음의 여유가 참 멋이 아니고 무엇이겠는가.

세모(歲暮)를 당하여 집집마다 떡방아를 찧는 소리를 듣고 상심하여 탄식하는 아내를, 거문고로 떡방아 찧는 소리를 내어 위로하였다는 방아타령의 백결(百結) 선생도 마음이 여유있는 참 멋쟁이다. 그가 걸친 옷은 비록 누덕누덕 기운 '백결'이었지만 마음만은 천의무봉(天衣無縫)의 '무결'이었다. 방랑시인 김삿갓이 방랑길에 한 그릇의 멀건죽을 얻어먹으면서 "네 다리 솥소반 위 죽 한그릇/ 맑게 갠 하늘과 구름 함께 떠돈다/주인이여, 그러나 부끄러워하지 마오/멀건 죽 속에 비치는 청산을 내 좋아하노니"라고 읊었던 것도, 구름과 청산을 빌려 미안해하는 주인의 마음을 오히려 달랠 줄 아는 마음의 여유에서 일어난 '멋'이고 '아름다움'이었다.

그러나 요즈음 우리들의 멋, 또는 멋내기는 어떠한 모습인가. 무엇에 쫓기기라도 하듯 허둥대며 '빨리! 빨리!' '바쁘다 바빠'가 입에 발린 말이 되어버렸다. 우리는 너무나 조급하게 서두르는 나머지 몸도 마음도 쫓기며 어수선하게 살아가고 있다. 도무지 '멋'이라곤 찾아볼 수 없는 살풍경이 되고 만 것이다. 먹거리 입을거리는 홍수를 이루고 있다. 사실은 바쁘지도 않으면서 바쁘고 번거롭다는 핑계로 인스턴트 식품을 먹으면서 자신의 겉치레에만 바쁜 것이 현대의 감각있는 인간인 양 우쭐대는 군상들이 거리거리에 꼴불견으로 넘치고 있는데, 다들 제멋에 겨워서 그럴 것이다. 자기 몸을 망치면서도 흥에 이기지 못해 방탕에 빠진다는 뜻의 "멋에 치어 중 서방질한다"는 속담이 생각난다.

음식의 맛은 손끝에서 나온다고 했다. 이 손끝이란 다름아닌 세세하고 정성스러운 손놀림이다. 이와 마찬가지로 멋 또한 정성스러움에서 나오는 것이다. 제대로 아름답기 위해서는 정성이 필요하다. 이 정성은 마음의 넉넉함에서 나온다. 이 넉넉함은 끊임없는 노력으로 어떤 일에 열중할 때 생긴다. 일에 열중한다는 것은 그리움에서부터 출발한다. 귀머거리였던 에디슨은 소리가 그리웠을 것이다. 그래서 축음기와 전화송신기를 발명하지 않았는가. 베토벤 역시 청각장애자였다. 그래서 소리가 그리웠을 것이다. 그래서 위대한 교향곡을 만들지 않았는가. 손자(孫子)는 지체부자유자였다. 그러나 건장한 육체끼리 대결하는 전쟁의 오묘한 전법인 『손자병법』을 저술하지 않았는가. 모두 그리움 때문이었으리라.

이 '열중'의 모태인 그리움은 여가를 낳는다. 일을 열심히 하다가 쉬게 되는 틈(겨를)이 여가인데, 게을러서 일을 열심히 하지 않는 사람에겐 엄격하게 말하면 여가(여유)가 없다. 여가가 없는 사람은 멋을 피우지 못한다. 피둥피둥 놀면서 겉치레에 신경을 쓰는 사람은 멋들어지게 사는 멋쟁이가 될 수 없다.

마음이 가난한 사람에겐 복이 있고 마음이 넉넉한 사람에겐 멋이 있으리라. 이 넉넉함에서 우러나는 멋이야말로 자신의 삶뿐만 아니라 남의 삶까지도 살피고 아끼면서 함께 사는 멋진 세상을 만들어가는 원동력이다. 이 세상과 인간을 따뜻하게 감싸서 포용하는 사람은 언제나 어디서나 멋쟁이다. 멋내지 않아도 언제나 멋진 멋쟁이다. 모양새에만 마음을 빼앗겨 겉멋내기에 열중하는 사람은 맛대가리 없고 멋대가리가 없어 멋갈 없는 삶을 살아가는 사람이다.

"복숭아나 자두나무는 보아달라고 제 스스로 말하지 않아도 사람들이 모여들어 그 밑에 길이 저절로 난다(挑李不言 下自成蹊)"고 했다. 우리들도 겉치레 말고 마음의 치레로써 내면의 향기를 풀풀 풍기는 멋장이가 되어야 하지 않을까. 그래야만 이 세상이 맛대가리 없고 멋대가리 없는 세상이 아니라, 맛갈스럽고 멋갈스러운 세상이 되어 진짜 멋쟁이들이 거리거리에 넘쳐 우리들의 눈을 황홀하게 하지 않을까?

할일이 없어 마냥 심심한 사람들이여! 그래서 여유가 없는 사람들이여! 제 할일을 찾아서 그 일에 열중하는 사람이 되어 모두가 멋을 내는 멋쟁이가 되고 멋을 풍기는 멋쟁이가 되어보지 않겠는가? 멋갈 있는 삶과 멋갈 없는 삶의 선택은 남의 일이 아니라 바로 자기자신의 일이 아니겠는가? 그런데 왜 머뭇거리는가?

『화니』 1993년 4월호

사월과 오월의 길목에 서서

이제 막 사월은 가려 하고 오월은 오려 한다!

나는 이 사월과 오월의 길목에 서서 나 몰라라 하며 흐르는 세월을 원망하며 안타까워하고 싶지 않다. 다만 사월과 오월의 의미를 되새김하면 할수록 때는 화려한 계절이건만 나를 우울하게 하는 것들이 있어 원망스럽고 안타까울 뿐이다.

"껍데기는 가라/4월도 알맹이만 남고 껍데기는 가라/껍데기는 가라 (⋯) 껍데기는 가라/한라에서 백두까지/향그러운 흙가슴만 남고/그 모오든 쇠붙이는 가라"고 우리들의 친근한 민족시인 신동엽은 그 작은 체구로 외쳤고, 뜻있는 수많은 사람들도 30여년이란 긴 세월동안 외쳐댔건만, 결과는 정반대로 '껍데기만 남고 알맹이는 가버린' 어수선한 세상이 돼버린 듯한 생각이 들어 마음이 편하지 않다.

차라리 신동엽 시인이 "알맹이는 가라/사월도 껍데기만 남고/알맹이는 가라 (⋯) 알맹이는 가라/한라에서 백두까지/악취 나는 털가슴만 남고/그 모오든 꽃봉오리는 가라"며 역설적인 언어로 외쳤더라면, 지금은 '알맹이만 남고 껍데기는 가버린' 신명나는 세상이 되었을지도 모른다는 생각을 해본다.

신정부가 들어선 뒤 개혁작업이란 것이 한창이다. 그중 하나가

고위공직자의 재산공개다. 극히 일부분만 공개되지 않았느냐는 의혹들은 덮어두고 공개된 재산만 가지고 보더라도, 부정한 마음에서 부정한 수단과 방법으로 재산을 긁어모았다는 사실들이 국민과 언론의 힘에 의해 조금이라도 밝혀지고 있다. 국민들의 충격을 줄이고 그 직책의 특수성을 고려해서 군 고위장성이나 사법부, 그리고 전직 대통령이라는 예우 때문에 재산이 공개되지 않고 있지만 국민들은 대충 그들의 재산 정도를 헤아려보며 울분에 떨고 있음을 나는 잘 알고 있다.

그뿐인가. 양심의 보루라 할 수 있는 대학들이나 거기에 몸담고 있는 교수들의 온갖 비리들이 속속 드러나고 있다. 그 대학이나 교수들을 품안에 안고 있는 교육부의 비리들도 드러나고 있다. 교육계뿐만이 아니다. 금융계·재계·법조계·문화계 가릴 것 없이 총체적으로 부패하고 말았다. 오죽하면 40여년간이나 정치에 몸담고 있는 김대통령도 모를 리 없건만 얼마전 행정쇄신위원들과 점심을 함께하면서 "우리나라가 이렇게 부패했는지 미처 몰랐다"고 짐짓 시치미를 떼며 말했겠는가.

다산(茶山) 선생의 글에 "백성들은 땅으로써 밭을 삼고, 관리들은 백성들로써 밭을 삼는다(民以土爲田 吏以民爲田)"는 구절이 있다. 백성들은 주린 배를 달래며 허리 펼 날 없이 척박한 땅을 일궈 악의악식(惡衣惡食)으로 못 죽어 죄스럽기만 한 목숨을 부지할라치면, 탐관오리들은 온갖 부정한 수단과 방법으로 백성들을 을러서 피와 땀의 결실을 털어 호의호식으로 영광스런 직위를 뽐내며 태평스럽게 살아간다는 뜻일 것이다. 아무튼 부정부패는 못된 사람들의 유전이고 전통인가보다.

바로 이 부정부패 때문에 빼앗기고 짓밟히고 일그러진 대다수 국민들이 생명을 부지하기 위해, 그 부정부패를 저지르는 껍데기들을 쓸어내기 위해 빗자루를 들고 일어섰던 것이 4월혁명이었다. 그런데 바로 그 이듬해 5월에 결코 알맹이들일 수 없는 몇몇의 껍데기들이 5·16이라는 빗자루를 들고 나와 알맹이들을 쓸어내고 껍데기만 긁어모으다보니, 바로 그것이 전통이 되어 길고긴 30여년이 지나 오늘의 지경에 이르지 않았겠느냐는 것이 나의 생각이다.

8·15해방 이후 국가 운명을 책임졌던 사람들이 멸사봉공했더라면 4·19혁명이 없었을 것이고, 5·16쿠데타가 없었더라면 5·18광주민중항쟁이 없었을 것이다. 8·15를 뒤에서부터 읽으면(뒤집으면) 5·18이 된다. 8·15 이후 민족의 한결같은 염원이었던 반외세 민족자주, 반독재 민주, 반분단 통일이 이룩되었더라면 부정부패도 훨씬 줄어들었을 것이다. 그러니까 8·15 이후의 온갖 모순을 뒤집어 해결하고자 했던 점이 5·18민중항쟁의 위대성이라 할 것이다.

이제 막 사월은 가고 오월은 오려 한다!

나는 바로 이 사월과 오월의 길목에 서 있다. 이 글을 읽는 여러분들도 예외없이 바로 이 길목에 서 있다. 자, 뭐라고 외칠 것인가. "알맹이는 남고 껍데기는 가라"인가, "모든 시작은 5·18로부터"인가, '민이토위전(民以土爲田)'인가, '이이민위전(吏以民爲田)'인가.

『무등일보』 1993년 4월 28일자

가을과 어머니와 나

옛말에 "땅은 그 두터움을 스스로 말하지 않고, 하늘은 그 높음을 스스로 말하지 않는다"는 말이 있다. 말도 많고 속임수도 많고 사고도 많고 자신을 지나치게 내세우는 사람도 많은 이 땅에서 오늘을 살아가면서 조용히 음미해보아야 할 명언이다.

모든 것을 거부하지 않고 포용함으로써 사람들뿐만 아니라 생물과 무생물을 가리지 않고 포용하는 땅은 삼라만상의 최후의 고향이 아니던가. 하늘, 그것도 가을하늘은 한마디 말도 없이 아스라이 높은 채 쪽빛의 푸르름만 물처럼 흐르게 하고, 금실타래를 풀어놓은 듯한 가을빛은 하염없이 삼라만상의 몸을 조용히 어루만진다.

그러기에 가을빛에 물들어 어여쁘지 않은 것이 없으니 "가을볕에는 딸을 쬐게 하고 봄볕에는 며느리를 쬐게 한다"(봄볕에 그을리면 임도 그 얼굴을 알아보지 못한다)는 속담도 생겨났나보다.

이런 가을날에 떠날 것들은 떠날 채비를 한다. 그러나 서두르지 않는다. 어떠한 꾸밈이나 변명도 없이 자신들의 자리만큼 자신들을 비우면서 떠날 채비를 한다. 황홀하게 시들어가는 풀잎 하나에서부터 맹렬히 울어대는 쓰르라미의 목청에 눈을 주고 귀를 기울여보면 거기에서 우리들의 삶과 똑같은 그들의 삶을 엿볼 수 있다.

사계가 뚜렷해 그 사계의 특성과 아름다움을 만끽하며 살고 있는 우리들에게 그 어떤 계절보다도 가을이 우리들 영혼의 안마당까지 와닿는 것은 삶의 의미나 생명의 진리를 가을이 잘 보여주기 때문일 것이다. 그러므로 가을을 노래하지 않은 시인은 참다운 의미에서 시인이랄 수 없다. 인생탐구가 시의 최후의 목적이 아니던가. 많은 시인들은 가을에 '이별의 계절' '비극의 계절' '조락의 계절' '죽음의 계절' '반성의 계절' 등으로 의미를 부여했다. 실인즉, 문학에서 가을은 비극이나 엘레지의 원형으로 보고 있기도 하다. 그러나 필자는 가을을 이별이나 슬픔의 계절로 노래하지 않는다. 물과 바람과 인간이, 아니 삼라만상이 만나는 계절, 그리하여 자기 존재를 서로 확인하는 계절, 또 그리하여 개체들이 모여 전체와 하나가 되어 아낌없이 화합하는 계절로 본다. 그러기에 가을은 풍요롭다.

가을은 모든 것이 풍요로워 서로 나누어갖는 나눔의 계절이고 화목의 계절이며 그 두터움과 높음을 스스로 말하지 않는 어머니의 계절이기도 하다. "더도 덜도 말고 늘 한가위만 같으소서"라는 어머니들의 음성이 이 가을날에 쩅쩅 울리는 것만 같다.

나는 이 한가위에 조금 못 미치는 음력 8월 10일에 태어났다. 음력으로 7, 8, 9월이 가을철인데 그런 가을의 '한가운데 달'에 태어난 것만 해도 나는 행복하다. 나를 낳아주신 부모님은 이미 이 세상을 떠나버렸다. 아버지는 그 혹독한 6·25를 치르시고 40여년 전 엄동설한에 떠나셨고, 어머니는 당신과 가장 닮으신 가을(작년 10월)에 가을 속으로, 이 가을의 풍요로운 모습으로 이승을 떠나셨다. 그런 어머니의 떠남은 영원한 떠남이 아니라는 것을 나는 안다. 이렇게 가을이 다시 오듯이, 아니 가을이 이렇게 있듯이 어머니는 늘 나의 곁에 계신다.

나는 장가를 들고 나서부터 지금까지 매달 어머님께 용돈을 송금해드리고 있다. 2천원부터 시작한 용돈이 지금은 10만원이다. 작년에 돌아가셨지만 지금도 우체국 통장에 매달 17일(봉급날이다)이면 꼬박꼬박 제일 먼저 송금을 해드린다.(어머님 생전에도 통장은 형님 앞으로 되어 있었다.)

　가을에 나를 낳아주신 어머니, 그리고 가을에 떠나신 어머니께 가을이 있는 한 물가상승률에 따라 15만원이고 20만원이고 50만원이고 100만원이고 계속 송금해드릴 작정이지만, 내 마음이 어떻게 변할지 나도 모른다.

『수레바퀴』 1995년

어느 스승에 대한 추억

　'한번 해병은 영원한 해병'이란 말은 자주 듣는 편인데, 어찌된 일인지 '한번 스승은 영원한 스승'이란 말은 들어보기 어려운 현실인 듯하다. 이런저런 까닭으로 나는 조병화 선생님을 감히 '나의 영원한 스승'이라고 누구에게나 곧잘 말하곤 한다.

　선생님은 인생살이를 늘 나그네길로 비유하시면서 그 나그네의 고독들을 시나 그림이나 붓글씨의 주제로 삼고 계신다. 현재의 삶은 여숙(旅宿)의 삶에 지나지 않으며, 모든 인생의 가치와 사랑이 완성되는 세계가 원숙(原宿)의 세계라는 일관된 인생관으로, 시를 생각하며 그림을 생각하며 서예를 생각하며 사신다.

　삼십수년 전의 일이다. 촌놈인 내가 경희대 국어국문과의 문을 두드렸다. 면접 때의 일이다. 김광섭·김진수·황순원·조병화·서정범 교수님들이 앉아 계셨던 걸로 기억된다. 고교시절 문학에 뜻을 두면서 꿈에 그리던 쟁쟁한 선생님들이셨다. 조병화 선생님께서 물으셨다.

　"학생은 왜 이 학교 국문과에 응시했지?"

　"훌륭하신 교수님들에게 문학, 그중에서도 시를 배우고 싶어서입니다."

　"좋아하는 시인은 누구누군가?"

"네, 서정주·김현승·박봉우 시인 등입니다."

그때 면접고사장을 나오면서 여간 불안한 것이 아니었다. 고교 시절 『인간고도』 『버리고 싶은 유산』 『패각의 침실』 『하루 만의 위안』 등의 고독의 세계를 끈끈하게 탐구했던 시집들을 애독을 넘어 열독을 했지 않았던가? 복잡하지 않은 이미지, 쉬운 시어, 무기교의 시는 늘 나를 사로잡았고, 무엇보다도 선생님의 시는 내 영혼을 흥건히 적셔주지 않았던가? 그처럼 고등학교 시절 나를 매료시켰던 선생님께 배우려 이 학교를 선택했던 것인데, 박봉우 시인까지 들먹거리고도 당황해서 깜박 잊고 선생님의 함자를 잊어버렸던 것이다. 그래서 혹시 괘씸죄로 낙방시키지나 않을까 걱정이었는데 결과는 꽤 우수한 성적으로 합격했다.

선생님의 강의시간은 늘 즐거웠다. 딱딱한 이론보다는 선생님의 다양한 인생론 설파는 즐거울 수밖에 없었다. 또한 학생들과의 약속이나 처리해야 할 일에는 한치의 오차도 없이 늘 정확하고 명쾌하고 시원시원하셨다.

시론 강의 첫 시간으로 기억된다. 하루는 칠판에 나로서는 도저히 알 수 없는 고등수학 공식 같은(한참 훗날에 그것이 적분공식임을 알았는데 나의 고등학교 시절에는 그런 공식을 배운 기억이 없었다) 것을 판서하셨는데, 그것은 $L=\int_{0}^{n} dt = \boxed{\propto} + \alpha$이었다. L자 다음에는 등호(=)를 쓰고, 그 오른쪽에 지렁이 늘어진 꼴($\int$) 같은 기호의 위아래와 오른쪽에다가 더덕더덕 알 수 없는 기호를 붙이고, 또 등호(=) 오른쪽에다 관 속에 사람이 누워 있는 꼴에다가 더하기(+) 알파(α)를 하셨는데, 인생이란 태어나서 죽을 때까지 온갖 모습으로 다양하게 살다가 죽으면 시체에 불과한데, 시체에다가 알파를 더할 수 있는 것이 인생의 완성이란 뜻의 적분 미

312

분이었다.

사람이 태어나서 살다가 죽었을 때 단순히 시체로 남을 것이 아니라 후세를 위해 무엇인가를 남겨야 한다는 가르침이셨다. 그렇게 하기 위해서는 주어진 시간에 부단히 노력을 해야 하는데, 인간은 노력하면 노력할수록 방황한다. 그러나 노력한 만큼 반드시 구원을 받는다는 말씀이 생생하게 살아남아서 지금까지 나라는 존재를 지켜가고 있는 것이다.

선생님은 원래 경성사범학교와 일본고등사범학교에서 물리와 화학을 전공하셨고, 경희대에 럭비부를 만들어 부장과 감독을 역임하신 분이다. 그런데도 남의 이론에 갇혀 사는 것보다는 그 α를 남기고 싶어서, 아니 인생을 완성시키고자 시 창작으로 전환하신 것이다. 내가 대학 2학년 시절 경향신문 신춘문예를 통해 문단에 데뷔했을 때, 나의 손을 이끌고 조영식 총장님을 찾아뵙고 설립자 장학금을 받게 해 무사히 대학 4년을 마치도록 해주시기도 한 은인이시다.

선생님은 늘 부지런하시고 시원시원하시다. 가끔 찾아뵈올 때도 선생님은 분초도 쉬지 않고 시를 쓰시거나, 붓글씨를 쓰시거나, 그림을 그리신다. 시간 약속의 철저함이나 부지런함은 나의 선친 다음으로 선생님께 이어받은 나의 소중한 재산이다.

선생님은 금년에 43번째의 시집으로 『시간의 속도』를 상재하셨다. 번역서나 수상집 또는 시 해설서 등 무려 100여권 안팎의 방대한 저서를 갖고 계시며, 전국 유명 화랑의 초대전을 포함, 개인 미술전을 15회 개최하기도 했는데, 이는 바로 타의 추종을 불허하는 선생님의 부지런함의 결과다. 그 부지런함은 제자 아끼는 데도 예외가 아니다. 대학을 졸업한 지 30년이 넘었는데도, 내가 시를 발표한다든지 또는 시집을 냈을 때, 그걸 꼬박꼬박 읽으시고 늘 전화로 격려를 해주신다. 그럴 때면 나는 몸둘 바를 모르고 망연자실에 빠지곤 한다.

최근에 내가 재직하고 있는 광주대 예술대학에서 조병화 선생님을 모시고 '인생과 예술'이란 연재로 강연을 가졌는데, 장장 110여분 동안의 열강으로 400~500명의 학생들을 열광시키기도 하셨다. 상경하신 뒤 곧바로 나는 "이번 강연, 즐거웠고 감사했습니다. 이 쌈지 한 20년 쓰던 겁니다"라는 쪽지가 든 조그마한 소포를 받았다. 파이프 담배를 넣는 쌈지였다. 1년 전쯤에 쓰시던 파이프를 선물로 주시더니, 제자 사랑하는 마음이 넘쳐 오랫동안 애지중지하시던 분신이나 다름없는 쌈지까지 보내주신 것이다.

선생님은 어떤 이념의 노예, 딱딱한 철학, 잡다한 문학적 유파도 떠나, 자기위안, 자기구원, 자기완성을 위해 오늘도 외로운 나그네 길을 걷고 계신다. 부디 오래오래 건강 누리소서.

『교육월보』 1995년 12월호

인위적인 것보다 자연적인 것에 관심을

내가 몸담고 있는 대학은 대도시의 끝지점에 자리잡고 있다. 그 끝지점을 벗어나면 농촌이라는 자연환경이 한가롭게 펼쳐진다. 그러니까 나는 도시와 농촌의 경계점에서 하루하루 생활하고 있는 셈이다.

나는 이런 환경 속에서 큰 것보다는 작은 것, 많은 것보다는 적은 것, 보이는 것보다는 안 보이는 것, 인위적인 것보다는 자연적인 것에 관심을 더 가지면서 시를 쓰고 있다.

나는 깊숙한 산골의 절에서 태어났다. 여덟살까지 산골에서 살았지만 그 이후부터는 오십 중반에 이르도록 도시생활을 했기 때문에 잃어버린 자연이 그립다. 지칠 대로 지쳐버린 내 영혼과 육체를 그래도 아직은 엄청난 생명력을 지니고 있는 자연 속에 의탁하는 방법 말고는 이 황폐한 삶을 치유할 수 없을 것이다.

인류가 지구상에 출현한 이래 오늘날까지 자연과 인간의 관계는 밀접한 관계를 맺고 있다. 인간의 전통적인 자연관은 자연의 근원·존재·의미를 신 또는 인간정신에 두고 있었기 때문에 자연은 신성하며 인간과 친근감·일체감을 갖게 마련인데, 서구의 자연과학 발달로 인해 자연은 인간과 별개의 것으로 생각해 마구 파헤쳐 파괴하고 있다. 그렇기에 자연은 몸살을 앓으며 죽어가고 있는 것이다. 불가에서는 중생이 앓으면 부처가 앓는다고 했다. 자연이 앓으니까 인간이 앓으며 표류하고 있는 것이다.

나는 앞으로도 인간의 고향이고 안식처인 이 자연에 많은 관심을 가지면서 시를 쓸 것이다.

『동서문학』 1996년 여름호

고향

입추를 넘긴 탓일까? 내 살갗보다도 마음이 먼저 저녁 바람결에 깃든 선선한 가을 기운을 반긴다. 가을은 우리에게 그리움을 타게 하는 계절이다. 인간은 역경과 고뇌와 갈등이 범벅된 현실을 살아가면서 야성적이고 원시적이면서도 평화로운 삶에 대한 향수를 갖게 마련이다. 그런 연유로 인간은 투명하고 맑은 마음으로 자신의 근원을 조용히 들여다보면서 '고향'을 그리워한다.

인류의 영원한 주제인 죽음과 사랑을 노래하지 않은 시인이 없었듯이 '고향' 또한 무수한 시인들의 영원한 주제이다. 최치원이 "등 앞의 외로운 마음 만리를 달리네(燈前萬里心)"라고 읊은 것이나 "그곳이 차마 꿈엔들 잊힐리야"라는 구절이 반복되는 정지용의 시 「향수」 또한 고향에 대한 절절한 그리움을 노래한 것이다. 전업 시인이 아닐지라도 무수한 사람들이 저마다의 가슴속에다 그리운 고향 시를 쓰고 수없이 노래했으리라.

나에게도 그러한 고향이 있다. 내가 태어나 자란 곳, 내 시의 원초적 근원이기도 한 곳, 바로 전남 곡성군 죽곡면 원달리의 태안사와 태안사를 감싸안은 동리산이 바로 내 고향이다.

눈을 감으면 내 유년의 온갖 것들이 지금도 생생하게 떠오른다. 허기진 배도 잊은 채 오르내리던 동리산, 풀꽃 같기도 하고 어린 산짐승 같기도 하던 동무들, 토끼·노루·사슴·멧돼지들과 함께 이리 뛰고 저리 뛰며 해 지는 줄 몰랐던 그 유년의 모든 움직임들이, 그 빛깔들이, 그 소리들이 싱싱한 생명력으로 지금껏 내 안에 살고 있음을 확인한다. 순수하고 원초적인 대자연의 기운이 내 살과 뼈를 키웠고 내 시심의 밑바닥을 지금까지 적시며 흐르고 있는 것이다.

그러나 많은 현대인들은 이런 고향들을 가지고 있으면서도 고향상실 속에서 현대를 살아가고 있는 것 같다. 정신적인 의미로서의 영혼의 고향도, 태어나서 자란 곳이며 순박한 인정과 유년의 추억이 어린 곳으로서의 고향도 잃어버린 채, 정주부재(定住不在) 속에서 마음을 안주시킬 수 없는, 즉 정신적 삶을 뿌리박을 근거가 없는 지반상실(地盤喪失) 속에서 살아가고 있다.

우리는 단순하고 지엽적인 의미에서 벗어나 더 넓고 근원적인 의미로서의 고향에 대한 새로운 인식이 필요하다. 누구나 알다시피 물질의 풍요와 안락만을 지나치게 추구하는 현대문명은 산성비를 내리게 하고, 하천마다 샛강마다 폐수 천지가 되어 물고기들이 떼죽음을 당하게 만들고 있다.

오염된 공기와 썩어가는 땅덩이 위에서 해마다 멸종되어가는 생태계의 종들이 자꾸만 늘어가고 있다. 이렇게 파괴되어 앓고 있는 자연은 우리에게 무엇인가? 바로 우리 생명의 어머니이며 영원한 고향이 아닌가. 아니 우리의 살과 뼈와 영혼이 아닌가? 장자는 "천지가 나와 한 뿌리를 이룬다(天地與我同根)"라고 말하지 않았던가. 우리는 자연과 한몸이다. 우리는 자연에서 태어나 자연으로 돌아간다. 이 자연은 생활의 터전이고 고향이며 안식처이며 죽어서 돌아갈 귀숙처(歸宿處)인 것이다.

우리가 현실 속에서 겪는 온갖 고통과 갈등 속에서 자신의 고향을 떠올리며 그리워하는 까닭은 훼손되지 않은 순수한 자연의 품이 있었기 때문이리라. 여우는 죽을 때 제가 살던 구릉 쪽으로 머리를 향한다〔首丘初心〕고 했다. 죽어서라도 고향땅에 묻히고 싶은 절실한 마음을 잘 나타낸 말인데, 자연 섭리의 근본을 잃지 않음을 뜻하기도 한다. 우리에게 근본이란 무엇인가? 그것은 대자연인 것이다. 그 근본적인 삶도 자연적인 삶이다.

풀씨들이 날아다니다가 멈추는 그곳이 바로 고향인 것이다. 메뚜기 이마만한 국토에서, 태어난 곳 자라난 곳을 구태여 따질 필요가 어디 있겠는가. 몸과 마음이 닿는 곳, 우리의 생명이 생명답게 자랄 수 있는 곳이 바로 우리들의 고향이다. 나 있는 곳이 내 집이며, 내 마음이 머무는 곳이 내 고향이다. "대장부가 머무는 곳 그 어디메나 다 고향(男兒倒處是故鄕)"이 아닌가!

『MBC가이드』 1996년 9월호

신세대의 진정한 새로움을 위하여

새해가 시작되었다. 이 새로운 시작 앞에서 사람들은 지난날을 반성하고 새로운 설계를 세워 부푼 꿈을 펼친다. 같은 모습으로 반복되는 것만 같은 일상 속에서 자신의 삶을 되돌아보고 반성함으로써 뭔가 새롭고 신선한 삶을 기대한다. 사람들이 자신의 삶 속에서 낡고 묵은 것을 떨쳐내고 거듭 새롭게 시작하여 새로움을 꿈꾸는 일은 좋은 일이다. 새해를 맞는 기쁨과 활기도 이런 데서 나오는 것이다.

특히 무한한 가능성과 잠재력을 갖고 있는 젊은이들에게는 새해의 의미가 누구보다도 각별한 것이다. 이렇듯 무한한 가능성과 잠재된 에너지를 지닌 젊은이들을 '신세대'라고 부른다. 구세대와는 전혀 색다른 의미에서 '새로운 세대'이다. 그들이 구세대를 일컬어 장난기 있게 '쉰 세대'라고까지 부르는 것은 구세대의 '낡아버린 것들' '쉬어버린 것'들과는 뚜렷한 차별이 있음을 강조하는 데서 나온 말이라고 할 수 있다.

일반적으로 신세대는 60년대와 70년대 초엽에 태어난 20~30대의 젊은이들이라고 할 수 있다. 그들은 구세대가 뼈저리게 경험했던 일제와 6·25와 자유당 독재, 유신독재, 그리고 그림자처럼 따랐던 빈곤과는 거리가 한참 멀다. 물질의 풍요로움과 편리함에 길

320

들여져 있고 비디오와 컴퓨터 등의 영상매체와 친숙하다. 깊은 사고와 사색보다는 찰나적이고 감각적인 것에 더욱 매력을 느낀다. 일찍이 슈바이처는 "사색의 포기는 정신상의 파산선고다. 사색을 거치지 않고는 진리를 인식할 수 없다"고 하였다. 현대인은 사색을 무시함으로써 성실성에 대한 감수성과 진리에 대한 감수성을 잃어버렸기에 현대를 구제하는 방법은 또다시 깊고 넓은 사색의 길로 들어설 수밖에 없다는 뜻이겠는데, 특히 우리 신세대들이 음미해보아야 할 경구다.

또한 구세대가 지독스러이 열병처럼 앓았던 이데올로기나 사상의 문제와도 어느정도 자유롭다. 집단이 지닌 구속과 권위, 고정된 틀을 싫어하고 개성과 자유, 자율을 지나치리만큼 소중히 여긴다. '우리'라는 공동체의식보다는 '나'라는 개인을 앞세운 나머지 이기주의와 배타주의에 빠져든다. 경직된 전체주의의 강제된 타율을 거부하고 개체의 개성과 존엄성을 찾는 것은 우리들이 추구해야 할 진정한 가치들이다. 그러나 이러한 가치의 실현보다는 부정적 측면의 청년문화가 전통에 대한 자부심을 저버리고 가벼움만을 추구해 우리들을 안타깝게 하고 있다. 소위 '오렌지족'이나 '야타족' 범람은 물질만능과 쾌락주의에 빠져 추악하게 겉늙어버린 청년문화의 한 단면이다.

인류의 역사가 시작된 이래 '새로움'을 추구하는 신세대들은 언제나 있었다. 기존의 낡은 인습이나 관습을 부정하고 구세대가 지니는 권위에 맞서 저항하고 괴로워하며 새로움을 추구했기에 현재의 이만한 우리의 모습이라도 존재하지 않는가 하는 생각도 드는데, 인류의 진보를 위해 끊임없이 노력한 구시대에서의 신세대들의 힘의 결과인 것이다. 신세대의 새로움은 이렇게 인류의 진보와 발전에 기여할 때 진정한 새로움이라고 할 수 있을 것이다. 앞을 내다보지 못하는 단순하고 순간적인 감각지상주의, 자신만을 너무 생각하는 이기주의, 타인의 존재가치를 소중히 여기지 않는 배타주의의 개성이나 자율, 자유 등은 신세대의 진정한 새로움이 될 수 없다.

우리의 조상들은 옛것을, 전통을 소중히 여겼다. 그것은 복고지향적이고 퇴보적인 자세가 아니었다. 전통은 새로움을 탄생시키는 밑바탕이라는 것을 알고 있었기 때문이다. 새로움은 어느날 갑자기 생겨나는 것이 아니다. 선조들의 지혜를 밟고 앞으로 나아갈 때 가능한 것이다. 학문의 참뜻인 '온고지신(溫故知新)'이라는 옛말을 새롭게 되새겨보아야 할 것이다. 또한 '법고창신(法古創新)'이란 말이 있는데, 옛것을 바탕으로 새로움을 창조한다는 말이다. 다시 말하면 늘 한결같으면서도 늘 새롭고 늘 새로우면서도 늘 한결같이 하라는 뜻이다.

전통을 부정하고 구시대의 것은 싸잡아 '낡은 것'이라고 내팽개치면 신세대의 새로움이란 뿌리와 줄기와 가지를 떠난 허공에 뜬 나뭇잎에 지나지 않을 것이다. 따지고 보면 신세대들이 보여주고 있는 부정적인 여러 풍조는 이러한 전통 단절에서 온 결과들이라 할 수 있다.

태평성대를 이루었던 옛 중국의 성군 탕왕(湯王)의 욕실에는 '일신 일일신 우일신(日新 日日新 又日新)'이라는 글자가 새겨져 있었다고 한다. 날로 새롭고 날마다 새롭게 하여 영원히 새롭게 하라는 말이다. 이 말은 자신의 삶에 대하여 반성하고 끊임없이 새롭게 하여 자신의 자아를 실현하라는 뜻일 터이다. 신세대의 새로움은 여기에서부터 출발하여야 할 것이며 이웃과 함께 생각하며 실천하는 마음가짐으로 인류 공동체의 행복과 진보에 기여할 때 신세대의 건전한 새로움이 빛날 수 있을 것이다.

　인생은 짧다고 하지만 아무것도 못할 정도로 짧은 것이 아니며, 그렇다고 해서 모든 것을 성취할 수 있도록 긴 것도 아니다. 새로움의 추구도 방황도 젊은이의 소중한 자산이라고 할 수 있으나, 옛것이 거세된 새것만을 찾아 너무 오래 방황하기엔 인생은 너무도 짧은 것이 아닌가. 비판 없이 무조건적으로 외래풍조에 취해서 뒤따라만 갈 일이 아니다. 소의 꼬리가 되어 질질 끌려갈 것이 아니라 차라리 쥐의 머리가 되어 능동적이며 진취적이며 창조적인 삶을 개척해가야 하지 않겠는가.

『화니』 1997년 1월호

꽁뜨
부부는 일심동체

"너도 목메달이지?"

"그럼, 나라고 별 뾰족한 수 있겠니?"

"애, 우리는 언제 삐까번쩍하는 금메달 걸어보니? 남들은 잘도 따던데."

"금메달은 고사하고 동메달이라도 땄으면 좋겠다, 애."

여자 셋이 모이면 집안에 접시가 안 남아난다고 하더니 지금 안 진실씨네 주방에서는 세 여자의 메달 타령 때문에 접시 깨지는 소리가 요란스럽다. 영문을 모르는 사람들은 이 여자들이 올림픽에 출전할 선수인 줄 알겠지만 매스컴에 그리 둔하지 않은 귀들은 단박에 알아차릴 터이다.

작년 가을 TV에서 화제가 되었던 드라마 「애인」 이후 조선팔도에서는 아줌마들의 '애인 바람'이 불었다. 예전에 불었던 치맛바람보다는 워낙 위력이 태풍 같아 풍문에 의하면 그 바람 탓에 집이 통째로 날아간 곳이 많았다고 한다.

메달은 일종의 애인의 등급인 셈이다. 유부녀, 즉 남편 있는 여자가 자기보다 연하인 젊디젊은 애인이면 금메달, 나이가 똑같거나 또래면 은메달, 연상이면 동메달, 능력이 없어 이도저도 없으면 목 팍 매달고 죽어야 하는 목메달이다. 그 '애인 바람'이 이제는 제법 잠잠해진 줄 알았는데 안진실씨가 살고 있는 작은 도시의 주방에서는 여전히 불고 있는 것이다.

"너희들 혹시 엄정해 소문 들었니? 그애 연애한다고 하더라."

"어머, 금메달이래니?"

"그건 모르겠고 아무튼 메달은 메달인가봐."

"그 밉상 재주도 용하네. 그 얼굴에 바람을 피워?"

"그나저나 남편한테 들키면 어쩔려구 그런대?"

"그게 문제니? 난 단 하루를 살다 죽더라도 멋진 연애 한번 해봤으면 원이 없겠다."

"맞아, 복 없는 노처녀는 봉놋방에 누워도 꼭 고자 옆에 눕는다더니 내가 그 짝이야. 우리 신랑은 그쪽에는 아예 돌부처인 거 있지? 그것도 꿍짝이 맞아야 하는 거 아니니? 요즈음 맘 같아선 구리메달이라도 아쉬운 심정이라니까."

"얘들아, 작작 좀 해라. 비싼 밥 먹고 쓸데없는 소리만 해대니?"

더이상 못 듣겠다는 듯이 여지껏 잠잠하던 안진실씨가 친구들의 이야기에 찬물을 끼얹었다. 그녀는 아까부터 친구들이 못마땅했다. 모여서 입 터졌다 하면 그놈의 남자 얘기다. 심지어는 야한 잠자리 얘기도 대중목욕탕에 가서 훌러덩 옷 벗듯 아무렇지도 않게 내뱉곤 한다. 결혼생활 3년만 지나면 성에 대해서 노골적이고 뻔뻔한 아줌마가 된다더니 그 말이 꼭 맞는 것 같다.

"사시사철 남편 사랑 철철 넘치는 네가 어떻게 우리 속마음을 알겠니?"

"그래, 오뉴월에도 찬바람 숭숭대는 것을 겪어본 사람만이 알지. 니네는 세상 사람이 다 알아주는 찰떡궁합 아니니?"

"니네 신랑 그 나이에 앞머리 벗겨진 게 다 이유가 있지?"

희희덕거리는 친구들에게 안진실씨는 눈을 하얗게 흘기지만 틀린 말은 아니어서 듣기 좋다. 안진실씨와 그의 남편 양대박씨는 남들이 시샘하는 한쌍의 잉꼬부부다. 그들은 틈만 나면 서로 붙어 있다. 시장보러 갈 때도, 아침등산 할 때도, 심지어 계모임, 동창모임 등 가는 곳마다 한몸이다. 결혼한 지 삼년이 됐지만 아직까지 남편은 단 한번의 외박도 해본 일이 없다.

　　친구들은 TV에서 멋진 탤런트를 보면 가끔 꿈속에서나마 만나 사랑도 나눈다고 하지만 안진실씨에게는 거리가 먼 이야기다. 사정은 양대박씨도 마찬가지다. 아내 나이 스물일곱살 때 만났는데 자기가 첫사랑이라고 했다. 아내는 대한민국에 자기 외에는 아는 남자가 없을 것이라고 양대박씨는 생각하고 있다. 지금도 희미한 불빛 아래일망정 겉옷 벗기도 망설이며 부끄럼 타는 아내가 그렇게 정숙해보일 수가 없다. 그 '애인' 태풍이 몰아치던 그 언젠가 친구들하고 술 마시다가

　　"요즈음 여편네 간수 잘해야겠어. 너나 내나 할 것 없이 바람피울 궁리만 하더라구."

하는 누군가의 말에 양대박씨는 코웃음을 쳤다.

　　"어떤 등신 같은 자가 여편네 바람피우게 해. 하루에 몇번씩 죽여줘봐. 그런 생각 하나."

　　그후로 친구들 사이에서 양대박씨는 마누라 죽여주는 '애처가'로 통했다.

　　저녁을 먹고 샤워까지 마친 안진실씨는 마당에 그냥 널어둔 빨래를 걷으러 밖에 나갔다가 진저리를 쳤다. 낮에는 몰랐는데 밤꽃 향기가 마당 가득 진동했기 때문이다. 가까운 앞산에서 풍겨온 듯했다. 저녁 늦게 돌아온 양대박씨는 밖에서 좋은 일이 있었는지 얼

굴색이 분홍빛이다.

"벌써 밤꽃이 피었나봐. 마당에 쫙 깔렸는데. 당신 오늘밤 그냥 잠 못 자겠다."

안진실씨는 주방에 가서 유리잔과 붉은 와인병을 거실로 내왔다. 그러고는 조명을 낮추었다. 은은한 조명 아래서 와인을 마시며 서로 눈빛을 맞추고 있는 부부의 모습은 정말이지 잉꼬처럼 정답다.

"당신 오늘따라 더 쎅시해 보이는데?"

"정말이에요?"

안진실씨의 목소리에 큰 소리가 섞여든다.

"아까 내 친구들 놀러와서 은근히 질투하는 거 있죠? 우리가 찰떡궁합이라나, 뭐라나."

"맞는 말일세. 우리만큼 사랑하는 부부 있으면 어서 나와보라고 그래."

시간이 흐를수록 분위기는 붉은 와인빛 못지않게 진해졌다. 얼마큼 지나서였다. 남편의 팔베개에 누워 나른한 잠 속으로 빠지면서 안진실씨는 속으로 이렇게 중얼거렸다.

'신랑보다 더 번쩍이는 금메달이 어디 있남?'

환한 대낮, 마당가에 죽 심어놓은 함박꽃 빛깔이 눈부시게 곱다. 바람 한점 없어서 마치 병풍을 펴놓은 것 같다. 지금쯤 남편은 회사에서 꼼짝 못하고 앉아 있을 시간이다. 어떤 사내의 팔베개를 베고 누워서 졸음에 겨운 고양이처럼 가늘게 떠 있는 안진실씨의 눈이 갑자기 화등잔만해진다. 결코 남편이 와서는 안될 이 시간에 현관문을 따며 "여보"라고 부르는 소리를 들었기 때문이다. 허둥대며 그녀는 다급하게 소리쳤다.

"어서 숨어요. 남편이 왔어요!"

순간 한 남자가 침실의 창문을 열고 수고양이처럼 뛰쳐나갔다. 그가 뛰어내린 마당은 고즈넉한 어둠이 깔려 있다. 알몸에 팬티 하나만 걸치고 멍한 표정으로 주위를 둘러보고 있는 남자는 다름아닌 양대박씨다. 아닌 밤중에 홍두깨라더니 천둥소리같이 들렸던 아내의 잠꼬대 때문에 양대박씨는 반사적으로 벌떡 일어나 뛰쳐나온 것이다.

아무것도 모르고 여전히 드르렁드르렁 잠자고 있는 안진실씨와 잠자다가 홍두깨 맞은 양대박씨의 알몸을 구경이나 하듯 하늘에는 수많은 별들이 초롱초롱 눈망울을 굴리고 있다. 그러고는 저마다 한마디씩 하는지 소근소근 수근수근 별들의 입술 모양은 제각각이다. 보름달은 부처님처럼 빙그레 웃고, 맑은 이슬을 낳느라고 그러는지 나무와 풀들의 몸이 고요하고 푸르게 젖어 있다.

『광주매일』 1997년 7월 1일자

구겨지고 흩어진 마음 저 달 보며 가다듬자

"오월 농부, 팔월 신선"이란 말이 있다.(오월, 팔월은 음력) 오 뉴월 찌는 듯한 염천하에서 고생고생 하던 농부들이 덥지도 춥지 도 않은 팔월 들어 보람을 느끼며 편안한 신세가 된다는 말이다.

우리네 조상들은 지혜롭게도 이 '팔월'에 큰 명절을 만들어 오 늘의 우리 후손들에게 물려준 것이다. 이름하여 '한가위'인데 한자 말로는 '추석(秋夕)' '가배(嘉俳)' '중추절(仲秋節)' '가위(嘉優)'라고 한다. 더 쉽고 재미있는 말로 표현해보자면 '한가운데 달의 한가 운데 날'이란 뜻이다.

어째서 그런가. 음력으로 칠월·팔월·구월의 가운데 달은 팔월 이요, 한 달 삼십일 중 가운데 날은 십오일이기 때문이다. 어원적 으로 풀이해봐도 증명이 된다. '가위'는 중앙, 절반의 어원인 '굽' 에 날(日)의 어원인 '익'로 이루어진 합성어다. 다시 말하면 굽(中, 半)＋익(日)가 ㄱ뵈〉가외〉가위로 변천했는데, 그 앞에 크다, 바르 다의 뜻을 가진 접두사 '한'을 붙여 '한가위'가 된 것이다.

우리 조상들은 오곡백과를 실컷 먹을 수 있고 달도 가장 밝은 이 날을 두고 "더도 말고 덜도 말고 오로지 오래도록 한가위만 같아 라(加也勿 減也勿 但願長以 嘉俳日)"고 염원했던 것이다.

우리들은 추석 2~3일 전에 조상의 묘를 찾아가서 벌초를 한다.

낮이 잘 들게 숫돌에 정성껏 갈아 행여 다칠세라 새끼줄로 친친 감아 들고 조상의 묘가 가깝든 멀든 어른을 앞세우고 조상의 미담들을 나누면서 열지어 벌초하러 간다. 조상의 묘에 잡초가 우거지면 자손의 수치로 여겨온 까닭이다.

한가위에는 팔도강산에 흩어진 가족들이 함께 모여 성묘를 하는 것이다. 또한 햅쌀·햇콩·햇돈부·햇밤으로 송편을 빚고, 햇과일로 차례를 지낸다.

추석 전날까지는 부녀자들이 두레 길쌈을 하는 모습을 어렸을 적에 보았지만 요즘은 찾아볼 수가 없다. 다만 전남 남부지방 부녀자들의 유희였던 '강강수월래'만 영상매체를 통해 가끔 볼 수 있다. 한가위에 곱게 단장한 부녀자들이 수십명씩 손을 잡고 둥글게 원을 그리며 뛰노는 민족의 전래놀이인 이 강강수월래는 목청 좋은 사람이 구성지게 목청을 뽑아 선창을 하면 나머지 사람들은 후렴으로 "강강수월래"라고 받으면서 원무를 즐긴다.

처음은 느린 진양조로 시작해서 차츰 빨라져서 중모리, 중중모리로 이어지는데, 이런 강강수월래를 이동주 시인은 "여울에 몰린 은어떼//삐비꽃들이 둘레를 짜면/달무리가 비잉빙 돈다.//가아옹 가아옹 수우워월래에/목을 빼면 설움이 솟고……//백장미 밭에/공작이 취했다./뛰자 뛰자 뛰어나보자/강강수월래"라고 노래했다.

한가위! 아, 가운데 달의 가운데 날, 우리에게는 가장 의미깊고 즐거운 큰 명절이다. 애쓰고 정성들여 가꾼 오곡백과를 수확해서 지금 살아 있는 사람들은 물론 조상들과도 만나서 그 넉넉함을 나누는 큰 명절이다.

유년시절 한가위를 앞두고 부지런히 음식을 준비하시던 어머니

의 모습이 떠오른다. 집안 가득 진동하는 음식 냄새 때문에 마음
들떠 부엌을 부리나케 들락거리면, 어머니는 사내녀석이 고추 떨
어질라고 그런다며 꾸짖던 생각이 떠오른다.

저녁이면 수많은 별들을 이끌고 피어오르던 만월처럼, 어머니
는 우리 남매들을 데리고 달이 가장 가깝게 보이는 뒷동산에 올라
달을 우러르며 뭔가를 간절하게 빌던 모습도 떠오른다.

우리는 오늘날 물질적인 풍요로움 속에 살고 있다고 하지만 마
음의 풍요로움을 잃어버린 채 살아가고 있다. 우리 조상들이 서로
서로 삶과 마음을 나누며 살았던 것은 결코 물질이 풍요로웠던 것
이 아니었다. 조상들을 기리고 섬기며 서로서로를 아끼며 소중하
게 여겼던 마음 때문이었으리라.

기록에 따르면 우리 민족은 반만년 동안 천번 가까이 외침을 당
했는데, 우리가 지금 여기에 단일민족으로 이만큼이라도 살고 있
는 까닭도 아마 우리 선조들의 이런 마음 때문이었으리라.

그칠 줄 모르고 터지는 온갖 대형참사, 좀처럼 회복의 기미가 보
이지 않는 경기침체, 갖가지 사건과 부정부패 속에서 우리들은 마
음이 갈기갈기 찢어지고 흩어져서 무기력한 삶을 살고 있다. '한
가운데 달의 한가운데 날'인 이 한가위에 둥근 달이 떠오른다. 찢
어지고 구겨지고 흩어진 마음들을 저 달을 보며 다시 한번 가다듬
어보자. 우리 마음에 면면히 흐르고 있는 공동체의 마음을 다시 한
번 출렁여보자.

『전남일보』 1997년 9월 14일자

오월에 아버지, 어머니를 불러본다

5월은 가정의 달답게 많은 기념일이 있는 달이다. 근로자의 날, 법의 날, 석가모니 오신 날, 어린이날, 어버이날, 재향군인의 날, 스승의 날, 성년의 날, 5·18 기념일, 바다의 날 등이 그것인데, 거의가 사람들의 날이다. 그래서 나는 5월을 사람의 달이라 불러왔다. 5월은 나의 달이고 우리들의 달이고 사람의 달이다.

그런데 이렇게 사람의 날을 많이 제정한 까닭은 무엇일까. 사람들이 상식과 원칙을 지키지 않고 살아왔기에, 반성과 회개와 참회와 각성을 시키기 위해 만들지 않았을까. 인류가 이 지구상에 출현한 이후 오늘날에 이르기까지 꼭 이것만은 알아야 할 것이 상식이요, 꼭 이것만은 지켜야 하는 것이 원칙이었는데, 이것을 지키지 않고 살아왔기에 상식과 원칙이 무너져서 변칙이 되고 더 나아가서는 반칙이 되어 세상이 시끄러워졌는지 모른다.

나는 여러 글에서 밝혔듯이, 35세의 노총각 스님과 17세의 어린 처녀가 만나 낳은 8남매 중 네번째로 태어났다. 대처승으로서 곡성 동리산 태안사의 주지를 지내기도 했던 아버지는 일제 때 서울의 혜화전문대를 졸업한 분이었는데, 마른일 궂은일 가리지 않고 상식과 원칙을 지키면서 모든 일에 열심이었고 부지런하였다.

절 일을 보면서도 밤낮없이 무엇인가를 하셨다. 새벽 세시쯤이면 어김없이 일어나 결가부좌를 틀고 앉아 사계절을 가리지 않고 목탁을 두들기며 염불하는 걸로 하루 일과가 시작된다. 절 일을 보다가도 틈만 나면 똥장군을 지거나 논밭에 종일 엎드려 일을 하였고, 마을 일을 챙겼고, 밤이면 야학을 이끌거나, 침을 퉤퉤 손바닥에 뱉어가며 새끼를 꼬거나 가마니를 치거나 했다. 식구들보다 먼저 잠자리에 든 것을 생전에 보지 못했다. 이런 바쁜 생활 속에서도 아버지는 8남매를 낳으셨다. 어머니에게는 한글을, 자식들에게는 무릎을 꿇려놓고 손수 한지에 붓으로 써서 엮은 『추구』나 『사자소학』이나 『명심보감』을 가르쳤다. 누구 하나 떠듬거리거나 졸거나 하면 우리들 머리 위로 획획 목침을 날리기도 했다. 동네 동무들과 싸우다가 내가 밑에 깔려 안간힘을 쓰고 있는데도, 똥장군을 지고 가다가 긴 손잡이가 달린 똥바가지(조대)로 내 머리를 후려치기도 했다.

아버지 생존시에 나는 단 한번도, 아니 단 반번도 "아버지"라고 불러본 적이 없다. 괴이했고 무서웠기 때문이다. 돌아가신 뒤로는 수없이 수없이 '아버지, 아버지' 하고 속으로 불러보았고 부르고 있지만……

부창부수라, 어머니도 아버지 못지않게 무슨 일에든 열심이었고 부지런하셨다. 새벽이면 일찍 일어나 염불을 하였고, 낮에는 논밭에 엎드려 일을 했고, 밤에는 베틀에 올라 베를 짰다. 옛날 어머니들이 대개 그랬듯이 오전에 애를 낳고도 오후에는 논밭일을 하였다. 아버지와 꼭 같았다. 그러나 목침은 던지지 않았고 똥바가지로 내 머리를 후려치지도 않았다. 가끔 회초리를 들기는 했지만 내 종아리에 회초리가 닿기 전에 눈물 먼저 흘리곤 했다.

그 지긋지긋한 여순사건을 태안사의 사하촌에서 겪으면서 피아

군으로부터 죽을 고비를 수십 차례 넘기며 살다가, 반란군 진압차 들렀던 사촌형님의 도움으로 우리 가족들은 광주로 피난을 해야 했다. 세간살이를 고스란히 고향에 두고 왔기에 광주에서의 일은 지독함 바로 그것이었다. 고향에서 했던 일에다가, 일요일에는 광천동에서 무등산까지 가서 땔나무를 해서 양동시장에 팔기, 양동시장의 곡물전 앞을 서성거리며 닭모이 쓸어오기, 집에서는 닭치기, 돼지치기, 토끼치기, 새벽부터 논에 나가 3천~4천 두레씩 물 품어올리는 두레질하기, 상머슴도 힘들어하는 볏단 열 뭇씩 지고 시오리 길을 지게로 져나르기, 여자들이나 하게 마련인 들녘에 나가 나물 캐기, 김장철에는 광산군에 있는 평촌까지 가서 무나 배추를 뽑는 일 도와주고 잔챙이 얻어오기 등등 그야말로 '일하면서 틈 생기면 공부하고, 공부하다 틈 생기면 일하기'가 더해졌다. 이렇게 부모님은 자식들에게 열심히, 부지런히 사는 것을 가르치셨다. 그래서 나는 서너 번의 가출을 하기도 했지만 지금도 다섯시면 무슨 일이 있어도 일어나서 무엇인가 열심히, 부지런히 하는 습관이 생긴 것은 이런 부모님의 가르치심 덕분이라 생각한다.

　아버지는 6·25가 끝난 직후 세상을 뜨셨고, 어머니는 서른다섯에 홀몸이 되셨다. 홀몸으로 7남매(내 바로 동생은 어렸을 적 죽었다)를 키우고 가르치기 위해 온갖 고생을 다 하셨다. 전국을 누비면서, 4·19 직후 가출해 생사를 알 길 없는 여섯째 놈을 행여 찾을 수 있을까 하여 20여 년 동안 행상하기, 10여 년 동안 내가 낳은 삼남매 키워주기, 그런 어머니인지라 조그마한 효성으로 고희 때는 돌반지 등 금붙이를 모두 녹여 금비녀·금팔찌·금가락지를 해드리기도 했다. 내가 결혼한 해인 1969년부터 용돈을 송금해드렸다. 돌아가신 지 3년이 지났건만 돌아가신 달 기준으로 매월 봉급날

용돈 10만원씩을 지금껏 형님 통장으로 송금해드리고 있는데, 이는 내가 죽을 때까지 계속할 것이다.

여담 같지만 나는 어머니가 아버지에게 "여보", 아버지가 어머니에게 "여보" 하는 소리를 한번도 못 들었다. '여보'라는 말은 부부간에 부르는 소리로 '여기 보오' '여보시오'의 준말인데, 나도 부모님의 이런 모습을 보고 자라서인지 모르지만, 결혼한 지 내년이면 30주년이 되는데도 지금까지 안사람에게 "여보"라고 단 한번도, 아니 단 반번도 불러본 적이 없다. 그래서 결혼 30주년이 되는 내년을 대비해 생각해낸 것이 '나를 보오'의 준말로 '날보' 또는 '남편을 보오'의 준말인 '남보'라는 말을 준비해놓고 있다.

어머니는 생전에 8남매 중 4명의 자식들을 가슴속에 묻으신 채 몇년 전 땅으로 돌아가셨다.

공자는 말씀하셨다. 어버이 섬김은, 함께 기거할 때는 공경을, 봉양할 때는 즐거움을, 병 나실 때는 근심을, 돌아가실 때는 슬픔을, 제사 모실 때는 엄숙함을 다해야 한다고. 나에게는 이 섬김의 다섯 가지 중에 제사 모실 때의 엄숙함만 남았는가? 그렇지 않다. 망자에겐 영혼의 활동이 있다고 믿기에, 지금도 살아 계신 것과 똑같이 공경과 즐거움과 근심과 슬픔과 엄숙함을 다할 것이다.

『삼국유사』에 혜통(惠通) 스님에 관한 이야기가 나온다. 출가 전 집 근처 시냇가에서 수달 한 마리를 잡아와서 고기는 먹고 뼈는 마당가에 버렸는데, 아침에 일어나보니 그 뼈는 온데간데없고, 핏자국만 군데군데 있어 따라가보니 전날 수달을 잡았던 그 보금자리에 수달의 뼈가 고스란히 다섯 마리의 새끼를 끌어안고 있더란다. 죽어서까지 새끼 사랑에 지극한 동물의 모성애도 이럴진대, 사람이셨던 우리 부모님의 자식들에 대한 사랑은 지금도 오죽하시겠는가.

가정의 달인, 아니 사람의 달인 5월에 나는 다시 한번 불러본다.

아버지! 어머니!

『금호문화』 1998년 5월호

새벽 산보

후두둑후두둑
소리만 남기고 비 그치자
곱게 곱게 씻은 푸른 얼굴 쳐들고
산행길의 나뭇잎들 부산하다.

까치들, 산새들
꽃들이 진 자리를 맴돌고
물방울들, 물방울들,
아직도 공중이 좋아 해찰하며 떠돌고

배낭을 베개 삼아
벌렁 드러누운 사내.

새벽녘까지의 술잔을 떠올리며
잘못 살아온 시간들을 뉘우칠 때
몸뚱어리는 드넓어
삼천대천세계 들어와서
편히 눕는다.

후두둑후두둑

비가 그친 뒤

—졸시 「비 그친 뒤」 전문

내가 근무하는 대학은 도시의 끝이자 농촌의 시작이라 할 수 있는 경계선에 자리하고 있어, 나는 그 누구보다도 행복에 겨운 하루하루를 지내고 있는지도 모른다. 한 발자국만 벗어나면 논들이 있고 밭들이 있고 거기엔 사시사철 우리들의 일용할 양식이 되는 먹을거리들이 자라고 있어 나에게 항상 흡족함을 안겨주고 있다.

나는 평소 새벽 다섯시면 어김없이 일어나 철을 가리지 않고 새벽 산보를 한다. 야트막한 야산을 누비기도 하는데 비가 추적추적 내리는 때면 많은 무덤 뒤에서 도깨비들이 나와 내 바짓가랑이를 붙잡고 끼깅끼깅거리는 소리의 환청에 휩싸이기도 한다. 육십을 눈앞에 두고 있는 터이지만 아직도 유년의 무서움증이 남아 있어 뒤를 돌아보며 돌아보며 잰걸음을 하지만 머리끝이 쭈뼛거리기도 할 때가 한두번이 아니다. 요즘은 방학이라 아침 세시 반쯤이면 어김없이 일어나진다. 잠시 동안 명상을 하다가 불교방송에 채널을 맞추면 유명한 절 풍경이 화면에 붙박여 나오고 스님의 목탁소리와 독경소리가 나의 하루 일과를 재촉한다.

새벽 산보다.

어떤 사람은 모래 한 알에서 우주를 본다고 했지만, 나는 새벽의 그 삼라만상 속에서도 무엇 하나 제대로 보지 못하고 살아왔고 살고 있음을 반성하면서 새벽 산보길에 나선다.

새벽은 고요하다. 하지만 나만 새벽 일찍 깨어 있는 것이 아니라 내가 걷는 농로도 깨어 있고 봇도랑물도 깨어 있고, 아직은 어둠 속이지만 오만가지 풀들이며 어둠 속에 가물가물 보이는 야산의 온갖 나무들도 검푸르게 깨어 있고 작은 미물들도 자기 방식대로 깨어나 열심히 어디론가 오가고 있음도 볼 수가 있다.

문학을 위해서는 많은 체험을 통해 많은 소재를 찾아야 한다고 하지만, 나는 매일 새벽이면 걸으면서 내 시야에 들어오는 제 방식대로 존재하는 사물들과 그 사연들만 가지고도 죽을 때까지 시를 써도 모자람이 없을 것만 같다. 보이는 것보다는 그 뒤에 숨어 안 보이는 것, 큰 것보다는 작은 것들, 추한 것보다는 아름다운 것, 높은 것보다는 낮은 것, 빠른 것보다는 느린 것, 무질서보다는 질서 있게 존재하는 것들이 더 많이 보이는 내 시야 안의 모든 것들이 있는 한 나는 줄기차게 시를 쓸 것이고 사랑할 것이다.

위의 「비 그친 뒤」 시도 바로 내 시야 안에서의 사연들을 쉽게 옮겨본 것이다. 새벽 산보뿐만 아니라 낮에도 가끔씩은 새벽에 걸었던 길을 다시 걷곤 하는데, 위의 시는 바로 낮의 산보길에서 얻어진 시다.

옛말에 "천 군데를 보고 천 사람을 만나지 않은 사람은 염라대왕이 극락에 보내지 않는다"고 했는데, 많은 여행과 많은 체험을 통하여 인간을 완성하라는 뜻으로 나는 해석하고 싶다. 그러나 나는 건성의 여행과 건성의 체험에 빠지기도 쉬운 '천 군데의 여행'과 '천 사람의 만남' 이전에 내 주변의 지형과 내 주변의 사물과 내 주변의 하찮은 것 같은 생물과 무생물에게 더 가까이하고 싶다.

IMF의 시대에 이 또한 모든 고난 극복의 좋은 실천이 아닐지. 내일 새벽 산보를 생각하니 이 글을 쓰는 지금부터 벌써 설레인다.

『대우문학아카데미』 1998년 7월호

내 풍요한 문학행위의 출발점이며 귀착점

나의 고향은 곡성이다. 더 정확히 말하면 전남 곡성군 죽곡면 원달1리 동리산 태안사 입구이다. 나는 대처승의 집안에서 7남매 중 네번째로 이곳에서 태어났다. 이곳은 내 풍요한 문학행위의 출발점이며 귀착점이다. 나는 이런 고향에 대해서 7, 8편의 산문을 통해 소개한 바 있고, 20여편의 시를 통해 고향 정서를 형상화하기도 했다. 아니 지금까지 내가 쓴 수백편의 기본 바탕과 정서는 고향에 두고 있다고 해도 틀린 말은 아닐 것이다. 철학자 하이데거는 "고향은 인간이 영원히 간직해야 할 꿈이며 사람됨의 본질이며 본바탕이다. 고향을 기리고 꿈꾸는 고향정신이야말로 오늘의 깡마른 현대정신(철학)이 비로소 구원의 손길을 만날 수 있는 장소"라고까지 말하지 않았던가.

태안사는 서기 742년 신라 경덕왕 1년에 혜철선사가 창건, 오늘날까지 1200여년이나 된 고찰로서 구산선문의 하나였으며 산세를 떨친 남녘의 소림(少林)이었다. 이런 나의 고향을 다시 한번 글로써 찾아가본다.

곡성읍을 지나 섬진강을 왼쪽으로 끼고 구례·순천 쪽으로 가다보면 보성에서 발원, 승주를 거쳐 곡성군의 남부를 관류하여 흘러온 보성강(일명 압록강)과 섬진강이 만나 다정하게 포옹하는, 나

랏님에게만 진상했다는 은어와 참게탕으로 유명한 압록 유원지가 있는데 지금도 섬진강 건너편을 가끔씩 오가는 나룻배가 보이기도 한다. 이곳은 곡성팔경의 하나인 압록귀범(鴨綠歸帆)으로도 유명하다.

압록 유원지에는 구례와 순천으로 가는 신식 다리와 철교, 1926년 일제 때 놓은 압록교가 있는데 이 다리는 낡아빠져 지금은 거의 사용하지 않고 있다. 여기서부터 태안사까지는 12킬로미터쯤 된다. 압록강(물고기가 많아 오리와 철새들이 많이 날아들고 물빛이 초록빛을 띤다고 해서 압록강이라고 한다)을 왼쪽으로 끼고 차로 7, 8분 달리다보면 태안사로 가는 첫번째 다리인 태안교가 있는데, 우리 식구들이 여순사건으로 곡성땅을 버리고 광주로 피난길에 올랐을 땐 이 다리가 없었기에 나룻배를 타고 건너야만 했다.

태안교를 지나면 유봉마을이 있다. 지형이 봉황이 새끼를 품고 있는 형국이라 하여 유봉이라 했단다. 그 윗마을은 동계마을이라 하는데 마을 앞으로 맑은 시냇물이 사시사철 흐르고 주변에 오동나무가 무성하다 하여 그렇게 불렀다고 한다. 이 마을은 우리 가족들이 여순사건으로 태안사에서 여러차례 소개되어 피난나와 머무르곤 했던 마을이다. (민주열사 이한열의 부친 집에서 우리 가족은 신세를 졌었다.)

동계마을 건너편에는 동계초등학교가 있다. 이 학교는 내가 2학년까지 다녔다. 그때는 목조 1층 건물이었는데 지금은 2층의 시멘트 교사로 신축되어 있고, 학생수도 전학년을 통해 몇십명에 지나지 않는 분교로 되어버렸다. 삼송마을을 지나면 산골마을로 원달1리가 있는데 농토가 협소하여 풀을 뜯어 말려 비옷 등을 만들어 팔아 생계를 도모했다 하여 건모(乾毛)마을이라고도 한다. 태안사 입구 평산 신씨의 시조인 신숭겸 장군 비각을 채 못 가서 왼쪽 산자락 끝에 명석만한 논배미가 있고, 바로 그 위에 몇그루의 거무튀튀한 감나무가 세월을 버티고 있는데, 바로 이곳이 내가 이 세상에 태어난 곳이다. 여순사건 때 집이 타버렸기 때문에 지금은 혼적조차 없지만 감나무만이 그때의 사연들을 쓸쓸하게 말해주고 있을 뿐이다.

태안사 입구에서 태안사까지는 3킬로미터쯤 된다. 좌우 양쪽으로 빽빽한 숲을 껴안고 흐르는 동리천은 언제 보아도 맑고 푸르기만 하다. 초등학교 다닐 때 남녀 가릴 것 없이 옷들을 홀라당 벗고 그것들을 드러내놓은 채 멱을 감으며 고기를 잡던 일, 강아지풀에 침을 발라 바위 밑 게구멍으로 쑤셔넣어 손바닥만한 참게를 끌어내던 일, 깊은 소(沼)에 빠져 허우적거리던 일, "호랑이 나왔다" 소리지르며 속옷들을 가시내 머시매 가리지 않고 서로 바꿔입고 집으로 갔다가 그 이튿날 다시 제것으로 바꿔입던 일들을 잊을 수가 없다.

태안사 입구에서부터 이 동리천을 끼고 꼬불꼬불 난 비포장도로를 따라 걷다보면 많은 다리들을 건너야 한다. 나의 유년시절에 없었던 자유교, 속세를 털어버리지 못했으면 다시 돌아오라는 귀래(歸來)교, 온갖 미망을 떨쳐버리고 깨끗한 마음을 가지라는 정심(淨心)교, 분별이나 망상을 떠나 깨달음과 참모습을 훤히 아는 지혜를 얻어 성불하라는 반야(般若)교, 번뇌의 속박을 풀어버리면 삼계의 업고에서 벗어난다는 해탈(解脫)교, 미인이 파도 위를 걸어 건너가도 물에 빠지지 않을 정도로 아름답다는, 밑으로는 항상 맑고 차디찬 물이 흐르고 위로는 하늘을 받치고 있는 다리 겸 누각인 능파각(凌波閣)을 지나면, 다리라고까지 할 것도 없는 작은 통나무 몇개가 놓인 징검다리 같은 것이 있는데, 선인들이 이름을 붙이지 않았으므로 나는 감히 내 이름을 따 태일교(泰一橋)──내 이름은 태안사의 '태'자를 따서 아버지가 우리 형제들의 항렬과 무관하게 '태일'이라는 거창한 이름을 지으셨다──라고 부르고 있다.

이렇듯 태안교에서 태일교까지의 다리를 다 건너면, 절에 들어가는 곳에 금강신(불법을 수호하는 두 신장)을 만들어 세운 금강문과 일주문을 거쳐 대웅전에 이르게 된다. 태안사 주변에는 국가지정문화재로 보물 273호인 적인선사조륜청정탑, 보물 274호 광자대사탑, 보물 275호인 광장대사비와, 도지정문화재로 유형문화재 82호인 능파각, 83호 일주문, 84호 천순명동종 등이 있다.

그런데, 그런데 말이다.

내가 태안사 입구에서 태어난 갓난애 때 이곳으로 이사와 1948년 여순사건 때까지 살았던 사하촌의 집들은 6·25 때 불타버리고 내가 즐겨 올라가 감을 따먹던 감나무 몇그루만 남아 있다. 우리 식구들의 목숨을 유지시켜주던 논다락들은 다 없어지고, 그곳에 호국관이 들어섰고 충혼탑이 솟아 있고 주차장이 질펀하게 퍼질러 누워 있고 인공연못이 들어서 있다.

태안사는 나의 선친이 주지로 계셨던 절이기도 하다. 아버지는 서른다섯의 노총각에 열일곱 살의 처녀를 얻어 장가를 든 대처승이셨다. 이런저런 인연으로 아버지와 어머니, 두 누나, 4·19혁명 직후에 행방불명이 된 내 동생의 위패까지 여기에 모셨다.

아버지는 깊은 밤 속의 동리산보다도 더 과묵한 분이셨다. 워낙 깊숙한 산골이었고 모두 10여호에 지나지 않는 작은 벽촌이었다. 나는 20여리쯤 떨어진 동계초등학교를 다녔는데 학교에 갈 때는 꼭 친구들과 떼지어 몰려다녀야 했다. 늑대나 이리, 멧돼지, 노루

등 산짐승이 무서웠기 때문이다. 그러나 동리산은 내 유년 최고의 놀이터였다. 온종일(방학 때면)을 동리산 기슭을 누비고 다니면서 온갖 짐승들과 어울려 살았고 펄펄한 대자연의 기운을 만끽하며 뛰놀 수가 있었다. 이러한 원초적인 자연 체험들이 티없고 순수하고 맑은 생명력으로 내 정신이나 마음의 골격을 형성하게 하였고 내 시들의 활달하고도 튼튼한 정서에 영향을 끼친 것이다. 김화영 교수가 내 시를 이야기하면서 "엄청나게 큰 돌을 집어들어 밤나무 둥지를 후려치면 잘 익은 알밤이 떨어지면서 머리와 어깨나 등을 두드리던 그 산골시절의 경험이 그에게 제공한 것은 잔잔하고 어여쁜 서정시의 소도구들이 아니다. 그 뿌리에 담겨 있는 힘과 격렬함, 무엇보다도 대단한 열정과 원초적인 생명력의 고집인 것이다" 라고 했던 것도 이러한 이유에서였을 것이다.

나는 내 정신적 낙원이던 이곳에서 평생 잊혀지지 않는 비극적 체험을 해야 했다. 여순사건으로 동리산은 아군과 반란군의 격전지가 되고 내 고향은 처절한 살육의 현장으로 변해버렸던 것이다. 눈을 뜨고 나면 밤사이의 죽음을 알리는 소문이 들끓었다. 아버지도 몇번인가 죽음의 위기를 겪는 것을 보았는데 지금도 그 광경들은 내 기억 속에서 지워지지 않는다. 우리 가족은 처참한 이 살육의 현장에서 더이상 살아갈 수 없었기에 반란군을 진압하러 온 사촌형님(군인이었다)의 도움으로 고향을 떠나 광주로 피난을 해야 했던 것이다.

아버지의 평소 유언대로 고향을 떠난 지 30년 만에 고향을 찾은 후 썼던, 그야말로 30년 전의 체험을 시화한 시들 중의 한편인 「친구들」은 이렇다.

긴긴 해를 산짐승 날짐승이랑 함께
가파른 산을 뛰어오르며
가시덤불에 살이 찢겨 흐르는
피를 문질러가며,

산열매로 가득 배를 채우고
찔레꽃 개나리꽃으로 입술 물들이며
짐승들보다 더 빠르게
신나게 뛰던 친구들.

외지 포수의 사냥길 따라나서
포수의 화살에 맞아
영영 돌아오지 않던 친구를 원통해하다가

밤나무그루 돌로 치고 쳐서
쏟아지는 알밤을 소나기 맞듯 맞으며
짜릿한 아픔을 함께하던 친구들.

어둠속에서 두근거리는 가슴 조이며
한밤내 대창 부딪는 소리 들으며
친구들 생각에 밤잠을 설치고,

서로 무사했는지 새벽에 일어나
고함 지르며 골목골목을 뛰며
아침 안부를 나누던 친구들.

그 모습만 모습만
동리산 기슭에 가득 고였다.

— 졸시 「친구들」 전문

나는 이런 고향을 한순간도 잊을 수 없다. 나는 지금도 이 험난한 세파 속에서 어떤 일이 잘 안 풀릴 때, 짜증이 날 때, 외로울 때, 어떤 위기감을 느낄 때는 눈을 감고 이 태안사가 있는 나의 고향을 떠올리곤 한다. 태안사여! 이 조태일이가 흔들림 없이 살아가도록 영원하라! 영원하라!

『행복이 가득한 집』 1998년 7월호 별책부록

풀씨의 마음이 내 마음

풀씨가 날아다니다 멈추는 곳
그곳이 나의 고향,
그곳에 묻히리.

햇볕 하염없이 뛰노는 언덕배기면 어떻고
소나기 쏜살같이 꽂히는 시냇가면 어떠리.
온갖 짐승 제멋에 뛰노는 산속이면 어떻고
노오란 미꾸라지 꾸물대는 진흙밭이면 어떠리.

풀씨가 날아다니다
멈출 곳 없어 언제까지나 떠다니는 길목,
그곳이면 어떠리.
그곳이 나의 고향,
그곳에 묻히리.

—졸시 「풀씨」 전문

위의 시는 나의 일곱번째 시집 『풀꽃은 꺾이지 않는다』에 첫번
째로 실려 있는 시이다. 첫번째로 실려 있는 까닭이 있다. 시인으

로서 참으로 견디기 어려웠던 유신과 80년대 초 나는 몇번인가 구속되어 사회와 격리된 적이 있는데, 감옥 안에서 생명력의 강인함과 끈질김을 목격하고 탄복한 일이 있다. 껍질이 완전히 벗겨진 마늘을 요구르트 병에다가 화장지를 물에 적셔 넣고 그 위에 올려놓았는데, 며칠이 지나자 노오란 싹을 틔우는 것이었다. 짐승으로 치면 살가죽을 모조리 벗긴 형상이나 다름없는데 그 마늘의 생명력은 참으로 놀랍고도 신기할 따름이었다.

방에서 키우는 난분에서 어디서 떠돌다가 왔는지 이름 모를 풀들이 열심히 자라는 것을 보았을 때도 놀랍고도 신기할 따름이었다. 창틈으로 바람을 타고 날아들었는지, 상수도관의 멀고먼 물길을 따라 왔는지, 아니면 흙 속에서 몇십년, 몇백년 씨앗인 채 모든 악조건을 참아내다가 사람의 집 안방에 놓인 난분을 찾아와서 제 생명의 뿌리를 내려 삶을 살아가는지 모르지만, 그런 싹들을 보고 충격과 경건함을 느끼기도 했다.

이처럼 모든 생명들은 경계를 허물고 자유롭게 넘나들며 살 곳을 찾아서 제멋대로, 타고난 대로 존재하는 것이다. 우리 인간들의 삶도 이와 다를 바 없다는 생각이 들었다. 누구 말마따나 메뚜기 이마빡만한 우리의 국토는 남북으로 갈라진 지 오래되었다. 거기에다 정치적 야욕 때문에 동서로 갈라져 있다. 그뿐인가? 도농간, 세대간, 빈부간의 격차가 날로 깊어지고 있다. 걱정스럽다. 나는 이러한 생각 끝에 시 「풀씨」를 썼다. 생명이 있는 곳이면 그 어디든 바로 내 고향이라는, 내가 지금 있는 이곳이 고향이라는, "사내가 머무는 이곳이 고향(男兒倒處是故鄉)"이라는 것을 풀씨들을 통해 알게 되었다. 아니 내가 머물며 살고 있는 이곳이 바로 세계의 지구의 중심이라는 불교적 깨달음에 이른 것이다.

나는 새벽 세시 반쯤 누가 깨우지 않아도 자동적으로 일어난다. 일어나서 불교방송에서 은은히 들리는 독경소리를 들으며 결부좌(다리가 아플 땐 그냥 편안한 자세)를 하고 눈을 감는다. 그 독경소리는 내가 어렸을 적에 듣던 아버지의 독경소리와 거의 비슷하다. 아버지는 일찍 돌아가셨지만, 새벽 일찍 일어나셔서 하시던 염불소리를 지금 살아 계시는 스님을 통해 들려주시는 것만 같다. 10여분 듣다가 나는 아침 산책길에 나선다. 아직 잠에서 깨어나지 않은 중생들의 숨소리가, 풀씨들의 숨소리가 들리는 듯하다. 나는 조심조심 걷는다. 행여 미물일망정 그들의 생명이 다치지나 않을까 두려워서다.

요즘은 거의 볼 수 없는 풍경이지만 옛날 어머니들은 허드렛물을 버릴 때는 꼭 "쉬쉬" 소리를 내며 버렸다. 하찮은 생명이지만 놀라지 않도록, 또는 물에 다치거나 떠내려가지 않게 하기 위한 배려에서였다. 스님들이 등에 짊어지고 다니는 바리에는 방울종이 달려 걸을 때마다 땡그랑땡그랑 소리를 낸다. 이것 역시 미물들이 놀라지 않고 밟히지 않게 하기 위해서다. 이런 조심스러운 지극한 마음씨가 아쉬울 때다.

아침 새벽길을 걸으면서 나는 유마거사의 음성도 듣는다. 병문안차 유마의 집에 들른 문수보살이 유마거사에게 병의 원인과 그 차도에 대해 묻자 유마거사는 "문수보살이시여, 이 세상에 어리석음이 남아 있고 존재에 대해 집착이 남아 있는 한 제 아픔은 계속될 것입니다. 모든 중생이 병고에서 벗어나면 비로소 내 병도 씻은 듯이 낫겠지요" 한 그 말씀 말이다. 이 "중생이 아프면 나도 아프다"는 기막힌 깨달음이 우리 땅에 넘쳐흘렀다면 지금 우리가 겪고 있는 IMF의 고통도 없었을 것이라고 생각해본다. 삼라만상이 그렇게 설법을 하지 않는가. 나는 오늘도 수많은 종류의 풀씨들이 매달려 있거나 땅에 묻혀 있는 새벽 들판을 걷는다. 풀씨들의 존재가 되어 그들과 말을 건네며 걷는다. 행여 아프지나 않을까 하는 걱정스러운 마음으로.

『여성불교』 1998년 10월호

멧돼지가 마셔버린 폭포

　최근 베를린에 본부를 둔 국제투명성기구가 각국의 부패지수를 발표했는데 한국의 부패지수는 전세계 85개 주요 국가 가운데 43위를 차지했다고 한다. 1996년에 27위, 작년엔 34위였던 점으로 볼 때 우리나라는 날이 가고 달이 가고 해가 갈수록 부패하는 데 가속도가 붙고 있음을 알 수 있다. 부끄럽고 창피하다. 고개를 떨구어 낯을 붉히며 통곡하자.

　'부패' '부패' 하면 우리들 이목구비도 만성이 되어 별로 실감이 안 나지만 순우리말로 '썩음'이라고 하면 금방이라도 여기저기서 어떤 지독스러운 냄새가 풍기는 듯한 실감을 준다. '썩었다'고 하면 인간의 도덕·사상·사회제도·질서·규율·모범 등이 막되게 그릇되어 형체를 알아볼 수 없이 일그러지고 뭉개지고 어지러워진 채 냄새를 풍기는 것을 말한다. 이런 '썩음'은 일반 서민보다는 지도층 특히 고위 공직사회가 그 규모나 빈도수에 당연 심하다는 사실은 작금의 사정정국을 보아도 알 수 있다. 그것은 유구한 전통을 갖고 있는데, 장덕순 교수가 지은 『한국인의 해학』이란 책을 보면 재미있는 옛 얘기가 실려 있다.

　경남 진주의 한 사또는 백성들로부터 재물을 마구 긁어가는 것으로 유명했다. 엽전은 물론, 산림·채소·과일까지 눈에 띄는 대로 긁어가고 훑어갔다고 한다. 하루는 서울의 관원이 민정시찰차 진주에 와서 어느 절의 스님을 만나 "이 절의 폭포가 참으로 좋다고 들었는데 한번 구경시켜줄 수 없겠느냐"고 했다고 한다. 그 스님은 이 관원도 마구 긁어가려니 지레짐작하고 미처 폭포가 무엇인지도 생각할 겨를도 없이 "그 폭포는 금년 여름에 멧돼지가 다 마셔버려 단 한모금도 남아 있지 않습니다"라고 대답했다고 한다.

또한 강원도 강릉에 한송정이라는 정자가 있었는데 하도 경치가 좋아 한양은 물론 시골의 관원들까지 발길이 끊이지 않아 그 지방 사람들의 골칫거리였다고 한다. 그만큼 민폐도 심했기 때문이다. 그래서 어떤 시인이 "폭포는 당년에 멧돼지가 마셔버렸는데 한송정은 언제 호랑이가 업어갈 것인가(瀑布當年猪喫 寒松何日虎將歸)"라고 읊고 다니기까지 했다. 그런데 어느날 갑자기 그 한송정이 온데간데 없어졌다고 한다. 민의 원망을 짐승인 호랑이가 들어줘 원이 풀어졌다는 이야기다.

다산 선생은 담장을 뚫고 들어가 주머니를 뒤지고 가마솥을 떼어 메고 도망하는 자는 도적이 아니라고 했다. 굶주린 자가 배고픈 나머지 저지른 일이기 때문이다. 심지어 강도까지도 도적이 아니라고 했다. 이는 본성을 잃은 어리석은 자의 소행일 뿐이라는 것이다.

그러면 큰 도적은 어떤 사람을 두고 하는 말인가. 배울 만큼 배워 권세를 얻어 그것을 이용하여 백성들을 착취하는 벼슬아치들이 참 도적이고 큰 도적이라 했다. 그래서 그 도적들을 제거하지 못하면 백성이 다 죽을 것이라며 개혁을 촉구했던 것이다. "백성은 흙으로써 밭을 삼는데 벼슬아치들은 백성으로써 밭을 삼는다(民以土爲田 吏以民爲田)"고까지 다산은 말했다.

최근에 행정자치부장관이 『공무원은 상전이 아니다』라는 책까지 냈는데 국민들로부터 큰 호응을 얻고 있는 까닭을 곰곰이 생각해볼 필요가 있다.

'국민의 정부' 개혁이 성공하기를 기대해본다. 절대로 흐지부지 사정을 중단해서는 안된다. 부정이 뿌리뽑히지 않는 한 사정은 계속되어야 한다. 얼음과 숯불이 함께 존재할 수 없는 것처럼 부정이 있는 한 참다운 개혁은 있을 수 없기 때문이다.

떨구었던 고개를 다시 들어 하늘을 우러러 환히 웃는 시절은 언제쯤 올까.

『광주일보』 1998년 10월 26일자

또 핵발전소라니!

강화섬은 연꽃 같은 섬이다
비석 세우지 말라
꽃 가라앉는다
화력발전소라니!

김영무 시인이 쓴 「강화도」라는 시의 전문이다. 연꽃 같은 곳이 어디 강화도뿐이겠는가. 우리 칠천만 겨레의 삶의 터전인 전 국토와 그 위에 펼쳐진 자연이 한송이 꽃이 아니겠는가! 그래서 금수강산이라고 하지 않는가.

핵발전소의 잦은 사고로 많은 선진국에서는 핵발전소 추가 건설을 중단하고 있으며 현재의 핵발전소도 잠정 폐기하기로 결정하는 실정이다.

한국전력이 우리나라 마지막 남은 청정해역으로 각종 어류의 산란지이자 수산자원의 보고라 할 수 있는 해남땅에 핵발전소를 건설한다고 해서 해남뿐만 아니라 인근 군에서도 핵발전소 건설 결사반대의 함성이 연일 들끓고 있다.

왜 그런가. 발전중에 나오는 열폐수는 바닷물의 온도를 높여 주변 해변의 생태계 균형을 깨뜨리고, 냉각수 속에 방사능 물질이 섞여 해양 생태계와 인체에 치명적인 오염이 되기 때문이다. 그로 인해 각종 암, 기형아, 심지어 무뇌아 출산, 유전병이 나타나며 기형 물고기, 기형 가축이 나타난다. 만에 하나라도 사고가 터졌을 때는 속수무책이다. 제아무리 첨단과학의 기술로 만들어진 핵발전소라고 해도 1기당 100만 개 이상의 부품이 얼키고설켜 돌아가는데, 어디까지나 인간이 만든 기계며 인간에 의해서 작동되는 것이므로 결코 완벽한 안전을 장담할 수가 없다. 스리마일 참사나 체르노빌 참사가 이를 증명하고 있다. 특히 체르노빌 사고는 히로시마 핵폭탄 투하시의 500배 이상의 방사능이 배출됐었다고 한다.

핵발전소와 핵무기는 핵을 원료로 하는 '일란성 쌍둥이'다. 그러나 핵무기는 인간이 의도적으로 터뜨리려고 하지 않는 한 터지지 않지만, 핵발전소는 그렇지 않다. 우리나라도 심심치 않게 지진이 발생하고 있으며 해일에 자유로울 수도 없다. 수년 전에 해남 땅에 비행기가 곤두박질친 적이 있는데, 수도 없이 떠다니는 비행기로부터도 자유로울 수 없다. 미사일 한 방에도 견뎌낼 수 없다. 또한 핵폐기물은 현대 과학기술로 완전 처리가 불가능하므로 우리 국토가 '화장실 없는 맨션'이 될 수도 있다. 만일 핵발전 사고가 나면 수백만명의 인명 피해가 나고 반경 35킬로미터 이내는 사람이 살 수 없고 300킬로미터 이내는 오염지역이 된다고 한다. 동서남북에서 사고가 났을 때 메뚜기 이마빡만한 국토가 온전할 수 있겠는가. 장자는 "천지는 나와 한 뿌리(天地與我同根), 만물은 나와 한 몸(萬物與我一體)"이라 하였으니, 우리들 자신과 국토 그리고 대자연은 한 몸이다.

청정한 국토야말로 우리들의 궁극적인 의지처이며 안식처다. 자손만대의 후손들에게까지 물려줘야 할 가장 값진 자산이며 보배다. 다시 생각해보라. 국책사업이란 명분으로 후손들에게 핵발전소들과 핵쓰레기, 핵국토, 핵공포를 남길 것인지, 아니면 맑은 공기, 푸르른 숲, 청정한 자연이 함께 숨쉬는 생명의 땅을 물려줄 것인지.

우리 국토는 메뚜기 이마빡만한 금수강산이다.
국책사업 말 말라.
국토 가라앉는다.
핵발전소라니!

『광주일보』 1998년 11월 23일자

교원 정년은 65세 이상으로

　　얼마전 TV에서 우연히 보게 된 「인생」이라는 중국영화의 내용이 불현듯 떠오른다. 중국 근대사와 맞물린 한 남자의 파란만장한 인생을 그린 영화였는데, '공산혁명'이라는 소용돌이 속에서 중국의 모든 것들이 바뀌고 있을 때 주인공의 딸이 출산된다. 그런데 찾아간 병원에는 학생티가 잘잘 흐르는 신출내기 의사들뿐이었다. 개혁이란 이름으로 나이가 들고 경험이 풍부한 의사들을 싹 쓸어냈기 때문이다. 주인공이 걱정스런 얼굴로 경험이 풍부한 나이 든 의사를 요구하지만, 나이 든 의사들은 구시대의 잔재이기 때문에 더이상 이 시대엔 필요치 않으며 자신들의 능력만으로도 아기를 충분히 받을 수 있다고 큰소리친다. 그러나 산모의 갑작스런 출혈과다로 젊은 의사들은 어찌할 바를 몰라 허둥대는 동안 끝내 산모는 죽고 만다. 노련한 의사가 없었기 때문이다.

　　지금 정부에서는 '교육개혁'이라는 명분을 앞세워 교원들의 정년을 65세에서 훨씬 낮추겠다고 한다. 다가오는 차세기는 정보·지식사회이기에 정보와 지식을 창출할 수 있는 능력을 키워주기 위해서는 새롭고도 질 높은 교육이 필요하다는 것이다. 맞는 말이다. 그러나 그러기 위해서 꼭 박봉에 시달리며 흰 분필가루를 마셔가며 젊음을 교단에 바쳐온 나이 든 교원들을 퇴출시켜야만 하는가.

우리나라 사람의 평균수명이 70세를 훨씬 밑돌았을 때 교원 정년이 65세로 정해졌는데, 평균수명이 70세 중반에 이르고 있는 지금 정년을 낮추겠다는 것은 설득력이 없다. 세계적 추세도 교원 정년을 65세 이상으로 상향 조정하는 실정이다. 이 어려운 나라 사정에서도 대통령·국회의장·국무총리의 나이가 70을 훨씬 넘겼는데도 막중한 국사를 잘 이끌어가고 있지 않은가. 인류사상 4대 성인의 한 분이며 영원한 인생의 교사로 추앙받는 공자님도 나이 50세가 되어서야 천명을 알게 된 뒤, 인생의 교사로서의 사명을 깨닫고 후진양성을 천직으로 삼았고, 60세가 되어서야 비로소 귀가 틔었다고 한다. 무려 2500년 전의 일이다.

사람은 누구나 부모로부터 소중한 생명을 받지만 스승으로부터는 그 생명을 가치있고 보람있게 하는 것을 배운다. 교사들의 나이가 너무 많기 때문에 정년만 줄이면 교육문제는 해결될 것이라는 발상은 경제논리일 뿐이다. 사회주의권의 몰락으로 냉전이 해소되자 천하무적의 서구자본이 지구촌 구석구석 들쑤시고 있어 어쩔 수 없다고 하지만, 저비용 고효율의 경제논리에는 공교육 자체를 파탄시킬 위험이 도사리고 있다. 사람을 기르는 교육은 상품을 다루는 시장논리로는 불가능하다.

핵가족이라는 가정구조 속에서, 진정한 '어른'이 부재한 현실에서 우리 아이들에게 무엇보다도 절실한 것은 제대로 된 인간을 만드는 올바른 인성교육이다. 교육의 첫발은 여기서부터 내디뎌야 한다. 따라서 지금 원로교사들을 교단 밑으로 끌어내릴 때가 아니다. 가르치는 일을 천직으로 여기며 한평생 교육의 길을 걸어온 분들의 풍부한 경험과 소신과 의지와 넉넉한 사랑이 가장 필요한 때다.

스승의 위상이 떨어져 죽으면 교육의 질도 떨어져 죽게 마련이
다. 교육이 죽는데 그 나라의 미래가 양양할 수가 있겠는가. 참교
육은 물질적인 것만으로, 경제논리만으로, 젊은이의 감각만으로는
절대 불가능하다. 교육은 한 나라의 정신, 한 민족의 얼을 심고 가
꾸는 일이기 때문이다. '교육개혁'이라는 명분을 내세운 정년 단축
이 소뿔을 바로잡으려다 소 죽이는 꼴이 되지 않을까 걱정스럽다.
IMF사태가 나이 든 교원들의 탓이었는지, 아니면 젊은 경제관료들
의 탓이었는지 따져보자.

교원 정년을 65세 이상으로!

『광주일보』 1998년 12월 21일자

교편을 잡을 것인가, 놓을 것인가

　학생들의 발랄한 생기로 와자지껄하던 교실이나 교정이 방학을 맞아 고요로 가득 차 있다. 선생님들은 학생들과 떨어져 모처럼 조용한 시간을 갖게 되었고 학부모들은 자식들과 얼굴을 마주하며 함께 지낼 수 있는 시간을 많이 갖게 되었다. 이러한 기회를 맞이하며 선생님이나 학부모님들은 물론 우리 모두가 지난날을 되새겨보고 자성도 해보며 새 마음 새 각오로 참교육에 대해 깊이 생각해봄이 어떨까.

　새삼스런 말이지만 '교편(敎鞭)'이란 뜻은 원래 학생을 가르칠 때 교사가 드는 회초리란 뜻으로 '교직(敎職)'을 말한다. 따라서 '교편을 잡다'는 교원으로서 매를 들고 교육에 종사한다는 뜻이고, '교편을 놓다'는 매를 놓고 선생노릇을 그만두다, 즉 학생 가르치는 일을 포기한다는 뜻이다.

　교육당국에서는 선생님들의 이런 매를 금지시켰다. 어떠한 이유에서든 학생들에게 매를 들어서는 안된다는 것이다. 꼭 이런 조치와 맞물려 나타난 현상이 아니길 바라지만 작년 한해는 교권이 크게 흔들리는 사태가 빈번하게 벌어졌다. 자기 자식을 체벌했다해서 수업중에 학생들이 보는 앞에서 선생을 구타한 학부모, 교실에서 여선생님의 머리채를 잡고 흔들어댄 나이 어린 여중생들, 체벌한 담임선생을 112에 신고하여 경찰이 출동, 수업중에 학생들이 빤히 보는 앞에서 연행해간 사건, 그뿐인가.

　체벌이 금지된 이후로 매를 드는 선생님 앞에서 아이들은 겁없이 대든다고 한다. 체벌을 하려고 하면 "체벌이 금지됐는데 무슨 권리로 때리려고 하느냐"며 눈을 부릅뜨는 학생, 체벌을 하려고 하면 선생님의 발끝에서 머리끝까지 쓰윽 흘긴 다음 "선생님, 돈 많이 벌어놨어요? 때리면 선생님 목 잘려요" 하면서 손바닥으로 목을 내리치는 시늉을 해보이는 학생, 선생님이 "너 잘못했지" 하면 "나 잘못한 것 없어"라고 반말도 서슴지 않는 학생들도 있다고 한다. 그래서 일부 선생님들은 아이들의 비행을 보고 무관심과 방관으로 지나쳐버린다고 한다. 가만히 있는 것이 상책이라는 것이다. 지난날 열악한 교육환경과 박봉 속에서도 참스승으로서의 긍지와 사명감을 지녔던 선생님들은 얼굴을 떨군 채, 교단에 들여놓은 자신의 발등을 도끼로 찍고 싶은 심정이 한두번이 아니라고들 한다.

　지금 우리의 교육현실에서 별 대안 없이 선생님들의 매(교편)를 놓게 한 일이 과연 최선의 방책이었을까. 우리나라는 교사 1인당 학생수가 경제협력개발기구(OECD) 국가 중에서 최하위 수준이라고 한다. 집안에서도 자녀들이 많다보면 부모님의 목소리가 커지고 매를 드는 경우도 생긴다. 하물며 수십명씩을 한꺼번에 교육해야 하는 선생님들로서야…… "귀여운 자식 매 한대 더 때리고 미운 자식 떡 한개 더 준다" "매를 아끼면 자식을 망친다"는 속담들을 다시 한번 생각해볼 때다.

　그렇다고 해서 학생들을 매로 가르쳐야 한다는 말은 결코 아니다. 일부 선생님들은 체벌을 교육의 차원에서가 아니라 자신의 사적인 감정을 푸는 데 이용하기도 한다. 사람에게는 인격이 있듯이 매에도 '매격'이 있다. 매의 진정한 목적이 때리기 위한 것이 아니라 제대로 가르치는 데 있다면 선생님이 드는 매는 학생들은 진정으로 위하는 애정이 출렁거려 나근나근해야 한다.

조용한 겨울방학이다. 낡은 말처럼 들릴지 모르지만 '군사부일체'란 말을 되새겨볼 때다. 교편을 잡을 것인가 놓을 것인가 망설일 때가 아니다. 제자들의 잘못을 자신의 잘못으로 알고 자신의 종아리를 때리는 심정으로 사랑의 매를 높이 들 때가 아닌가 깊이 생각해보자.

『광주일보』 1999년 1월 18일자

비엔날레, 빛날래? 빛바랠래?

큰 잔치판에서는 으레 접시 한두 개쯤 깨지게 마련이다. 어디 접시 깨지는 소리뿐인가. 덜렁대며 돌아다니다가 술동이를 엎는 사람이 있는가 하면, 상다리가 부러지기도 한다. 그렇다고 해서 잔치판마저 깨지겠는가. 아니다. 어디까지나 잔치는 잔치이니만큼 그후의 분위기는 무르녹게 마련인 것이다.

지금 광주 비엔날레의 잔치판이 그렇다. 부엌에서는 접시 깨지는 소리가 요란하고, 마당에서는 싸움소리가 날카로워 광주시민들의 귀청을 찢고 있다. 그 소리들이 어찌나 큰지 천리 밖 떨어진 서울에서도 수많은 사람들이 그 소리에 신경을 곤두세우고 있다고 한다.

작년 12월 비엔날레 재단이사회는 너무나 갑작스레 최민 전시총감독을 9개월 만에 해촉시키고 신임감독을 위촉했다. "위상과 권한 등에 관한 소모적 논쟁이 계속되고, 구체적인 업무실적이 부진"하다는 궁색스런 이유를 내걸어 정작으로 비엔날레 잔치를 주도하고 이끌 총감독을 잔치마당에서 내몰아버린 것이다.

비엔날레가 어떤 잔치인가. 2년마다 정기적으로 열리는 세계적인 미술잔치다. 특히 우리 광주 비엔날레는 1980년 민주항쟁에서 보여준 민중의 힘, 자유, 인간존중의 정신, 더 나아가서는 우리 한국의 혼을 예술과 결합시키고 이를 미적으로 승화시켜서 저 세계 문화 속에 자리하고자 하는 국제적 예술행사이다. 이러한 큰 행사를 전문예술인들이 기획·주도하는 것은 당연하다. 그래서 대통령도 '지원은 하되 간섭은 않는다'는 문화행정의 원칙을 강조하였다.

그런데 비엔날레의 속사정은 이와는 사뭇 다르다. 그 조직구조를 보면 120여명의 행정공무원 중심이다. 200여억원의 재단기금의 이자와 국민의 세금으로 치르는 행사에서, 미술관련 기획·제작 비용은 30여억원인 데 비하여 조직운영비는 40여억원이 든다고 한다. 배보다 배꼽이 더 큰 꼴이다. 더구나 비엔날레 재단의 주요 직책의 대부분을 고위관료들이 겸직하고 있어서 실제적인 집행이나 예산, 운영을 독점하고 있다. 예술잔치에서 예술인들은 뒷전으로 밀려난 채 획일적·형식적·독선적으로 흐르기 쉬운 관료들이 주축이 된 것이다. 이처럼 고비용 저효율의 방대한 구조와 주객이 전도된 우리의 비엔날레 행사는 세계의 내로라하는 유수한 비엔날레들이 20~30명의 전문예술인들에 의해 주도되는 것과 비교해 볼 때 극명한 차이가 난다.

우리의 옛말에 사공이 많으면 배가 산으로 가고, 목수가 많으면 집이 기운다고 했다. 이보다 한술 더 떠서 광주 비엔날레에서는 사공 아닌 사람들이 나서서 배를 몰려고 하며, 목수 아닌 사람들이 집을 지으려고 하는 것이다. 배는 침몰되고 집은 폭삭 무너져버리는 생사결단의 막다른 상황으로 치닫게 되는 것은 불을 보듯 뻔하다. 최민 전시총감독은 우리의 비엔날레가 지닌 이러한 문제점을 날카롭게 갈파하고 이를 개혁하려 했는데 관료집단에 의해서 거부당했다. 과연 권위적·억압적인 관료주의 구조와 사고 속에서 인간정신의 가장 자유롭고도 창의적인 예술축제가 꽃피울 수 있겠는가.

　아는 사람만이 그것을 다룰 수가 있다. 이제 더이상 주저하지 말고 예술행사는 전문예술인에게 맡겨야 한다. 2000년, 제3회 비엔날레가 눈앞에 와 있다. 준비과정에서 일어난 싸움을 빨리 끝내고 새 잔치판을 벌여서 모두가 뛰어야만 한다. 그 해결책은 앞에서도 말했지만 비엔날레를 전문예술인들이 맡아서 하는 것이며, 아울러 9개월간 총감독을 맡았던 최민 총감독의 명예를 회복시키고 원상복귀시키는 일이다. 그래야만 빛바래지 않고 빛나는 비엔날레가 될 것이다.

『광주일보』 1999년 2월 22일자

살아 있는 모든 것

바야흐로 봄이다! 뭇 생명의 풋풋한 기운들이 온 천지에 도도히 넘쳐나는 봄이다. 이들 생명들이 빚어내는 아름답고도 황홀한 모습들을 두 눈 두 귀를, 아니, 닫힌 가슴들을 활짝 열고 환호해야 할 일이다.

하지만 이상한 일은 걱정이 앞서고 마음이 조마조마하다는 사실이다. 마치 아기를 갓 출산한 산모가 두근거리는 마음으로 아기의 머리끝에서 발끝까지 모든 것이 제 모습으로 달려 있는가 살펴보는 심정이라고나 할까. 과연 새롭게 태어나는 모든 것들이 온전한 모습으로 태어나고 더 나아가서는 기왕에 존재하는 생명들도 이 봄을 무사히 지켜낼지 걱정스러워서다.

봄이 와도 이 봄을 두렵게 맞이할 수밖에 없도록 만든 인간들의 행위는 결코 어제 오늘의 일이 아니다. 귀에 못이 박이도록 자연보호! 환경보호! 라는 소리를 들었지만, 들으면 들을수록 자연이나 환경에 무감각해버리지 않았나 생각된다. 그리해서 우리들을 경악케 하고 불길하게 하는 심각한 사태가 지구촌 곳곳에서 일어나고 있다. 뿌린 대로 거둔다는 옛말이 있듯이 이제는 피할 수 없는 자연파괴의 댓가를 받게 된 것인데, 사람에 의해서 파괴되고 병들고 뒤틀려버린 자연이 내리는 재앙과 앙갚음이 바로 그것이다.

우리의 주위만 보더라도, 생명의 근원인 냇물이나 강물은 썩어서 죽어가고, 그 안에 터전을 두고 있는 수많은 생명들도 함께 죽어가고 있다. 60년대 초까지만 해도 필자는 광주천에서 멱도 감고, 밤낮을 가리지 않고 붕어·잉어·뱀장어·메기·자라·모래무지 등의 온갖 물고기들을 잡아 그 자리에서 초고추장에 찍어먹고, 손바닥으로 냇물을 한움큼 퍼서 마시기도 했었다.

공기는 숨이 턱턱 막힐 지경으로 삼겹살처럼 이중삼중의 온갖 오염물질로 범벅되어 있다. 풀과 꽃들은 생기를 잃고 누렇게 뜨고, 새들도 호흡이 막혀서인지 목청을 제대로 내지 못하고 캑캑거리기만 한다. 한량없이 넓기만 한 바다도 그렇다. 떼죽음당하는 물고기들이며 사라져가는 수많은 어종들, 육지 못지않게 쌓여만 가는 온갖 쓰레기들, 그 거대한 바다조차도 자정능력을 잃고 병들어가고 있는 것이다. 인간의 손길과 발길과 숨길이 닿는 곳은 이렇듯 썩어 없어져가기만 한다.

인간도 무수한 생명체의 한 종(種)이며 다른 생명들과의 관계 속에서만 그 생명현상이 유지될 수 있는 존재이다. 또한 모든 생명들은 어떤 모습으로든 서로 교환하고 순환하며 사는 평등과 공생관계에 있는, 한덩어리의 유기체인 것이다. 각각의 생명체들을 상호 경쟁과 정복관계로 본 서양의 진화론에서 말하는 적자생존의 논리가 지금의 생태파괴를 가져왔다는 주장들도 나오고 있다.

일찍이 동양의 옛 분들은 "천지는 나와 한 뿌리"이며, "만물은 나와 한 몸"이라고 말하지 않았던가. 그러나 오늘날 우리들은 자연과 생태계를 무차별 가차없이 파괴시키고 있는 것이다. 무수한 생명들은 오직 인간을 위한 들러리로만 여기기 때문인데, 모든 생명체를 동반자로 인식하는 마음가짐이 절실히 요구되는 상황이다.

불교의 초기경전인 『수타니파타』에 "살아 있는 모든 것은 다 행복하라, 태평하라, 안락하라"는 구절이 있다. 뭇 생명들을 위한 이 축복의 전언이 이 봄날, 우리들의 가슴속에서도 꽃처럼 피어나야 하리라. 그래야 우리 인간도 살아남지 않겠는가.

『광주일보』 1999년 3월 22일자

무등 둥둥

대본: 조태일 · 김준태

저녁을 알리는 증심사의 타종소리가 멀리서 은은히 들려온다.

■ 조태일 시 「겨울소식」

어머니 광주를 온몸에 흠뻑 적셔와서

그 친구는 터벅터벅 서울에 와서는

외롭고 힘없는 내 손을 꼬옥 쥐고

손과 눈빛으로 광주를 건네주었네.

찬바람 속에서도 광주는

큰 애를 뱄다더라고,

찬 눈에 덮여서도 무등산은

그렇게도 우람한 만삭이더라고.

광주를 온몸에 흠뻑 적셔

터벅터벅 서울을 떠나버리는 친구!

광주는 옥동자를 낳으리라는

함성이 터지리라는

그 눈빛 그 마음 놓아두고 떠났네.

제1막

제1장

무대는 무등산을 배경으로 둥근 달이 떠오르기 시작하는 광주 시가지가 펼쳐진다. 어머니가 딸의 출산일을 손꼽으며 무대로 등장한다.

어머니　(계속 손가락을 내밀어 셈하면서) 가만있자, 중흥동으로 시집간 딸년이 아이를 밴 지 얼마 되었더라? 벌써 8개월째로구나. 아 그런데 영감, 세상이 왜 이렇게 시끄럽지요?

아버지　글쎄 말일세. 군인들이 쿠데타를 일으켜서 정권을 잡으려고 하니 시끄럽지 뭐. (마른기침 뱉어내며) 이놈의 나라는 언제나 바람이 잘는지!?

■ 민요 「새야 새야 파랑새야」

군중(여)　새야 새야 파랑새야 녹두밭에 앉지 마라
　　　　　　녹두꽃이 떨어지면 청포장수 울고 가니

군중(남)　가보세(갑오세) 가보세 동학혁명 시절로 가보세

아들　갑오년에 가지 못하면 죽어서도 가지 못할 우리 세상
　　　가보세 가보세 우리 조선땅 산마루에 일본놈, 관군이 떼몰려온다.

■ 이은봉 시 「우금치 흙」

어머니　(손짓하며)
　　　우금치 보리밭 언덕에
　　　진달래꽃도 붉네요.

370

저기 꽃더미 사이 흙덩이를 어루만지는

사람은 누구인가요?

아버지 (손가락으로 가리키며)

거 흰옷도 잘 차려입은 사람 말이제.

갑오년에 죽은 자기 할아버지를 닮았나

참 일도 잘하네.

보리밭에 일 나온 김씨구려.

아버지·어머니 (함께 두 손을 들어 보이며)

이랑이랑 흙덩이를 뚫고

보리싹 파랗노라니

동학군 무덤에 피는

꽃더미 머리에 이고

목숨 가꾸는 사람 있나니

오오 백년 후에도

구릿빛 얼굴 찬란하여라 찬란하여라.

아들 (아버지와 어머니 사이로 끼어들면서) 동학년 때도 그랬지만, 육이오 때도 셀 수 없이 많은 젊은이들이 죽어갔다지요? 아아, 우리의 피어린 역사……

아버지 육이오 때 죽은 이들은 (6·25 시절을 회상하며) 썩은 가마니 에라도 둘둘 말아 묻히기 일쑤였지.

어머니 (아버지의 말을 가로채며) 가마니가 뭡니까? 그것도 없으 면 땅에 그냥 묻어버렸으니……

아버지 어머니가 아들에게 6·25전쟁 때의 참담함에 대해 이야기하며 그때를 회상한다.

■ 김지하 시 「황톳길」

아버지   황톳길에 선연한

        핏자욱 따라 핏자욱 따라

        나는 간다 애비야

        네가 죽었고

        지금은 검고 해만 타는 곳

        두 손엔 철삿줄

        뜨거운 해가

        땀과 눈물과 모래밭을 태우는

        총부리 칼날 아래 더위 속으로

        나는 간다 애비야

        네가 죽은 곳

        부줏머리 갯가에 숭어가 뛸 때

        가마니 속에서 네가 죽은 곳

        밤마다 오포산에 불이 오를 때

        황토에 대낮 빛나던 그날

        만세라도 부르랴

        노래라도 부르랴

        아아 척박한 식민지에 태어나

        총칼 아래 쓰러져간 애비야

아버지·어머니·아들   (세 사람 지긋지긋한 표정을 지으며) 아아, 그 지긋지긋하던 시절이 다시 올 것 같은 생각도 드는데. 이 좋은 오월 하늘에 먹구름 가득 끼었으니⋯⋯

제2장

쿠데타를 모의하는 신군부 주역들이 밀실에 모여 있는 것이 보이고, 전국적으로 시위가 벌어지고 있으나 그중 광주가 타깃이 되어 병력으로써 밀고 들어오기 시작한다.

신군부 대장 1 (광주 시가지 지도를 바라본다) 빈틈없이 잘해놨겠지?

신군부 대장 2 (바짝 긴장된 상태로 거수경례하며) 넷! 이제 밀어붙이기만 하면 됩니다. 광주 학생들과 시민들이 아무리 저항해도, 우리의 이번 거사는 시간 문젭니다.

신군부 대장 3 여차하면 수도권 병력과 휴전선 병력도 투입할 수 있도록 (다시 바짝 기합을 넣어) 넷! 만반의 준비는 끝났습니다.

신군부 대장 1 (책상을 내리치며) 됐어! 탱크부대 앞세워 일거에 광주를 밀어붙여! 광주시민부터 순식간에 잠재워야 우리는 정권을 잡을 수 있어!

신군부 대장 2, 3, 4 (입을 모두 맞추어 함께) 넷! 그렇습니다! 광주시민들 저항을 지역감정으로 몰아붙이면 서울시민들, 일반 국민들이 모두 우리한테로 고개를 돌리겠지요.

신군부 대장 1 (의자를 박차고 일어나면서) 바로 그거야. 이번 거사가 실패하면 우리는 모두 국가반란죄로 총살이얏! 그럼, 출발! 전라도 광주는 우리의 타켓! 우리들 운명과 행운을 결정해줄 타켓트다!

비장한 각오로 거수경례를 하며 신군부 대장들이 퇴장한다. 한편 광주에서는 군중들이 하나 둘 모여들기 시작한다.

어머니 (손을 무릎에 내리치며) 아이구…… 놈들이 우리 광주사람
들 다 죽이려고 하네!

아버지 (군중을 가리키며) 저것 봐, 저것 봐요, 그래도 광주시민들
이 모두 일어섰어!

아들 (무대 앞으로 뛰어나오며) 어머니, 이제 저도 싸우러 가겠어요.

어머니 (아들을 붙잡으며) 얘야, 젊은 대학생들을 보면 모두 죽인다
고 하는데, 숨기는커녕 싸우러 나간다구!

아버지 그래, 저놈들은 지금 사람이 아니다. (타이르는 목소리로)
지금은 피하는 게 현명해. (고개를 가로젓는다)

아들 (무대 한쪽에서 나타나는 군중 속으로 뛰어가며) 어머니, 아버
지! 이러다간 우리들 모두 죽습니다.

어머니 (함께 자지러지며 아들의 뒤를 쫓다가) 얘야! 안된다, 안
돼……!!

택시운전사 (입에 두 손을 모으고) 광주시민들! 함성소리 좀 들어봐요.

■ 신경림 시 「갈 길」

농부 (시위 군중 앞에 나오며 먼저, 각오에 찬 목소리로 노래한다)
　녹슨 삽과 팽이를 들고 모였다
　달빛이 환한 가마니 창고 뒷수풀에
　뉘우치고 그리고 다시 맹세하다가
　어깨를 끼어보고 비로소 갈길을 간다

슈퍼마켓 아주머니 (바지를 추어올리며)
　아아 금남로로 가는 길 충장로로 가는 길
　자갈 깔린 아아 무서운 총칼이 번쩍이는 도청 앞을 지나면
　풀벌레 우는 평화스러운 길이 있으려나

374

택시운전사   (주먹을 불끈 쥐며)

　빈주먹과 뜨거운 숨결만 가지고 모였다

농부　아우성과 노래만 가지고 모였다

슈퍼마켓 아주머니　빈주먹과 뜨거운 숨결만 가지고 모였다

■ 김남주 시 「학살」

초등학교 교사   (무엇인가 확인하듯이)

　오월 어느날이었지요?

　80년 오월 어느날이었지요?

　광주 80년 오월 어느날 밤이었지요?

　밤 12시, 나는 보았다오

　경찰이 전투경찰과 교체되는 것을

　밤 12시, 나는 보았다오

　전투경찰이 군인으로 대체되는 것을

　밤 12시, 나는 보았다오!

아버지　아, 얼마나 음산한 밤 12시였더라!

　아, 얼마나 계획적인 밤 12시였더라?

　총검으로 무장한 일단의 군인들을

　밤 12시, 나도 똑똑히 보았다오!

　신문기자는 취재수첩을, 아나운서는 마이크와 카메라를 들고 나타난다.

신문기자·교사·아나운서·아버지   (취재와 촬영을 하면서)

　우리들도 보았다오

　야만족의 약탈과도 같은 일단의 군인들을!

밤 12시 우리들은 보았다오
악마의 화신과도 같은 일단의 군인들을!
아아, 얼마나 무서운 밤 12시였던가요!?
아, 얼마나 노골적인 밤 12시였던가요!?

학살자들이 시체를 어디론가 옮기고 있다. 산으로 웅덩이 속으로……

신문기자·교사·아나운서·아버지·시민군 1·2·3 (비장한 각오로)
아아, 광주는 벌집처럼 쑤셔놓은 심장이었네
밤 12시, 거리는 용암처럼 흐르는 피의 강물이었네
밤 12시, 바람은 살해된 처녀의 피묻은 머리카락을 날리고
밤 12시, 캄캄한 밤은 총알처럼 튀어나온 아이들의 눈동자를 파
먹고
밤 12시, 학살자들은 끊임없이 어디론가 시체의 산을 옮기고 있
었네
멀리 멀리 옮기고 있었네

제3장
시위현장. 여기저기 부상자들이 널브러져 신음하고 있다. 만삭이 된
딸이 배를 부둥켜안고 길모퉁이에 피를 흘리며 쓰러져 있다.
　(이때 남편이 놀란 표정으로 뛰어들며)

남편　당신이 계엄군의 총에 맞다니!!!

■ 김준태 시 「아아, 광주여!」

딸(임산부) (고통스러운 표정을 지으며)

  여보 당신을 기다리다가

  문밖에 나가 당신을 기다리다가

  나는 죽었어요……

  그들은 왜 나의 목숨을 빼앗아갔을까요

  아니 이젠 당신의 전부도 빼앗아갔을까요

  셋방살이 신세였지만

  정말로 우린 행복했어요

  난 당신에게 잘해주고 싶었어요

  아아, 그런데 이렇게 아이를 밴 몸으로 죽은 거예요

  그들은 나에게서 나의 목숨을 빼앗아가고

  나는 또 당신의 전부를

  당신의 젊음 당신의 사랑

남편은 숨을 거두는 아내를 부둥켜안고 대성통곡한다. 마치 붉은 단풍이 들듯, 핏빛 무등산이 무대에 나타난다.

제2막

제1장

  전라남도 도청 앞 분수대를 중심으로 신분과 계층을 떠나 수많은 군중이 쏟아져나와, 격렬한 시위를 벌인다. 무등산을 들었다 놓을 듯한 함성 소리도 들린다.

■ 고은 시 「화살」

군중 우리 모두 화살이 되어

온몸으로 가자

허공을 뚫고

온몸으로 날아가자

악의 무리들을 향해 온몸으로 가자

가서는 돌아오지 말자

박혀서 박힌 아픔과 함께 썩어서 돌아오지 말자

저 캄캄한 대낮 과녁이 달려온다

이윽고 과녁이 쓰러질 때

단 한번

우리 모두 화살로 피를 흘리자

돌아오지 말자

돌아오지 말자

오오 화살 정의의 병사여 영령이여

군중은 사라지고 경찰 1, 2, 3이 나타난다.

경찰 1 (털썩 주저앉으며) 도대체 맨정신으로 사람을 죽일 수 있을까?

경찰 2 (담배를 피우면서) 경찰인 우리들까지 안하무인 격이란 말이야. 술을 먹은 듯이 얼굴이 벌게가지고…… 꼭 무슨 환각제를 먹은 놈들같이 광주 시내를 총칼로 이리 쑤시고 저리 쑤시고 돌아다니니!

경찰 1 육이오 전쟁 때도 안 그랬는데 말이야! 광주시민들 앞에서, (자신의 제복을 가리키며) 이 경찰복을 입고 다니는 것도 부끄럽게 됐어!

378

경찰 2 (제복을 벗어버린다) 아니, 선배님도 총을 들었군요?

어머니 안돼, 안된다! 네 누나도 죽었는데 너까지 죽으려고!
아들 (격한 감정을 억누르며) 내 누나도 죽었어요. 내 친구들도 죽었어요. 어떻게 제가 가만히 있을 수 있나요?

　　아들은 무대 중앙으로 나와 두 손으로 머리를 감싸고 괴로워하며 결의에 찬 모습으로 어머니와 주위를 둘러보고, 어머니는 결단의 목소리로 말을 건넨다.

■ 김준태 시 「아아, 광주여!」
어머니 (체념한 듯이)
　　광주여 무등산이여 죽음과 죽음 사이에
　　피눈물을 흘리는
　　우리들의 영원한 청춘의 도시여
아들 하느님도 새떼들도 떠나가버린 광주여
　　쓰러지고 엎어지고 다시 일어서는
　　광주여 무등산이여
　　해와 달이 곤두박질쳐도
　　그 누구도 빼앗을 수 없는
어머니·아들 아아,
아들 자유의 깃발이여 인간의 깃발이여
어머니·아들
　　우리들의 꿈과 노래와 사랑이
　　파도처럼 밀릴 때 그 누구도 빼앗을 수 없는

아아, 살과 뼈로 응어리진 깃발이여 영원하라 영원하라

제2장

계엄군이 잠시 물러난 광주는 그야말로 10일간의 '해방 광주'를 맞이해 도시 공동체가 형성된다. 금남로와 충장로 일대는 그야말로 삶의 신명성이 일고 민심이 천심을 이룬다. 무대는 마치 농경사회의 축제처럼 활기가 가득 찬다.

택시운전사 (운전모를 벗어 흔들며) 계엄군 몰아냈으니 이젠 우리
세상 됐네!

근로자 1 (택시운전사 말을 받으며) 아이구, 그 짐승만도 못한 놈들!

농부 (장구를 치면서) 계엄군 몰아냈으니 어디 한번 장구 치면서
놀아보세.

이때 무대 한쪽에서 아나운서와 신문기자가 나타난다.

■ 김준태 시 「금남로 사랑」

신문기자·아나운서
금남로는 사랑이라네
내가 노래와 평화에
눈을 뜬 봄날의 언덕이라네

아나운서 사람들이 세월에 머리를 적시는 거리

신문기자 내가 사람이라는 사실을
처음으로 처음으로 알아낸 거리

신문기자·농부·아나운서 (서로 어깨동무를 하면서 아주 흥겹게)

금남로는 연초록 강언덕이라네.

달맞이꽃을 흔들며 나는 물새들

금남로의 사람들은 모두 보리피리를 불고 있었다

어린애와 나란히 출렁이는 금남로

농부　어머니 할머니와 나란히 밭으로 가는 금남로

아버지와 나란히 쟁기질하는 금남로……

할아버지와 나란히 밤나무를 심는 금남로

누이와 나란히 감꽃을 줍는 금남로

신문기자·농부·아나운서

금남로는 민들레와 나비떼들의 고향이었다

금남로는 어머니의 젖가슴이었다

우리가 한때 고개를 파묻고 울던

어머니의 하이얀 가슴이었다.

다방아가씨　(막걸리를 마시다 벌떡 일어서며) 아따, 유식한 노래만

부르는구먼!

슈퍼마켓 아주머니　우리도 부를 노래가 있지!

다방아가씨　(껌을 질경질경 씹으며) 나는 유식하기도 하고 무식하기

도 하니까, 아무 노래나 할 수 있지라우?

농부·택시운전사·신문기자·아나운서　(함께 박자 맞추듯이) 자, 우리

모두 함께 풍악을 울려봅시다!!!

　주위 사람들이 모여드는 사이…… 군중의 신명난 노래가 울려퍼지기

시작하고, 다같이 덩실덩실 춤을 춘다.

■ 곽재구 시 「대동세상」―진도아리랑 곡조

다방아가씨　어화 어화 벗님네야 대동세상 왔다네

　청사초롱 앞에 들고 새 세상을 만나세

　아리 아리랑 스리 스리랑 아라리가 났네

　아리랑 홍홍홍 아라리가 났네

　쌀밥을 한 솥 지어 김밥을 만들고

　아들딸 두루 낳아 시민군을 만들세

　아리 아리랑 스리 스리랑 아라리가 났네

　아리랑 홍홍홍 아라리가 났네

　저 건너 입석봉에 흰구름이 걸렸네

　총칼 맞은 우리 님은 언제 다시 볼거나

　아리 아리랑 스리 스리랑 아라리가 났네

　아리랑 홍홍홍 아라리가 났네

　아리 아리랑 스리 스리랑 아라리가 났네

　아리랑 홍홍홍 아라리가 났네

　술이 거나하게 취한 농부·택시운전사·공장 근로자 1·2·3이 무대로
나온다.

■ 이도윤 시 「5월 농부가」

농부　(엉덩방아 찧듯이 엉덩이를 두드리며)

　얼쑤, 얼쑤, 이리 오시랑께요……

　우리 모두 한 핏줄인데

　논바닥에 모 심듯이 빙 둘러앉아

　막걸리 한 잔 들세에에—

택시운전사　(막걸리잔을 치켜들며)

382

어이 젊은 친구들! (근로자들을 가리키며) 처녀 가슴 적시듯이,
에헤, 이 몸도 막걸리 사발 노래 사발로 적셔주소
광주 천지를 품에 안고 온통 푸르러지고 싶네
얼쑤 얼쑤……

농부 얼쑤, 얼쑤, 이리 오시게
바람 같은 우리 사람들아
삼천리 들녘에 숨결도 주고 이내 가슴도 안아주오

농부·택시운전사·아나운서 북소리 징소리로 그대에게 날아가
세……

모두가 하나 되어 흥겹게 강강수월래 음악에 맞추어 손에 손을 잡고
춤을 춘다.

제3장

장면은 전라남도 도청. 새벽 야음을 틈타 계엄군 공수부대들이 들이닥
치기 시작한다. 고막을 찢는 듯한 총성, 총성, 그리고 탱크의 캐터필러 소
리와 하늘을 섬광으로 가르는 무장 헬리콥터의 굉음이 관객석까지 깊숙
이 파고든다. 무대 가득히 공포의 분위기에 휩싸인다. 무대 왼쪽에서 어
머니, 아버지가 총성이 울려퍼지는 전남도청을 바라본다.

아버지 (광주시민군들의 본부인 전라남도 도청을 가리키며) 아이구,
우리 새끼들이 다 죽어가는구나! 다 죽어가!

어머니 저놈들이 우리 딸 뱃속 아기까지 죽이더니, 이제는 누구
집 자식들을 다 죽이려고…… 아이고 원통해라 아이고 원통해
라……

이때 아들이 태극기를 목에 걸고 총을 든 채, 무대 앞으로 나온다. 그리고 총성이 울려퍼지는 도청을 바라보며 비장한 각오를 한다.

■ 임동확 시 「매장시편」

아들 (비장하게)

오, 난파당한 조국이여

아직도 우리는 애국가를 부르고 있네

바다에 빼앗기지 않은 시신을 싣고

어떤 배도 광주 근처를 지나가지 않네

어떤 등대도 광주를 비춰주지 않고 있네

불이여, 밝으면 밝을수록 심지조차

남김없이 태우는 불이여

그 저주스런 불꽃이 젊은 피를 마시고

불나비처럼 그들을 돌진하게 하고 있네

불의 조국이여, 오오, 우리를 인도하라

오, 태양이여 해바라기여

제4장

10일간의 항쟁이 끝난 광주. 죽음의 잔해들이 여기저기 뒹구는 광주. 먼저 총탄에 쓰러진 구두닦이 소년의 망령이 나오고, 이어서 멀리 상여소리가 흘러나오더니 이내 무대와 관객석을 가득 채운다. 상여를 따르는 사람들 속에서 법복을 입은 스님, 미사복을 입은 가톨릭 신부, 예배 예복을 입은 목사의 모습이 유난히 돋보인다. 이들 성직자들은 합장하거나 기도하는 자세 혹은 미사할 때의 모습을 연기하다가, 결국 한국 전통소리인

384

만가(輓歌) 부르기에 몸짓으로 동참한다.

스님　(염불하듯이) 아, 이 무슨 업보인가요!?

신부　(성호를 그으며) 카인의 후예들이 광주에 들이닥쳤군요!?

목사　(엄숙한 표정을 지으며) 정말, 이 처참한 모습을, 하늘에 계신
　　　주님께서 용서하실까요!?

스님과 신부, 목사가 구두통을 든 채로 총상으로 쓰러진 소년을 내려
보며 합장하고 기도한다.

■ 문병란 시 「어느 구두닦이 소년의 죽음」

구두닦이 소년의 망령　(소년은 망령으로 나와 비통하게 노래 부른다)
　저는 그냥 죽었어요
　이유도 모르고
　이유도 모르고
　어느날 저는 갑자기 죽었어요
　어느날 정오
　태양은 빛나게 떠 있고
　하늘과 땅 화안하게 아름다운 날
　모란꽃도 장미꽃도 피어 있는 날
　커다란 손과 발길들이
　그 꽃들을 밟아버렸어요
　그 꽃들을 총살해버렸어요
　그 꽃들 곁에 누워 그 떨어진 꽃잎처럼
　저는 그냥 죽었어요

이유도 모르고 이유도 모르고
어느날 저는 갑자기 죽었어요

멀리서 상여 종소리가 들려온다.

■ 조태일 시 「광주만가(輓歌)」
상여꾼 (상여소리가 높아짐과 동시에)
　북망산이 멀다더니 도청 밖이 북망이요
　저승길이 멀다더니 금남로가 저승이요 충장로도 저승이네
　황천수가 멀다더니 광주천이 황천수요 극락강도 황천수네
　저는 이 길 가지마는 잘 있소 광주여 무등산도 잘 있소

　저는 가요 당신 두고 저 세상에 저는 가요
　팔뚝 같은 쇠사슬에 꽁꽁 묶여 총검에 찢겨가며 저는 가요
　상무대 철창으로 끌려가며 돌아보며 끌려가요
　당신 두고 가는 이 몸 절통하고 분통합니다

　한 손에 태극기 들고 또 한 손에 총을 들고
　민주·평화·자유 찾아 북망산천 찾아가요 황천길 걸어가요
　광주 땅을 하직하고 무등산에 절을 하고
　저는 이 길 가지마는 잘 있소 부모님도 안녕 안녕

　저는 기왕 가지마는 광주 무등 조국이여 자손만대 번영하소
　헐벗은 사람 옷을 주어 훈훈공덕 쌓으소서
　배고픈 사람 밥을 주어 활인공덕 쌓으소서

묶인 사람 풀어주고 훨훨세상 세우소서

후렴　혜~헤 헤헤헤야 어~허 어허어허 애고애고

제5장

　장소는 달이 둥그러이 떠오른 망월동 묘지 한가운데, 달이 더 크게 둥글어진다. 스님·신부·목사가 노래 부르기 시작한다. 달이 크게 더 둥글어진다.

■ 조태일 시 「모조리 망월동」

스님　(염주를 돌리며 합장하는 자세로)
　전 국토에 달이 동동 뜨니
　이 땅 모조리 망월동이 아닌가요?
　의로운 몸 땅속에 누워
　푸른 넋 파릇파릇 돋게 하니
　이 또한 부활 아니던가요?

신부　(묵주를 꼬옥 쥐고, 두 손 모아 기도하듯)
　오월, 오월,
　부끄럼 한 점 없는
　하나뿐인 몸과 얼 바쳐
　이 땅 일으키니
　이 세상 일으키니
　이것이 바로 참 해방이지요!

목사　(왼손은 성경을 꼬옥 쥐고 오른손을 높이 치켜들며)
　5·18을 뒤집어보세요

8·15가 아닌가요?
외세 독재 분단 뒤집어보면
자유·민주·통일 아니던가요?

스님·신부·목사
오월, 오월,
어허, 석가도 공자도 예수도 한몸 되어
뒤집기를 하니
몇천년 어둠에 묻혔던
이 땅 어둠을 털고 일어서지 않았는가요?

어머니, 아버지, 아들이 나와 흐느낀다.

스님·신부·목사   (저마다 양 어깨로 둥그러이 떠오른 달덩이를 그리듯이)
전 세계에 달이 뜨니
이 세상 모조리 망월동이네
구천에 하늘에 극락에 떠도는 넋이여
망월동은 겨레의 파수꾼이로세
겨레의 광명이로세

맺음막(Finale)

▪ 조태일 시 「풀씨」
아버지   (담담한 표정으로)
풀씨가 날아다니다 머무는 곳
그곳이 나의 고향 그곳에 묻히리

햇볕 하염없이 뛰노는 언덕배기면 어떻고
소나기 쏟살같이 꽂히는 시냇가면 어떠리
온갖 짐승 제 멋에 뛰노는 산속이면 어떻고
노란 미꾸라지 꾸물대는 진흙밭이면 어떠리
풀씨가 날아다니다 멈출 곳 없어
언제까지나 떠다니는 길목
그곳이면 어떠리
그곳이 나의 고향 그곳에 묻히리

■ 문병란 시 「광주여 영원하라」

아버지　(하늘을 향해 두 손을 모으며)

　　오월은 부활했을까요?

　　죽음의 5월은 부활했을까요?

어머니　강산에 풀뿌리 꽃넋들 아름답게 타오르듯이,

　　오월은 불의를 무찔러 정의의 칼이 되었어요

　　보세요

　　저기 고운 피 흘린 망월동에

　　자유·평화·사랑의 꽃들이 피어나고 있잖아요!?

아들　광주는 늘 태어나는 아이 같아요! 물론 우리나라도 그래요!

아버지·어머니·아들

　　오, 광주의 오월은 영원할 거예요.

　　그해 한국의 역사를 온몸으로 짊어진 광주는 영원할 것이에요!

　　온 세상 하나 되는 그날까지 코리아는 더욱 영원할게요!

　　(서로서로 손을 잡는다.)

무대는 망월동 묘지를 나타낸다.

어머니와 아들은 감격을 이기지 못해 아버지를 부둥켜안고 흐느낀다.

■ 김남주 시 「함께 가자 우리 이 길을」

다같이　함께 가자 우리 이 길을

　　셋이라면 더욱 좋고 둘이라도 함께 가자

　　앞서가며 나중에 오란 말일랑 하지 말자

　　둘이면 둘 셋이면 셋 어깨동무하고 가자

　　가로질러 들판 산이라면 어기여차 넘어주고

　　사나운 파도 바다라면 어기여차 건너주자

　　네가 넘어지면 내가 가서 일으켜주고

　　내가 넘어지면 네가 와서 일으켜주고

　　산 넘고 물 건너 언젠가는 가야 할 길

　　가다 못 가면 쉬었다 가자

　　아픈 다리 서로 기대며

　　저 자유 평등 통일의 나라로

멀리서 평화·자유·통일의 종소리가 울리며 막이 내린다.

'빛소리' 오페라단과 「무등 둥둥」

5·18광주민주화운동 19주년을 기념하기 위해 최근에 광주대학교를 주축으로 하여 창단된 '빛소리' 오페라단에서는 창작 오페라인 「무등 둥둥」을 5월 18일과 19일 이틀 동안 광주문예회관 대극장 무대에 올린다고 한다. 광주에서는 물론 전국 최초의 5·18 주제 오페라 공연이어서 우리들의 관심을 끈다. 그간 문학·연극·영화·단편적인 노래 등으로 '5월'을 형상화한 예술작품은 있었으나 창작 오페라로서는 초유의 일이기 때문이다.

독자들의 이해를 돕기 위해 우선 '빛소리'의 뜻을 풀이해보면 이렇다. '광주(光州)'를 '빛의 고을'이라고 하는데 여기에서의 '빛'을 따왔다. 우리의 광주는 역사에서 비켜서 있지 않고 항상 역사의 한복판에서 어둠을 물리치는 정의로운 편에 서서 움직였던 고장인데, 여기에 음악의 기본인 '소리'를 합친 '빛소리'는 바로 '광주의 소리'며 '광주의 노래'라는 뜻이다. 다음으로 「무등 둥둥」의 '무등(無等)'은 등급을 매길 수 없고 차별이 없는 자유·평등·대동의 뜻으로, 우리 인류가 유사 이래 한결같이 갈망해오고 있는 최상·최고의 가치있는 것을 말하며, '둥둥'은 출발·진격·승리·창조적 저항으로서의 북소리, 즉 노래를 뜻하므로, 「무등 둥둥」은 자유·평등·대동세상을 이룩하기 위한 창조적 저항의 노래란 뜻이다.

그럼 '5·18'은 무엇인가? '5·18'을 뒤집어 거꾸로 읽어보자. 8·15가 아닌가. 기가 막힌 우연의 일치겠지만, 필자는 그러므로 5·18운동을 제2의 해방운동이라 부른다. 따라서 5·18정신은 민족의 광복정신 · 해방정신이며 자유 · 평등, 창조적 저항정신, 대동정신, 나눔의 정신이라고 할 수 있다.

8·15 이후 정치 · 경제 · 사회 전반에 걸쳐 우리 민족의 정통성과 정체성을 이룩하기 위한 노력에 위정자들이 혼신의 힘을 쏟았다면 6·25와 4·19도, 유신도, 신군부의 등장도, 5·18도 없었을 것이다. 그리하여 외세와 독재와 분단과 지역갈등도 없었을 것이다. 이러한 민족의 모순들을 혁파하기 위해 분연히 일어선 것이 바로 5·18민주화운동이었는데 이는 바로 반외세 민족자주, 반독재 민주, 반분단 통일이라는 명제를 바탕으로 하는 위대한 저항이었던 것이다.

이러한 광주정신을 소리와 가락과 몸짓으로 형상화한 것이 창작 오페라 「무등 둥둥」이다. 우리 역사에서 또 하나의 죄악이었던 신군부에 맞서 신부 · 목사 · 스님 · 아나운서 · 기자 · 경찰 · 교사 · 농부 · 택시기사 · 구두닦이 · 시민군, 그리고 평범한 우리들의 어머니 · 아버지 · 아들 · 딸들이 신분의 높낮음을 떠나 갈등 · 대립 · 모순 · 부조화 등을 깨뜨려 하나 되는 대동세상을 이룬다는 줄거리의 이 오페라는 장엄한 비극미와 함께 참된 저항의 신명성을 우리 광주시민은 물론 전국민 · 전인류에게 보여줄 것이다.

「무등 둥둥」은 서양 악기, 서양 가락, 서양 창법 일변도였던 기존의 오페라와는 달리, 모듬북 · 징 · 태평소 등의 국악기가 동원되며 민요 · 만가 · 판소리가락도 함께 어우러지는, 진정으로 국적 있는 오페라로 우뚝 설 것이라 믿는다.

또한 고은·신경림·문병란·조태일·김지하·김준태·곽재구·
임동확·이은봉·이도윤의 시들이 노랫말 또는 대화로 엮어지는데
이는 바로 20세기를 마감하고 21세기를 맞이하는 분기점에서 울
려퍼지는 우리 광주의 노래, 세기의 노래로서의 오페라로 발돋움
하는 쾌거가 될 것을 기대해본다.

『광주시보』 1999년 5월 1일자

어머니의 사랑은 끝이 없어라

신록이 눈부셨던 지난 오월은 가정의 달이었다. 어린이날, 어버이날, 스승의 날, 석가탄신일 등이 차례로 줄을 잇고 있었다. 그래서 오월은 그 어느날보다도 사랑의 말들, 마음씨들, 행동들이 풍성하게 오가며, 사람 사는 일 역시 저 눈부셨던 신록들 못지않게 빛났을 것이다. 그러나 한편으로는 우리들 대부분이 무슨무슨 날이니 하는 그런 형식적인 틀에만 맞추면서 들뜨고 소란한 가운데, 사랑의 진정한 의미를 놓치고 지나지는 않았나 하는 생각이 든다.

어버이날을 한번 되돌아보자. 단 하루만이라도 부모님을 오롯이 생각하면서 그분들의 사랑과 은혜에 보답하기로 정한 날이다. 그런데 이날 어버이의 사랑과 희생을 가슴바닥으로부터 뜨겁게 느끼며 그동안 잊고 지냈던 효의 참 의미를 스스로 일깨워 이를 제대로 실천한 사람이 얼마나 됐을까? 혹시 일회용 행사를 치르듯이 알량한 물질만을 앞세우며 선물꾸러미나 디밀고 자식의 임무를 다했다고 여기는 이들은 없었는지……

평상시 우리들은 부모님들의 사랑을 잊은 채로 살아간다. 너무나 몸에 익고 길들여져서 있는지 없는지조차 모르는 물이나 공기, 밥처럼 그 소중함을 모르는 것이다. 그러나 우리 어버이들의 자식에 대한 사랑, 자식을 생각하는 마음은 언제 어디서나 한결같다.

잊는 일도 없으며, 쉬는 일도 없으며, 밤낮이 따로 없고 집 안팎이 따로 없고 몸과 마음이 따로 없다. 그러기에 '자녀의 날'을 따로이 정할 필요가 없는 것이다.

이 세상에는 수십억의 사람들이 살고 있으며 그 얼굴 모습이 모두 제각기인 것처럼, 사람의 종류 역시 다르고 사랑의 모습도 다 제각기다. 그러나 우리 인간에게서 사랑의 원형을 찾는다면 그것은 자식에게 주는 어버이의 사랑일 것이다. 특히 어머니의 사랑은 시간과 공간, 인종, 시대, 역사를 초월하여 우리 인류에게 사랑의 영원한 지표요, 근원이요, 구원이요, 신앙이다. 그 무엇으로도 훼손될 수 없는 사랑의 실체인 것이다. 어머니는 자식을 위해서 아무런 조건 없이 순순히 자신의 생명을 내놓으며, 어떠한 고난과 역경 속에서도 자식을 감싸안으며 그 앞에 당당히 선다. 자신의 희생과 고통으로 이 세상에 한 생명을 탄생시키는 분이 어머니인 것이다.

불교의 경전인 『부모은중경』에 나오는 이야기다. 석가모니께서 여러 제자들을 데리고 길을 가다가 마른 뼈 한 무더기를 보게 되었다. 석가모니께서는 걸음을 멈추고 뼈무더기를 향하여 땅에 이마를 대고 큰절을 했다. 뜻밖의 광경 앞에서 제자들은 이상스럽고도 놀라서 그중 아난이라는 제자가 그 까닭을 물었다. "세존이시여, 여래께서는 이 세상에서 가장 높은 분이고 모든 중생의 어버이신데 어찌하여 보잘것없는 마른 뼈더미에 절을 하십니까?" 석가모니께서 대답하길 이 한 무더기 뼈들은 전생에 나의 조상이었을 것이며, 또 나의 부모도 되었을 것이기에 예배한 것이라고 말한다. 그리고 아난으로 하여금 그 뼈무더기들을 남자와 여자의 것으로 나누어보라고 한다. 그러자 아난은 사람이 살아 있을 때에는 그 생김새나 옷 모양으로 남자와 여자를 구별할 수 있지만 죽어서 똑같이 백골이 되었는데 그것을 어떻게 구분할 수 있겠느냐고 묻는다. 이 때 석가모니께서는 다음과 같은 말씀을 들려준다. "아난이며, 만일 남자라면 세상에 살아 있을 때 절에 가서 불경 읽는 소리도 듣고 불법승 삼보께 예배도 하며 염불을 하였을 것이므로 그 뼈가 희고 무거울 것이요, 만약 여자라면 아기를 한번 낳을 적마다 서말 서되의 피를 흘리고 여덟섬 너말의 젖을 먹여야 하므로 그 뼈가 검고 가벼울 것이니라." 이 말을 들은 아난은 눈물을 흘리며 어떻게 해야 어머니의 은혜를 갚을 수 있는지 석가모니께 물었다고 한다.

이처럼 세상의 모든 어머니는 자신의 몸에서 피와 살로써 자식을 이 세상에 내보내며 그 희생을 마다하지 않는다. 자식은 눈에 넣어도 안 아프고, 당신은 굶어도 자식 입에 밥 들어가는 모습이 제일로 보기 좋다고 한다. 모자라고 못난 자식일수록 베푸는 사랑은 더욱 깊다. 세상사람들이 죽일 놈이라고 비난을 해도, 어머니는 그 자식을 내치지 않으며 그 자식의 허물과 상처를 당신의 가슴으로 감싸안아버린다. 자식이 어려서나 장성하여서나 어머니의 마음은 늘 자식을 따라간다.

원숭이 어미의 새끼 사랑과 그로 인한 고통에서 나온 '단장(斷腸)'이라는 말이 있다. 그야말로 창자를 끊는다는 뜻이다. 사람 손에 잡혀간 새끼를 따라 백여리의 강길을 따라온 어미 원숭이는 배가 강기슭에 닿자 배에 뛰어들어 새끼를 안는 순간에 죽어버렸다. 이상히 여겨 배를 갈라보니 창자가 토막토막 잘라져 있었다고 한다. 새끼에 대한 걱정과 안타까움이 어미 원숭이의 창자를 끊어놓았던 것이다. 이것이 새끼를 둔 어미의 모습이며, 우리네 어머니의 마음이다.

나의 어머니께서는 5년 전 이 세상을 떠나셨다. 그러나 지금도 여전히 어머니의 사랑과 마음은 나를 감싸고 계신다. 힘들고 지치고 어려울 때마다 어머니의 모습을 떠올리면, 어머니는 이승과 저승의 경계도 없이 내 가슴을 다독여주시고 내 어깨를 짚으며 위로해주시고 힘과 용기를 주신다. 그러면 어느새 나 자신도 모를 새 힘이 움트고, 강한 마음들과 삶에 대한 열정들이 새록새록 차오르는 것이다. 나의 시에는 어머니에 관한 시편들이 많은데 그 까닭은 아무리 노래해도 어머니의 사랑은 다 표현할 수 없기 때문이다.

열일곱에 시집오셔
일곱 자식 뿌리시고
서른일곱에
남편 손수 흙에 묻으신 뒤,

스무 해 동안을
보따리 머리에 이시고
이남 땅 온 고을을
당신 손금인 양 뚝심으로 누비시고
훤히 익히시더니,

육십 고개 넘기시고도
일곱 자식 어찌 사나
옛 솜씨 아슬아슬 밝히시며
흩어진 자식 찾아
방방곡곡을 누비시는 분.

에미도 모르는 소리 끄적여서
어디다 쓰느냐 돈 나온다더냐
시 쓰는 것 겨우겨우 꾸짖으시고,

돌아앉아 침침한 눈 비비시며
주름진 맨손바닥으로
손주놈의 코를 행행 훔쳐주시는 분.

─졸시 「어머니」 전문

　열일곱에 노총각 스님에게 시집오신 내 어머니께서는 전남 곡
성의 동리산 기슭에서 도란도란 7남매를 낳으셨다. 여순사건이 일
어나자 우리 가족들은 태안사의 사하촌에서 광주로 피난을 나와
농사를 지었는데, 농한기 때에는 어머니께서 생사공장에 나가 일
을 하셨다. 나는 배가 고파 우는 누이동생을 업고 점심시간마다 생
사공장에 가서 젖을 먹여야 했다. 등 뒤에서 칭얼대는 누이동생이
미워서 꼬집기도 하고, 친구들과 어울려 놀지 못하는 마음에 심통
이 나다가도 어머니께서 동생에게 젖을 물리고 있는 광경을 보고
있노라면 이상하게도 마음들이 녹녹히 풀어지는 것이었다. 지금
도, 배고픈 어린 자식에게 젖을 물리며 그 자식을 바라보던 어머니
의 눈길이 선연하기만 하다.
　서른다섯에 혼자가 되신 어머니는 일곱 자식을 키우기 위해 20
여년간 행상을 하셨다. 그 먼 길, 일곱 자식을 당신 혼자 짊어지고
가셔야 했던 어머니의 발걸음은 얼마나 무겁고 고단하셨을까. 걱
정 많아 보이는 어머니의 모습을 본 것이 한두번이 아니었지만, 어
머니는 자식들을 위해서 늘 당당하셨고 넉넉하셨다. 자식들이 장

성하여 제각기 살림을 냈을 때도 육십 고개를 넘기신 어머니는 그 자식들 어찌어찌 사나 궁금하여 몸 바쁘게 찾아다니시며 고향땅에서 손수 가꾸신 온갖 곡식들을 내놓으시곤 했다.

나는 결혼하고부터 매달 정기적으로 어머님께 용돈을 드렸다. 그러나 어머니는 당신을 위해서 쓰시지 않고 다른 자식들이 드린 용돈과 함께 푼푼이 모아두셨다가 여기저기 흩어진 조상들의 무덤을 옮기고 선영을 가꾸는 데 쓰셨다. 그리고 선영 근처의 빈 땅에 곡식들을 가꾸시며 팔순이 가까워오는 연세에도 여전히 어머니께서는 온갖 것들 챙겨서 자식들 앞에 풀어놓곤 하셨다. 땅이 만물을 쉼없이 기르듯이 자식에 대한 사랑을 끊임없이 퍼올리시던 어머니! 그 어머니께서 팔순을 바로 앞둔 어느 가을날 고단했던 신발을 아예 벗으시고 말았다. 어머니는 돌아가셨지만 봉급날이면 지금까지도 월 10만원씩 용돈을 부쳐드린다. 형님 통장으로.

내게 오셨던 단 한 분의 어머니가 나로 하여금 세상의 모든 것을 어머니로 여기도록 했다. 어머니께서 베풀어주셨던 끝없는 사랑, 끝간 데 없는 사랑, 그 정성스럽고도 뜨거운 품을 통해서 나는 세상을 사랑하는 법을 배운 것이다. 내가 쓰는 시들이 어머니의 품속 같거나 어머니의 사랑과 닮아지기를 나는 소망한다. 삼라만상이 지닌 아픔과 슬픔, 고통과 괴로움, 기쁨들까지도 기꺼이 껴안고 감쌀 수 있는 사랑, 우리의 어머니들이 지니셨던 사랑을 내 시 속에 흐르게 하고 싶다. 어쩌면 내 시의 궁극점은 바로 어머니의 사랑인지도 모르겠다.

『국회보』 1999년 6월호

태안사 가는 길

이동순

　버스를 타고 조태일 시문학기념관을 찾아가는 길, 고속버스에서 내려 군내버스에 몸을 실었다. 버스가 천천히 곡성 읍내를 빠져나가자 굽이굽이 휘돌아 흐르는 섬진강이 모습을 드러냈다. 푸르고도 푸른 강이 울울창창한 숲과 만나 거대한 풍경화를 그리고 있었다. 그 풍경 속으로 빨려드는 군내버스와 함께 낯선 손님인 나를 푸근하게 맞아주는 섬진강의 고마움을 느끼는 순간, 나는 풍경 속으로 스며들어 하나가 되었다.

　강줄기를 따라 산을 끼고 도는 굽이굽이 길에 취해 있다보니 버스는 어느새 태안사 가까이 다다랐다. 승용차도 아니고 고속도로로 가는 길도 아니니 다소의 불편함이 없을 리 없었다. 그러나 그런 불편함이 나를 더 설레게 했다. 조태일 시인이 여순사건으로 피난을 나온 지 30년 만에 고향을 찾아가던 길이 아마 이렇게 설레지 않았을까, 생각하니 가슴이 아려왔다. 그 길에 동행했던 친구 박석무(朴錫武)의 말 그대로, "신들린 사람처럼, 넋 잃은 사람처럼 이리

번쩍 저리 번쩍" 뛰고도 남았으리라.

가슴속에 묻어두고 살아야만 했던 유년의 고향이자 시의 출발점인 태안사로 가는 길이 시인에게 쉽지 않았음을 안다. 서울에서 광주까지, 광주에서 곡성 읍내를 거쳐 다시 죽곡면 원달리까지…… 방문한 해가 1977년이니까 아마 곡성부터는 대부분 걸었을 것이다. 비포장길을 걸어 걸어 당도했을 고향 태안사, 그러나 그 길이 고생이라고 생각되지는 않았을 테다. 온갖 짐승들과 함께 뛰어놀던 유년으로 돌아가는 순간이었을 테니, 그 행복감을 어찌 말로 다할 수 있겠는가. 그 설렘을 나로서는 다만 어렴풋이 짐작만 할 뿐이다.

버스에서 내려 동리천을 따라 걷자니 동리천에서는 물고기들이 한가롭게 유영하고, 소금쟁이들은 낮은 포복으로 물위를 마음껏 휘젓고, 다슬기들은 자잘한 돌멩이에 붙어 사랑을 구하는 중이다. 자갈들 사이사이 이름 모를 물고기들이 몸을 숨기고 세상을 염탐하다가 내가 다가가면 어느새 흔적만 남기고 사라져버린다. 그곳의 생명들은 서로가 서로를 껴안으며 받아주고 있었다. 얕게 모래가 깔린 곳에는 작은 생명체들이 옹기종기 모여 있고, 물이 깊은 곳에서는 더 커다란 생명체들이 오순도순 키재기를 하고 있었다. 그런 곳에서 자란 시인이 어찌 사람살이에 위아래가 있고 차별이 있는 것을 용납할 수 있었겠는가. 그래서 시인은 그런 시를 썼는지도 모른다. 평화가 강물처럼 흐르는 세상이 꼭 올 것이라는 믿음으로, 원칙에 흔들림 없이 우직하게, 동리산처럼 그렇게 말이다.

조태일 시연구를 박사논문의 주제로 삼은 것은 2005년이다. 애초에는 조태일 시인의 시를 탈식민주의적 방법론으로 연구하겠다는 계획이었다. 잘 알다시피 탈식민주의는 제국주의에 의한 정치적 예속상태인 식민지시대부터 정치적 예속상태를 벗어났으나 여전히 문화적·경제적 예속상태에서 벗어나지 못한 현재까지를 포괄하며, '탈식민화' '폐기' '전유' '되받아쓰기'와 같은 문화전략을 통해 문화의 탈식민화를 목표로 한다. 조태일의 시가 국가권력의 이름으로 자국민에게 끊임없이 강제되는 문화적 식민화에 대한 거부였다고 한다면, 그의 시를 식민주의에 대항하는 이른바 탈식민주의 시로 볼 수 있을 것이었다. 관련 연구서들을 읽어가면서 연구를 진행하는 사이 논문은 어느정도 형태를 갖추어갔고, 심사 예정일에 맞춰 차츰 속도가 붙어가고 있었다.

그러던 어느날 지도교수인 김동근 교수님께서 '새로운 연구의 흐름을 좇는 것도 좋지만 그보다 더 중요한 것은 가장 기본이 되는 연구다. 학문은 유행을 좇는 것보다 기본연구에 충실하는 것이 더 중요하다. 조태일 시인에 대한 작가론을 쓰는 것이 좋겠다'며 연구방향을 전환할 것을 조심스레 권하셨다. '이렇게 많이 썼는데 어떻게?' 그로부터 한 달을 속앓이를 했다. 망설이다보니 시간은 자꾸 흘러갔다. 하지만 결단을 내려야 했다. 이미 썼던 것을 다 버려야 할지도 모른다. 시간이 또 얼마나 걸릴지 모른다. 그래도 조태일 시인의 전모를 제대로 조명해보고 싶다. 그렇다면 가장 기본이 되는 연구를 해야 하는 것 아닌가? 하는 생각이 스쳤다. 그리고 다시 시작이었다. 결심하고 나니 마음이 한결 가벼워졌다.

먼저 조태일 시인이 발표한 모든 원고를 찾았다. 원문을 빠짐없이 확인하고 목록을 작성했다. 시론과 산문도 마찬가지였다. 그날부터 나는 도서관들을 여기저기 뒤지고 다니기 시작했다. 사람이 잘 드나들지 않는 오래된 서가에는 몇십년 되었는지 모를 먼지가 시커멓게 내려앉아 있었다. 한여름에 에어컨도 없어 오래된 책 특유의 냄새와 먼지와 땀이 범벅이 되었다. 애써 차례에서 확인한 페이지를 찾으면 절취되고 없는 것도 부지기수였다. 힘이 빠졌다. 다시 찾고 싶지 않았다. 주저앉고 싶었다. '내가 이 일을 왜 하고 있지?' 하는 생각에까지 이르면 정말 다음날은 일어나기도 싫었다. 그러다가도 하나씩 원문을 발견하는 순간의 쾌감 때문에 다시 일어나 아무 일 없었던 양 여기저기 도서관을 기웃거릴 수 있었다. 서울도 수차례 오르락내리락했다. 조태일 시문학기념관도 내 집 안방처럼 들락거리게 되었다. 구하기 어려운 자료는 인맥을 동원하기도 하고, 도서관에 근무하는 지인들에게 무조건 찾아내라고 명령을 내리기도 했다. 고맙게도 그들은 기꺼이 내 명령에 응해주었다. 그렇게 하다보니 원문이 어느정도 모아졌고, 그것을 토대로 기초자료를 정리해나갈 수 있었다. 시집에 실리지 않은 시들도 하나둘씩 발견되었다. 그것들을 따로 모으면서 시집에 실린 시들도 원문과 하나하나 대조해나갔다.

기본 자료정리를 마치고 나서 시인의 생애와 작품을 비교하다 보니 작품이 씌어진 시대상황과 시의 내용이 거의 합치하는 것이 선명하게 눈에 들어왔다. 시대에 침묵하지 않은 시인, '시인은 밤에도 잠들지 못한다'는 사실을 하나하나 눈으로 확인하는 순간, 나의 어깨는 무거워졌다. 무거워 가눌 수가 없었다. 그의 시는 곧 그의 삶이었기 때문이다. 그의 시는 살아움직이는 역사였기 때문이다. 반역의 시대를 거슬러오르는 그 힘찬 언어와 거대한 폭력 앞에서도 굴하지 않는 그 거대한 힘에 나는 압도당하고 말았다. 그런 그의 시와 삶을 어떻게 연구한다는 말인가? 아무리 노력한다 해도 그의 전모를 온전히 드러낼 수 없을지 모른다는 두려움, 그것을 극복하기가 쉽지 않았다. 그러던 어느날 밤, '잘돼가고 있냐?'며 시인이 내게 말을 걸어왔다. 그러곤 따뜻한 손길로 등까지 토닥여주었다. 화들짝 놀라 정신을 차리고 보니 꿈이었다. 급기야 조태일 시인이 꿈속까지 점령한 것이다. 이제는 멈춰서도 그만둬서도 안되는 일이었다. 『조태일 전집』은 그런 몸부림의 시간 속에서 만들어졌다.

이제 『조태일 전집』을 어떻게 엮었는지 간단히 밝혀두어야겠다. 먼저 조태일 시인이 발표한 모든 시를 모아 묶으려 했다. 첫시집 『아침 선박』부터 마지막 시집 『혼자 타오르고 있었네』까지 여덟 권의 시집에 실린 시 454편과, 발표는 했지만 시집에 실리지 않은 시 64편을 한데 모았다. 표기는 가급적 시집에 실린 그대로 따르려 했으며, 처음 시집에 실린 판을 정본으로 삼았다. 한 작품이 나중 시집에 재수록된 경우도 없지 않지만, 재수록 과정에서 오류가 종종 발견되는 까닭이다. 시집에 실리지 않은 시들은 발표 원문대로 묶었다. 물론 여기에 묶은 시들이 조태일 시의 전부일 수 없음을 안다. 어딘가에서 잠자고 있는 시들이 더 있을지도 모를 일이다.

시인이 발표한 모든 시론과 산문도 모아 엮었다. 서지사항과 원문의 형태를 알 수 없는 2편은 여기에 묶지 못하고 이후의 작업으로 미루었음을 양해 바란다. 생전에 출간된 시론집 『고여 있는 시와 움직이는 시』와 산문집 『시인은 밤에도 눈을 감지 못한다』에 수록된 글들은 그 판을 따랐으며, 그외의 글도 발표된 대로 엮었다. 시론과 산문은 앞의 두 책을 참고해 총 3부로 구성했다. 1부는 시론 성격의 글이며 2부는 시론과 경계가 모호하기는 하지만 주로 문학에 관한 글이다. 3부는 일반산문이나 사회비평에 가까운 글들을 묶었다. 시와 시론, 산문을 정리하여 모으니 모두 네 권 분량이 되었다. 역시 어딘가에 숨어 있는 글이 더 있을 수 있겠지만, 이렇게나마 엮을 수 있어서 참 다행이다. 참 고맙다. 살아 있는 기적을 베푸는 이 지상의 모든 것들에게 참 감사하다.

전집이 나오기까지 많은 이들의 도움이 있었음을 말하지 않을 수 없다. 가장 먼저 출판을 맡아준 창비에 고마움을 전한다. 사실 출판시장에서 문학전집이 차지하는 위치는 소소하기 짝이 없다. 경제성이 없기 때문이다. 그럼에도 불구하고 조태일 시인과의 각별한 인연으로 기꺼이 전집 출판을 맡아주었으니 감사할 따름이다. 그리고 미망인이신 진정순 여사의 응원에도 깊은 감사를 드려야겠다. 때로는 소녀처럼, 때로는 엄마처럼 선생님처럼, 해맑은 모습과 따뜻한 마음으로 맞아주셨음을 오래도록 기억하고 싶다. 또한 생전에 조태일 시인을 아끼고 사랑했던 많은 분들의 보이지 않는 격려가 컸음도 밝힌다. 특히 시인의 오랜 벗이자 동지였던 박석무 선생님의 응원은 많은 힘이 되었다.

도움을 주신 모든 이들에게 보답이 되는 일은 이 전집 발간을 계기로 이후 많은 연구성과가 쏟아지는 것이리라. 자료의 부족과 미비함 때문에 연구를 뒤로 미룬 이들이 있다면 부디 지금 바로 시작하시기 바란다. 그것이 이 전집을 엮은 이유의 하나이기도 하다.

지금쯤 조태일 시인은 한라산에서 백두산까지 전 국토를 온몸으로 거슬러오르며 이 땅을 노래하고 있을 것이다. 그러다가 동리천에 뛰어들어 멱을 감기도 하고, 때로 지치면 풀꽃들과 함께 누워 노래도 부를 것이다. 바람과 장난하면서 어린아이가 되기도 하고 눈사람이 되어보기도 할 것이다. 그러면서 이 땅 어디든 찬 겨울 대신 따뜻한 햇볕이 내리쬐는 봄이기를 간절히 바라고 또 바랄 것이다. 그리하여 이쪽과 저쪽이 없는 세상을 꿈꿀 것이다. 그것이 그가 시를 쓰는 이유였을 테니까. 그가 끊임없이 지향했던 것이 바로 이 땅의 생명과 평화일 테니까.

연보

1941년 9월 30일 전남 곡성군 죽곡면 원달 1리 동리산 태안사에서 대처
승인 조봉호(趙鳳湖)와 모친 신정임(申正任) 사이에 7남매 중 넷
째로 태어남.

1947년 6세 동계국민학교에 입학했으나 이듬해 여순사건이 터져 광주시
서구 광천동 88번지로 이사.

1950년 9세 수창국민학교 4학년 재학중 한국전쟁 발발. 이후 3년간 휴학
하다 극락국민학교를 거쳐 수창국민학교 졸업.

1956년 15세 광주서중학교 입학.

1959년 18세 광주고등학교 입학. 조카의 죽음으로 시인이 되기로 결심함.

1960년 19세 4·19혁명에 참가. 동생 조기수 행방불명. 박석무 등과 제주
도 무전여행을 떠남.

1961년 20세 교지 『광고』 11호에 시조 「白鹿潭에서만 살아가는 하늘과
나」 발표.

1962년 21세 경희대 국문과 입학. 평생의 스승인 김광섭 조병화 시인과
만남.

1963년 22세 전남일보 '속간 11주년 기념 문예작품 공모'에 「다시 鋪道에
서」로 가작 3석 당선(필명 河村).

1964년 23세 경희대 2학년 재학시 경향신문 신춘문예에 시 「아침 船舶」이
당선되어 문단에 나옴.

1965년 24세 첫시집 『아침 船舶』(선명문화사) 간행.

1966년 25세 경희대 국문과 졸업. 육군 소위로 임관(ROTC 4기)하여 2년
　　　　뒤 중위로 예편.

1969년 28세 8월 월간 시전문지 『詩人』 창간. 초등학교 교사인 진정순과
　　　　결혼. 홍은동 산1번지 김관식 시인의 집 '육모정'에서 신혼생활
　　　　시작. 김관식 구자운 박봉우 신경림 천상병 등과 교유함.

1970년 29세 두번째 시집 『식칼論』(시인사) 간행. 『詩人』에 김지하의 시론
　　　　「풍자냐 자살이냐」를 게재한 뒤 당국의 압력으로 폐간.

1972년 31세 장남 천중 출생.

1973년 32세 창제인쇄공사 입사. 덕성여대 출강. 딸 현정 출생.

1974년 33세 11월 18일 뜻있는 문인들과 함께 자유실천문인협의회를 창
　　　　립, 간사직을 맡고 유신독재체제와 맞섬. 민주수호국민협의회 창
　　　　립에 참여.

1975년 34세 세번째 시집 『國土』(창작과비평사)를 간행했으나 긴급조치
　　　　9호로 판매금지 당함.

1976년 35세 막내 형준 출생.

1977년 36세 8월 30년 만에 고향 태안사 방문. 양성우 시집 『겨울공화국』
　　　　발간 사건에 연루되어 긴급조치 9호 위반으로 고은 시인과 함께
　　　　구속.

1978년 37세 일본 리까쇼보오(梨花書房)에서 현대한국시선 씨리즈로 『國
　　　　土』가 일역되어 출간.

1979년 38세 5월 한밤중에 자택 옥상에서 박정희 대통령과 유신독재체제
　　　　를 신랄하게 비판하는 연설을 했다는 이유로 투옥, 29일 만에 석
　　　　방됨.

1980년 39세 계엄해제를 촉구한 지식인 124명 서명에 참여. 시론집 『고여
　　　　있는 시와 움직이는 시』(전예원)를 간행했으나 판매금지 당함.

5·18광주민주화운동 이후 2년간 절필. 7월 자유실천문인협의회 임시총회와 관련 계엄법 및 포고령 위반으로 신경림 구중서 등과 함께 구속되어 보통군법회의와 고등군법회의에서 징역 2년 집행유예 3년을 선고받음. 대법원에서 원심대로 확정.

1982년 41세 편저 항일민족시선집 『아아 내 나라』(시인사) 간행.

1983년 42세 네번째 시집 『가거도』(창작과비평사) 간행. 『詩人』을 무크지로 복간하여 1986년 4호까지 발간함.

1984년 43세 경희대 대학원에서 『김현승 詩 연구』로 석사학위 받음. 경희대·단국대 출강.

1985년 44세 문학선집 『戀歌』(나남출판사) 간행.

1987년 46세 다섯번째 시집 『자유가 시인더러』(창작과비평사) 간행.

1988년 47세 자유실천문인협의회가 민족문학작가회의로 바뀌면서 초대 상임이사로 취임. 순천향대 출강.

1989년 48세 광주대 문예창작과 조교수로 임용됨.

1991년 50세 경희대 대학원에서 『김현승 詩정신 연구』로 문학박사학위 받음. 여섯번째 시집 『산속에서 꽃속에서』(창작과비평사) 간행, 이 시집으로 제1회 편운문학상 수상. 한국대표시인 100인 선집 중 66권으로 『다시 산하에게』(미래사) 간행.

1992년 51세 공저 『문학의 이해』(한울아카데미) 간행. 제35회 전라남도문화상 문학부문 수상.

1993년 52세 성옥문화대상 예술부문 대상 수상.

1994년 53세 2월 민족문학작가회의 부회장으로 선출됨. 3월 광주대 예술대학 초대 학장에 취임. 광주대 예술대학 문예창작과 교수. 이론서 『시 창작을 위한 시론』(나남출판사) 간행

1995년 54세 일곱번째 시집 『풀꽃은 꺾이지 않는다』(창작과비평사) 간행.

이 시집으로 제10회 만해문학상 수상.

1996년 55세 민족문학작가회의 부이사장으로 선출됨. 산문집 『시인은 밤에도 눈을 감지 못한다』(나남출판사) 간행.

1998년 57세 현대문화쎈터에서 시창작 강의. 김준태 시인과 함께 쓴 오페라 「무등 둥둥」이 광주문화예술회관에서 상연됨. 『알기 쉬운 시창작 강의』(나남출판사)와 『김현승 詩정신 연구』(태학사) 간행.

1999년 58세 여덟번째 시집이자 마지막 시집인 『혼자 타오르고 있었네』(창작과비평사) 간행. 9월 7일 급성간암으로 서울 아산병원에서 타계, 경기도 용인 공원묘지에 안장. 9월 9일 보관문화훈장 추서.

2000년 조태일 기념사업회 결성.

2001년 광주 너릿재 시비공원에 「풀씨」 시비 건립.

2003년 9월 7일 전남 곡성군 태안사에 조태일 시문학기념관 건립. 제자 이도윤 시인이 『詩人』지를 반년간지로 복간함. 11월 14일 5·18 민주유공자로 인정됨.

2005년 5월 8일 국립5·18민주묘지에 안장. 충남 홍성의 만해 민족시비공원에 「풀씨」 시비 건립. 다큐멘터리 「민족시인 조태일―자유의 정신으로 이슬로 벼려진 칼빛 언어들」이 광주MBC에서 방송됨.

2006년 한국문학평화포럼 주최 '죽형 조태일 문학축전' 열림.

2007년 광주·전남작가회의 주최 '조태일 문학축전' 열림.

저서 및 관련 비평 목록

시집

『아침 船舶』, 선명문화사 1965.

『식칼論』, 시인사 1970.

『國土』, 창작과비평사 1975.

『가거도』, 창작과비평사 1983.

『자유가 시인더러』, 창작과비평사 1987.

『산속에서 꽃속에서』, 창작과비평사 1991.

『풀꽃은 꺾이지 않는다』, 창작과비평사 1995.

『혼자 타오르고 있었네』, 창작과비평사 1999.

시선집

『연가』, 나남출판 1985.

『다시 山河에게』, 미래사 1991.

신경림 엮음 『나는 노래가 되었다』, 창비 2004.

시론집·기타

『고여 있는 詩와 움직이는 詩』, 전예원 1980.

『아아 내 나라』(편), 시인사 1982.

『시 창작을 위한 시론』, 나남출판 1994.

『시인은 밤에도 눈을 감지 못한다』, 나남출판 1996.

『알기 쉬운 시창작 강의』, 나남출판 1999.

관련 비평

김현승 「6월의 시단 시평」, 『동아일보』 1969. 6. 19.

이가림 「야만적인 노여움의 시」, 『신춘시』 17, 1969.

김현승 「60년대 시의 방향과 한계」, 『문학과지성』 1970. 가을.

염무웅 「4월의 시단」, 『동아일보』 1970. 4. 27.

이형기 「11월의 시단」, 『동아일보』 1970. 11. 16.

박재삼 「이달의 시」, 『동아일보』 1971. 9. 20.

이선영 「이달의 문학」, 『경향신문』 1972. 1. 22.

정한모 「이달의 시」, 『동아일보』 1972. 1. 26.

윤병노 「이달의 시」, 『중앙일보』 1972. 3. 21.

황동규 「이달의 시」, 『중앙일보』 1972. 10. 11.

염무웅 「올해 상반기의 시」, 『경향신문』 1973. 6. 28.

신경림 「7월의 시」, 『경향신문』 1974. 7. 10.

신동욱 「5월의 시」, 『경향신문』 1975. 5. 14.

김화영 「식칼과 눈물의 시학」, 『서울평론』 1975. 6.

염무웅 「절망하지 않는 발성」, 『서울신문』 1975. 6. 23.

최하림 「꿈틀거림의 세계」, 『심상』 1983. 7.

고정희 「인간회복과 민중시의 전개」, 『기독교사상』 1983. 8.

김영무 「시의 언어와 삶의 언어」, 『창작과비평』 부정기간행물 1호, 1985.

김우창 「참여시와 현실적 낭만주의」, 『시인의 보석』, 민음사 1993.

송희복 「생명력의 근원과 시적 감응」, 『창작과비평』 1995. 가을.

임동확 「넘을 수 없는 거대한 산 같은」, 『실천문학』 1996. 봄.

이동순(李東洵) 「눈물, 그 황홀한 범람의 시학」, 『창작과비평』 1996. 봄.

이은봉 「조태일의 시 세계: 자연, 고향, 사랑, 그리고 시」, 『진실의 시학』, 태학사
　　1998.

이희중 「시와 '나'의 기원」, 『창작과비평』 1999. 여름.

김준태 「구산선문, 동리산의 품성을 닮은 시인」, 『문예중앙』 1999. 겨울.

염무웅 「자유정신으로 이슬로 벼려진 칼빛 언어」, 『창작과비평』 1999. 겨울.

박덕규 「국토에서 나서 국토로 치솟고 국토로 스며들고」, 『시와반시』 1999. 겨울.

강형철 「자연을 보는 몇 개의 눈」, 『녹색평론』 1999. 12.

이주열 「조태일의 「국토」에 나타난 이미지 연구」, 중앙대 예술대학원 석사논문
　　2000.

장석주 「조태일」, 『20세기 한국문학의 탐험』 4, 시공사 2000.

김경복 「생명의 힘, 생명의 역사: 조태일 시의 의미」, 『작가와 사회』 2001. 전반기.

김현석 「조태일 시 연구」, 경희대 교육대학원 석사논문 2001.

방인석 「조태일 시 연구」, 경희대 대학원 석사논문 2001.

김정환 「32년전―조태일 시집 『식칼론』」, 『씨네21』 2002. 10.

신경림 「조태일―크고 다감한 시, 남성적이면서 섬세한」, 『시인을 찾아서』 2, 우
　　리교육 2002.

강순구 「경계지우기: 조태일 시인의 마지막 시집 『혼자 타오르고 있었네』를 중심
　　으로」, 『풍자문학』 2002. 겨울.

박남준 「나는 자꾸 소주병을 바로 세우려 애썼다」, 『시인』 1, 2003.

박석무 「그리운 죽형 시인」, 『시인』 1, 2003.

이성부 「조태일 생각, 그리고 『시인』지 생각」, 『시인』 1, 2003.

이호철 「거시기 산우회와 조태일형」, 『시인』 1, 2003.

진헌성 「고 조태일 시인의 그 뜨겁던 한여름 날의 꽃구름길을 찾아서」, 『시인』 1,
　　2003.

유성호 「조태일 시 연구―저항성과 천진성의 시학」, 청람어문교육학회 『청람어문

교육』29, 2004.

민경헌「조태일 시 연구」, 전북대 대학원 석사논문 2004.

이오봉「조태일 시의 변모과정 연구」, 고려대 인문정보대학원 석사논문 2004.

노용무「바람의 시인, 조태일론」, 『작가연구』2004. 전반기.

손택수「대지의 향기, 꽃 속에서 터진 말」, 『창작과비평』2005. 봄.

이은봉「조태일 시의 의식지향」, 박현수·최승호 엮음『한국현대시인론』2, 다운
　　샘 2005.

이동순(李東淳)「조태일 시정신 연구」, 단국대 교육대학원 석사논문 2005.

구모룡「생명의지와 행위의 은유」, 『시의 옹호』, 천년의 시작 2006.

송기한「반란의 언어를 넘어 생명의 언어로: 조태일론」, 『현대시』2006. 6.

최현식「민족과 국토, 그리고 미—조태일의『국토』의 경우」, 한국문학이론과비평
　　학회『한국문학이론과 비평』28, 2005.

박몽구「탈식민주의 관점에서 본 조태일의 시세계」, 현대문학이론학회『현대문학
　　이론연구』29, 2006.

김재영「조태일 시의 현실인식 연구」, 군산대 교육대학원 석사논문 2007.

이동순(李東順)「조태일 시 연구」, 전남대 대학원 박사논문 2008. 2.

　　　　　　　　「조태일 시어의 상징성 연구」, 한국언어문학회『한국언어문학』
　　66, 2008. 9.

　　　　　　　　「조태일의 시에 나타난 '태안사'의 의미화 양상」, 현대문학이론학
　　회『현대문학이론연구』36, 2009. 3.

　　　　　　　　『움직이는 시와 상상력』, 한국학술정보 2009.

조태일 전집 — 시론·산문 2

초판 1쇄 발행/2009년 9월 10일

지은이/조태일
엮은이/이동순
펴낸이/고세현
책임편집/이상술
펴낸곳/(주)창비
등록/1986년 8월 5일 제85호
주소/413-756 경기도 파주시 교하읍 문발리 513-11
전화/031-955-3333
팩시밀리/영업 031-955-3399 · 편집 031-955-3400
홈페이지/www.changbi.com
전자우편/literat@changbi.com
인쇄/한교원색